天下文化

BELIEVE IN READING

西方哲學之旅

傅佩榮

啟發人生的１２０位哲學家、穿越２６００年的心靈巡禮

上：古代＋中世紀

BCC032

目錄

第四章　蘇格拉底：以反詰法探討真理

Part 2 哲學雙重系統

第五章　柏拉圖：深入剖析人生

第六章　柏拉圖：發現而非發明真理

第七章　亞里斯多德：肯定經驗世界

第八章　亞里斯多德：界定形上學

Part 3 努力安頓自我

第九章　從犬儒到伊比鳩魯：快樂在於節制

第十章　斯多亞學派的高貴理想：從西塞羅到奧雷流士

第十一章　希臘哲學沒有畫下完美句點

Part 4 協調人神關係

自序

半世紀的心願，跨越兩千六百年的哲普作品

傅佩榮

依我所見，介紹西方哲學的書，總會在一開頭就說明：從古希臘開始，哲學的原意是「愛好智慧」。「愛好智慧」是個既動聽又美妙的語詞，誰會不喜歡呢？但是，鼓起勇氣繼續往下讀，就可能是另一回事了。

（一）如何消除隔閡？

以西方的哲普作品《蘇菲的世界》為例，它譯為中文之後，廣受歡迎，但是有多少人把它讀完，並且由之獲益？很多人告訴我，這本書最難懂的地方，是引述哲學家原著的部分。這些部分在排版時都會低兩格，唸起來不太通順，勉強唸完也不知所云，所以後來就直接跳過去了。

問題出在何處？出在翻譯上。這方面我有一些經驗。我年輕時得以跨過西方哲學的門檻，主要是靠翻譯的訓練。我譯過的書不只十本，字數也超過兩百萬字，所以很清楚翻譯哲學書時的困惑：遇到難題要如何取捨？要直譯還是意譯？需要補充說明這段文字的背景嗎？又要說明到什麼程度呢？這些問題沒有標準的解決方案。由此形成一個相當普遍的現象，就是：翻譯的書讀起來，「凡是看得懂的，都不太重要；凡是重要的，都看不太懂。」既然如此，又怎

能借助這些哲人，而領悟愛好智慧的樂趣呢？

能在年輕時就覺察自己的使命，實在是一大幸運。我十八歲考上輔仁大學哲學系，主要學習西方哲學。大三暑假時，譯成《上帝・密契・人本》，這是美國大學哲學系「宗教哲學」一課的歷代文選。二十八歲開始在臺大哲學系擔任講師，第一門課是「當代西方哲學」。為了備課，我譯成戴孚高（Bernard Delfgaauw）的《二十世紀的哲學》，其中扼要介紹了十七派學說。這段期間也著手翻譯柯普斯頓（F. Copleston）的《哲學史卷一・希臘與羅馬》，由此打下西方哲學史的基礎。三十歲赴美國耶魯大學念書，主修宗教哲學，四年學成回臺之後，譯成指導教授杜普雷（Louis Dupré）的《人的宗教向度》。在臺大哲學系教書的前三十年，我主要講授形上學、宗教哲學、西方哲學史（上），以及哲學與人生。在教學相長的過程中，我學會了如何表達深奧的思想，如何把一個觀念的演變與涵義說清楚。

（二）撰寫哲普作品

逐漸的，我覺察自己的使命在於從事「哲學普及」的工作：要以講課與寫作的方式，把西方哲學家在愛智過程中所領悟的心得，向中文的閱聽者清楚表述。哲學之所以有益於人生，不在於它的玄妙抽象，而在於它的三點特色，就是：澄清概念、設定判準、建構系統。這三點代表人類理性運作的極致表現。首先，理性一活動，就要思考與說話，此時概念若未能澄清，困惑與誤會難免層出不窮，甚至會糾纏大半輩子。其次，我們每天在做各種判斷，談論有關「真假、是非、善惡、美醜」等，但是請問這些判斷的標準是什麼？是誰所設定的？為什麼這樣設定？然後，思想若是缺乏原則，將無法建立自己的「宇宙觀、人生觀、價值觀」，進而整合這三觀為一個系統。換言之，建構系統就是要形成「二加一」的格局。所謂「二加一」，就是把「自然界」與「人類」這兩個有形可見的領域，統攝於一個「超越界」，以之做為前兩者的來源與歸宿。西方第一流的哲學家，都在努力以他們各自的方式，建構這樣的系統。

因此，關於西方哲學，我長期以來所講的與所寫的，可以畫歸「哲普作品」。這一類作品也有是否稱職的問題，我於是再退一步，提醒自己要「照著講」，而不是「接著講」。所謂「照著講」，就是努力根據每一位哲學家的觀點，做同情的理解，設法分辨「他說了什麼？他為何這麼說？」然後加上「他的說法可以給人什麼啟發」。

在「照著講」這一點上，要深深感謝柯普斯頓的幫助，他的《哲學史》（其內容自然是就西方而言）共有九卷，我自己譯了第一卷，然後第二卷到第七卷的譯文，由我負責校訂。我校訂得很仔細，並為每一卷寫了導讀，由此對於西方哲學兩千六百年的發展有了全面而深入的認識。

與此同時，我在求學過程中，曾特別用心於柏拉圖、多瑪斯、史賓諾莎、懷德海、卡西勒、德日進、雅士培、馬塞爾、卡繆、伊里亞德、李維史陀等人的思想與著作。比一般教授幸運的是，我長期在民間的教育機構（主要是洪建全基金會）為社會人士講解西方哲學，最長的一個系列是七十二講，等於把整部哲學史的代表人物梳理了一遍，並且探索他們對現代人生的啟發。

（三）本書隨緣而成

二〇一六年初，我從臺大哲學系退休，所有的書必須從研究室搬出。當時我想的是，自己最近十幾年來已經全力在鑽研中國哲學（儒家、道家與《易經》），開始可以「接著講」了，往後沒有太多力氣再談西方哲學。既然如此，我忍痛把幾百本西方哲學方面的書，分送給朋友與學生，只留下一部分難以割捨的。世事難料，想不到我還有機會總結自己「懸命半生」的西方哲學。二〇一八年春，因緣巧合，大陸的「得到」知識平臺約請我講課，標題是「傅佩榮的西方哲學課」。

於是，我在一年之內，把西方兩千六百年的哲學通講了一遍，總共介紹了一百二十位哲學家。這一年我再度體現了全力以赴的求知熱忱，那是我在美國攻讀博士之後，未曾想像過的。不同的是，以前是老師的要求，現在是自我的期許。一百二十位哲學家是個什麼概念呢？大家耳熟能詳的姑且不論，說幾位比較邊緣的人物吧！請問：想了解中世紀的人生觀，可以忽略但丁與薄伽丘嗎？文藝復興的佩脫拉克與米蘭德拉如何倡導人文主義？宗教改革之前的伊拉斯謨與湯瑪斯．摩爾，如何獻身於其理想？法國的蒙田與英國的培根，皆為哲理散文的高手，他們寫作的靈感由何而來？歌德與杜斯妥也夫斯基，在作品中涵蘊了多深的人生智慧？然後，可以錯過美國的愛默生、梭羅、杜威與桑塔亞納等人，別開生面的觀點嗎？這些人也是西方的愛智一族，在哲學史課堂上，可能被一筆帶過，但卻是我個人想要多加了解的。

有一些匆忙，但更多的是興奮，我把握所有的空閒時間，循序漸進的展開這門西方哲學課。這是個音頻課程，每週五集，每集大約十二分鐘，全年兩百六十集，再加上每週回答聽友的提問。一年下來訂戶超過四萬人。文字稿整理出來，經修訂而成本書。這是一本哲普作品，所介紹的是西方哲學家的愛智成果。這也是一本西方哲學簡史，描述了從古希臘與羅馬時期，經過中世紀與近代的演變，直到現代的發展過程。這更是一本認識西方核心理念的文化手冊，展示了西方「宇宙觀、人生觀、價值觀」如何形成、調適、變遷及走向。

在敘述哲學家的思想時，會依其重要性分配適量的章節，文字求其清楚通順。另外，還有三點特色：一是在每一節結束之處，附上「學習心得」，便於讀者複習重點；二是列出「問題思考」，讓讀者跟著哲學家的觀念，就自己的處境進行省思，看看能否迸出心靈火花，同時也逐步建立自己的觀點；三是「補充說明」，這是根據聽友提問所做的答覆，其中論及不少關鍵概念，如：「自由、良心、罪惡、痛苦、死亡、真理、幸福、人性」等。我在討論時，也加入自己研究儒家與道家的心得，或許有助於讀者在對照比較中，既可欣賞西方哲學，又能覺悟中國哲學的特色與價值。

（四）半世紀的心願

要完成這樣一本三大冊的書，確實得力於許多朋友的慷慨協助，若非「得到」平臺的信任與邀請，我不會有堅定的決心與實踐的勇氣。作業流程大致如下。

首先，我認真預備每一集要講的材料，接著是初稿錄音。然後由三位志工葉蓮芬、宋寶珠、林碧蓮，把音頻整理成文字稿，我再稍加修訂。修訂稿經過「得到」編輯部的同意之後，就可以正式錄音了。我在書房錄音時，難免受到噪音干擾，像鳥鳴、犬吠、車聲、喇叭、門鈴、電話等，更多的是我自己的聲音品質不佳，以致經常需要重複一些語句。以音頻來講課的話，這些都造成很大的障礙。在我迫切需要救援助手時，女兒琪媗上場了。她曾在美國主修電影配樂，掌握了有關潤飾聲音的各項技術，現在小試身手，讓我在這方面完全沒有後顧之憂。琪媗修飾妥當之後的音頻，再由王喆先生整理成附在音頻之後的正式文稿。王喆先生也幫忙校訂及補充不少資料，使本書更為完善。

我自一九六八年開始念哲學，到二〇一八年講述西方哲學，正好半個世紀。活在平凡而安靜的年代，沒有動亂也沒有戰爭，以一介書生，能為好學的朋友提供一本關於西方世界的哲普作品、哲學簡史、文化手冊，我為此深感榮幸與喜悅。這本《西方哲學之旅》將成為我自己的案頭良伴，它代表的不只是個人五十年治學的心路歷程，也是我獻給同代華人最真摯的禮物。

導論

極簡哲學史

導論 -1　古代哲學核心

在正式介紹西方哲學之前，我們將用四節的篇幅來介紹西方哲學史的重點。西方哲學至今已有兩千六百多年的歷史，可以分為四個階段：古代、中世紀、近代和現代。首先要介紹的是古代哲學，即古希臘哲學。

對於古希臘哲學，先要記住一句話：蘇格拉底（Socrates, 469-399 B.C.）是古希臘哲學的核心，他的魅力直到今天仍無法阻擋。蘋果電腦創辦人賈伯斯（Steve Jobs, 1955-2011）曾說：「我願意用一生的成就與財富，換取同蘇格拉底共處一個下午。」

關於古希臘哲學，需要了解以下三點：

第一，古希臘哲學的時空背景。

第二，為什麼說蘇格拉底是古希臘哲學的核心？

第三，古希臘哲學在西方哲學史上留下哪些寶貴財富？

（一）古希臘哲學的時空背景

古希臘哲學在時間上較為簡單，它發源於西元前六世紀，綿延發展至西元二世紀，相當於中國的春秋時代中葉到東漢初期。在空間上則較為複雜。一般人提到希臘，就會想到雅典，雅典當然非常重要，不過它在哲學的發展上是第三站。古希臘哲學以愛奧尼亞（Ionia）為其發源地，經由義大利南部，最後在雅典開花結果。蘇格拉底就是雅典人。

（二）蘇格拉底是古希臘哲學的核心

為什麼說蘇格拉底是古希臘哲學的核心？在蘇格拉底之前，其實已經出現好幾位哲學家，可分為兩大派別──自然學派與辯士學派（the Sophists）。

自然學派的研究焦點是自然界，試圖探究萬物的來源及其演化規律。他們將宇宙的起源歸結為水、氣、火、土，甚至歸結為數字；然而這些說法都得不到充分的驗證，所以很難取得共識。自然學派的主張很容易流於「獨斷論」，亦即只給出答案，而缺乏充分的理由。

另一方面，辯士學派的哲學家喜歡到處旅行，由此發現，各個城邦的風俗習慣、法律規章和宗教信仰都有所不同。他們由此認定：天下沒有普遍的、共同的規範，一切判斷都是相對的。他們教導年輕人透過辯論、修辭來取得現實的利益。但問題是：如果所有的價值都是相對的，那麼人應該如何生活？所以，辯士學派很容易陷入「懷疑論」的困境。

不管是「獨斷論」還是「懷疑論」，對思想的發展都會造成致命的傷害。在這個關鍵時刻，蘇格拉底出現了，他的兩句話顯示他超越了前面兩大派別。

1. 我的朋友不是城外的樹木，而是城內的居民

無論在城外觀察天象還是對自然界展開研究，都不能忽略人類生命的實際需要。人必須尋找規則來妥善安排自己的生活。

2. 未經反省檢查的人生，是不值得活的

一般人的生活，大都遵從父母的安排、社會的習俗和祖先的信仰，而沒有經過自己的認真反省。這樣的人生可有可無。

蘇格拉底在這樣的關鍵時刻挺身而出，覺察整個時代的困境，

雅典學院，此畫繪於羅馬聖彼得大教堂梵蒂岡皇宮，以古希臘哲學家柏拉圖所建的雅典學院為主題。（圖片來源：Shutterstock）

並設法探尋新的方向。蘇格拉底之後，古希臘哲學在雅典開花結果。蘇格拉底沒有寫下片紙隻字，沒有留下任何著作，卻被視為重要的哲學家，這主要歸因於他教出一位傑出的學生──柏拉圖（Plato, 427-347 B.C.）。柏拉圖在他的著作《對話錄》介紹及推展蘇格拉底的思想。柏拉圖自己也教出一位同樣傑出的學生──亞里斯多德（Aristotle, 384-322 B.C.）。亞氏著述甚豐，是古代最有學問的人。

（三）古希臘哲學留下的寶貴財富

想要了解柏拉圖與亞里斯多德，最好的方法就是透過拉斐爾（Raphael, 1483-1520）的名畫「雅典學院」。在一座富麗堂皇的學院門前，匯聚著眾多學者，或獨自沉思、或激烈辯論。畫的中間站著兩位男子，左邊的男子年紀較大，他左手拿書，右手指向天空，書名是《迪美吾斯篇》（*Timaeus*），旨在探討宇宙及萬物的來源。右邊的男子較為年輕，他左手拿書，右手指向地面，書名是《倫理學》。年長者是柏拉圖，年輕者是亞里斯多德。

柏拉圖重視理性思考，認為真正重要的是永不變動的形式，那一定高居上界，所以他用手指向天空；亞里斯多德重視經驗，對現實人生的問題更為關注，所以他用手指向地面。偏重理性還是偏重經驗，這兩種不同的探討途徑形成後代西方哲學的兩大陣營。每個人在現實人生中也需要思考：要偏重理性還是偏重經驗？或者兩者各取所長，配合使用？

收穫與啟發

蘇格拉底是古希臘哲學的核心與分界線，在他之前有自然學派與辯士學派，在他之後出現了柏拉圖與亞里斯多德。

古希臘哲學留下的寶貴財富可以概括為三點：

1. 以蘇格拉底為分界，在他之後，雅典成為西方哲學的神聖殿堂。
2. 從蘇格拉底開始，哲學家須同時關注宇宙觀、人生觀與價值觀。
3. 蘇氏的弟子柏拉圖與再傳弟子亞里斯多德，兩人各申己見，留下豐富的著作，形成理性至上與經驗優先兩大系統，影響及啟發西方哲學直到今天。

課後思考

西方第一本完整的哲學著作是柏拉圖的《對話錄》，在此之前的哲學家只留下斷簡殘篇與少數語錄。如果不經提示，你能想起幾位先於蘇格拉底時期的哲學家？你對他們有多少了解？

導論 -2　中世紀哲學核心

接著要介紹的是中世紀哲學的核心觀念。

中世紀哲學從西元二世紀橫跨到十五世紀，綿延發展一千三百多年。中世紀哲學有兩點特色：1. 時間最長。西方哲學史一共兩千六百多年，中世紀約占整個西方哲學史一半的時間。2. 創見最少。中世紀哲學對於宇宙、人生和價值等問題都預先給了答案，很難再有個人的特殊看法。

想要了解中世紀哲學，一定要知道一個宗教和兩位代表人物。一個宗教是指天主教，兩位代表人物是指奧古斯丁（Augustine, 354-430）與多瑪斯·阿奎那（Thomas Aquinas, 1225-1274）。兩人都信仰天主教，分別代表中世紀前期的教父哲學（Patristic philosophy）和後期的經院哲學（Scholastic philosophy）。

本節要介紹以下三點：

第一，什麼是基督宗教的「一教三系」？

第二，教父學派與經院學派。

第三，中世紀是黑暗時代嗎？

（一）基督宗教的一教三系——天主教、東正教與基督教

天主教（Catholic）本來是猶太社會的一個宗教團體，創始人是耶穌（Jesus, 4 B.C.-29 A.D.）。猶太人是一個宗教性的民族，自古以來就相信自己是上帝的選民，受到上帝的特別照顧。他們雖然飽經憂患，甚至遭受國家滅亡的災難，但仍然相信會有救世主來拯

義大利藝術家李奧納多．達文西創作的「最後的晚餐」。（圖片來源：Shutterstock）

救他們。猶太人稱救世主為「彌撒亞」或「基督」。耶穌是猶太人，很多人相信他就是救世主，於是就稱他為「耶穌基督」。凡是相信耶穌是基督的人，統稱為「基督徒」。在今天的世界上，基督徒人數眾多。

如果想了解天主教開始是怎麼回事，最好去看看由達文西創作的「最後的晚餐」。位於畫面中間的人就是耶穌，左右兩邊是他的十二個門徒。這次晚餐之後，耶穌就被其中一位名叫猶大（Judas）的門徒出賣給猶太人的當權派。猶太人當時被羅馬帝國統治，猶太人當權派排擠耶穌，便把他交給羅馬當局。耶穌最終被判了死刑，並於當晚過世。這個故事對西方人的影響很大，因為當時是十三個人在星期五晚上共餐，所以後來如果某月十三日恰逢星期五，對西方人來說便成了非常兇險的日子。

在這幅畫中，位於耶穌右手邊第二位的是他的大弟子彼得（Petrus）。耶穌過世後，彼得召集所有的門徒開始傳揚耶穌的宗教，稱為天主教。彼得後來被天主教奉為第一任主教，也稱為教宗。今天位於羅馬梵蒂岡的教會，就是從彼得傳教開始，至今一脈相承的天主教。

天主教成立初期，教徒遭到羅馬帝國的迫害。西元 313 年，羅馬皇帝君士坦丁大帝（Constantinus I Magnus, 272-337）宣布皈依天主教。從此天主教變得有權、有勢、有錢，發展得非常順利。羅馬帝國分裂後，西羅馬帝國於西元 476 年滅亡，整個西歐隨即陷入混亂。當時掌握西歐政權的都是文明尚未開化的蠻族，正是依靠天主教，才使得社會人心得以安定。

1054 年，以君士坦丁堡為中心的教會同羅馬天主教分裂，他們自居正統，自稱為 Orthodox（意為正統的）。由於君士坦丁堡位於羅馬的東部，所以中文翻譯為東正教。它的影響範圍從希臘半島經過東歐，發展到俄羅斯。

1517 年，馬丁·路德（Martin Luther, 1483-1546）對天主教內部的腐化狀況忍無可忍，於是著手進行宗教改革，這時才出現中文翻譯所謂的基督教（Protestant）這個詞，這個詞的原意是「反對派」或「更正宗」，即更正天主教的錯誤。因此，今天不能說「中世紀的基督教」，因為中世紀只有天主教，當時基督教尚未出現。

可見，在歷史發展的過程中，由最初的天主教逐漸演化出東正教與基督教，這三大系統可統稱為「基督宗教」（Christianity），三者的共同之處在於：都相信同一本《聖經》、同一位上帝、同一位耶穌。如此一教三系，便不易引起誤會。

（二）教父學派與經院學派

基督宗教在一開始的階段，只有天主教一個系統，主要分為兩個學派：

1. 教父學派

首先出現的是教父學派。教父就是包括主教、神父在內的宗教領袖。他們之中有些人很有學問，便努力做一件事情：先學習古希臘哲學，再設法使之與宗教的教義相結合。他們認為，古希臘哲學雖然卓越，像柏拉圖和亞里斯多德都建構出完美的哲學系統，但最後都沒有出路；他們強調存在著一個最高的力量，但都沒有說清楚那到底是什麼，究竟是一種最高的形式還是一種最高的原理？

教父學派認為，他們的宗教可以提供答案，答案就是上帝。從前透過哲學找到的最高原理無法與人溝通，但宗教裡的神具有人格性，你可以放心的與神溝通，對於生前死後的種種問題，神都會予以解決。教父學派努力證明神的存在，但這種證明有沒有效果呢？你如果相信，則不必證明；如果不信，聽了之後也不見得會接受。

這樣一來，哲學的意義何在？在古希臘時代，哲學被界定為「愛好智慧」。到了中世紀則認為「敬畏上帝是智慧的開始」。這意味哲學只能為神學服務，宗教才是主人，哲學只能幫助宗教證明教義的正確性與合理性。哲學失去自身的獨立地位，人類的理性思考也就逐漸變得黯淡無光。

2. 經院學派

經院學派出現於九世紀。聽到「經院學派」一詞，就知道它和大學差不多。中世紀的教育掌握在教會手中，教育的目標是要培養傳教士，透過學習哲學推動宗教的傳播。

經院學派在學習中遵照一套嚴謹的程序：第一，提出問題，譬如人生下來是否有原罪？上帝存在嗎？第二，正方和反方提出各自的觀點；第三，逐條加以辯論；第四，得到結論。經過上述四步之後，才能證明上帝真的存在。

這樣的論辯過程有正反兩方面的效果。首先，所有的證明看起來就像是虛構的故事，既然早就知道答案，又何必證明？但不能否認的是，在證明過程中，大腦開始思考和運作。中世紀的經院哲學又被稱為「繁瑣哲學」，但它也能幫助每個人進行細緻的思考，使思維更加周延而沒有漏洞，因此效果有利有弊。

經院哲學以多瑪斯・阿奎那為代表，他著述甚豐，內容包羅萬象。根據他的著作，一方面可以建構起整個宗教的神學，另一方面也可以為宗教的哲學立場加以辯護。

對於中世紀哲學，如果對一個宗教、兩大哲學系統、兩位代表人物都能了解的話，就可以掌握本節的重點。

（三）中世紀是黑暗時代嗎？

很多人認為中世紀是「黑暗時代」，就人的理性沒有得到自由思考的機會、百姓沒有得到適當的教育來說，中世紀確實是黑暗時代。但如果沒有宗教信仰，情況恐怕會更加複雜。

如果今天去英國或愛爾蘭旅遊，會發現牛津大學、劍橋大學、都柏林大學裡都有「三一學院」。在歐洲很多地方都會看到「三一」，什麼是「三一」？「三一」是天主教重要的神學觀念，指上帝「三位一體」（Trinity）。「三位」是指父、子與靈，「一體」是指只有一個神而不是三個神。基督徒相信「神就是愛」，任何愛一定有「能愛」與「所愛」，只有在兩個主體之間才能相愛，而父子之愛是人間最親密的情感；同時，由父子之愛產生的某種力量被稱為「靈」。這樣的解釋聽起來也有一定的合理性。

歐洲有很多歷史悠久的大教堂都保存大量的藝術精品，包括建築、雕塑和繪畫等。譬如，羅馬梵蒂岡的西斯汀教堂保存著米開朗基羅、拉斐爾和達文西的許多曠世名作，這些作品都與宗教的背景有關。另外，近代歐洲偉大的音樂家幾乎都創作過耶誕歌曲。可見，對於中世紀，不能簡單的用「黑暗」二字將其一筆抹殺。我們不見得要接受中世紀哲學的結論，但其思考過程和辯論程序仍然值得參考。

收穫與啟發

1. 中世紀哲學的時間最為漫長，長達一千三百多年，占整個西方哲學史一半的時間。宗教信仰安頓了當時民眾的心靈，在很大程度上維持社會的穩定。以此為基礎，才有了近代西方民族、國家和整個現代化的發展。
2. 中世紀哲學是為宗教服務的，對此只要記住一句話：「敬畏上帝是智慧的開始。」當宗教遇上哲學，難免會有一番辯論。中世紀哲學有兩個發展階段：教父哲學強調要為宗教信仰辯護；經院哲學則把重點放在理性論證的過程上。
3. 中世紀哲學並非一無是處。它上承古希臘的柏拉圖和亞里斯多德，使兩大哲學家的思想得以傳承；對後續的近代西方哲學，它提供許多重要的哲學概念，如本質、存在、質料、性質、共相等；同時，近代許多學者探討問題的方法也受到中世紀經院學派的影響。
4. 宗教消除當時一般百姓對於痛苦、罪惡和死亡的疑慮。

因此，中世紀哲學雖然創見不多，但對於整個西方哲學來說，它仍是不可或缺的一環。

課後思考

中世紀哲學家奧古斯丁說：「有多少力量就有多少愛。」

你贊成這句話嗎？或者可以反過來說：「有多少愛就有多少力量。」你認為哪一種說法比較合理？

導論 -3　近代哲學核心

本節要介紹近代西方哲學的核心。近代哲學的時間是從十五世紀中葉橫跨到十九世紀中葉，在這四百年間出現四大社會思潮和兩大哲學陣營。

近代西方有兩點特色：1. 科學取代宗教，成為知識的權威；2. 人的理性和經驗取代神學，成為了解宇宙和人生的主要依據。這已經很接近今天的情況了。現在簡單說明西方是如何從中世紀的「黑暗時代」，逐步變成接近現代的想法。

本節內容包括以下兩點：

第一，近代西方的四大社會思潮是什麼？

第二，近代西方的兩大哲學陣營又是什麼？

（一）近代西方的四大社會思潮

1. 文藝復興運動（十五世紀）

歐洲在十五世紀出現文藝復興運動。「復興」二字是專門針對古希臘和羅馬初期來說的。中世紀哲學「以神為本」，以宗教為其主導力量。文藝復興則要恢復和發揚古希臘和羅馬初期「以人為本」的精神。這一時期最重要的趨勢就是人文主義的興起。

文藝復興時期的人文主義以米蘭德拉（Mirandola, 1463-1494）為代表。他在二十三歲時蒐集了當時的各種問題，計劃邀請歐洲所有學者進行公開辯論，後來因為教會反對而作罷。他為此編寫《論人的尊嚴》一書，強調：上帝是造了人，但上帝並沒有給人一種固定的性質，而是給人可貴的自由；人可以自由的改造自己，既可以達到像神一樣的高貴，也可以墮落成像禽獸一樣的可憐，這完全取決於人自己的決定。一般就把這篇文章當做文藝復興的宣言。

2. 宗教改革運動（十六世紀）

歐洲在十六世紀發生宗教改革運動。馬丁·路德是天主教神父，並擔任神學教授，是一位神學權威。他發現天主教出現各種複雜的問題，令人無法忍受，主要有以下三點：

(1) 天主教的教會組織錯綜複雜，許多信徒根本不知道自己所信的是什麼，只能接觸到傳教士。

(2) 天主教的宗教儀式過於瑣碎複雜，許多信徒都忘了宗教最需要的是真誠之心。

(3) 天主教強調要有善行才能得救，善行包括向教會捐款。梵蒂岡的聖彼得大教堂的部分興建經費，就是靠販賣贖罪券來支應的。

馬丁·路德對這些現象忍無可忍，於是倡導宗教改革。他的改革強調三個重點：

(1) 只要相信就可得救（faith only）。這是信仰的原則。

(2) 只要恩典就可得救（grace only）。得救不是因為個人的功勞，不是因為你做了好事，而是要靠神的恩典。

(3) 只要《聖經》就可得救（scripture only）。得救完全依賴於《聖經》。

此前的《聖經》只有拉丁文版本，馬丁·路德和其他各國學者開始將《聖經》翻譯為本國語言。

馬丁·路德將《聖經》譯為德文，對後來德國文學的發展產生深遠的影響。這時才出現中文所謂的「基督教」，按西方文字直譯應為「反對派」或「更正宗」。

3. 科學革命（十七世紀）

第三大社會思潮是科學革命。科學革命的歷程長達一百多年，始於哥白尼（Nicolaus Copernicus, 1473-1543）提出「日心說」，認為地球繞著太陽旋轉，地球並非宇宙的中心。一百多年後，牛頓（Isaac Newton, 1643-1727）才正式確立整個古典物理學的原則。牛頓提出的萬有引力定律和運動三大定律，清楚解釋地球在繞太陽公轉的同時，本身還在自轉。科學革命讓西方人感到天翻地覆，眼界大開。在這個時期，西方人透過航海發現美洲新大陸。與此同時，西方哲學也有了蓬勃的發展。

4. 啟蒙運動（十八世紀）

第四大社會思潮是啟蒙運動。啟蒙運動對於西方來說非常重要。這一階段出現許多傑出的思想家，從休謨（David Hume, 1711-1776）、盧梭（Jean-Jacques Rousseau, 1712-1778）、伏爾泰（Voltaire, 1694-1778）一路下來，都能夠針砭時弊，力圖擺脫傳統王權的控制和宗教信仰的禁錮。只有擺脫政治和宗教的干擾，世人才有自由思考的空間。

想要了解近代西方哲學的核心，就要先了解上述四大社會思潮——十五世紀的文藝復興、十六世紀的宗教改革、十七世紀的科學革命與十八世紀的啟蒙運動。啟蒙運動最後引發1789年的法國大革命，它開創歐洲的全新格局，但過程亦十分慘烈。

（二）近代西方的兩大哲學陣營

近代西方哲學有什麼特色？隨著十七世紀科學革命的突破，西方哲學也有了蓬勃的發展。近代哲學分為兩大陣營：一派是位於歐洲大陸的理性論（Rationalism），始於笛卡兒（René Descartes, 1596-1650）；另一派是位於英倫三島的經驗論（Empiricism），始於培根（Francis Bacon, 1561-1626），經過洛克（Locke, 1632-1704）發展而成。

哲學為什麼會分成兩大陣營？理性論和經驗論爭執的焦點何在？在追求真理的過程中，首先要確保知識的可靠性。知識來自於先天還是後天？理性論認為知識來自於先天，人與生俱來的觀念，這樣才能確保知識具有普遍性。經驗論則認為知識來自於後天，人依靠後天的印象形成觀念，再逐漸累積構成知識，這樣才能確保知識具有擴展性。

理性論的問題在於，「天生本具的觀念」雖然可以確保知識具有普遍性，卻無法用後天的經驗來擴充知識的範圍。經驗論的問題在於，如果知識全部來自於後天經驗，那麼只能採用歸納法，從許多個案中歸納出共同的原則，其有效性只能到此為止，而無法把握未來的情況，這樣建構的知識顯然缺乏普遍性。

在理性論和經驗論的爭論中，開始占主導地位的是理性論的代表笛卡兒。笛卡兒被譽為「近代西方哲學之父」，他二十三歲時為了能夠外出旅行、增廣見聞而從軍，期間連續三個晚上夢到自己這一生具有特殊的使命——以理性探討真理。這句話今天聽起來很平常，但在當時，真理通常是由宗教界所決定，「以理性探討真理」代表要擺脫一切束縛。

笛卡兒說：「每一個人在一生之中，至少要有一次，要去懷疑所有能被懷疑之物。」

這句話到今天依然適用。譬如，我現在可以懷疑：

1. 這個世界真的存在嗎？世界可能是假的，它與我做夢看到的世界不同，夢裡的世界未必更虛幻。
2. 我真的存在嗎？我以為我存在，事實上我可能是在做夢。
3. 上帝存在嗎？上帝也可能是假的。

笛卡兒說，我懷疑一切，最後發現我不能懷疑那個正在懷疑的自己，否則是誰在懷疑呢？他由此斷言：「我懷疑，所以我存在。」他接著指出，懷疑屬於思想的作用之一，思想還包括肯定、猜測、感受、喜悅等。因此，笛卡兒修正自己的說法，說出一句至今所有人提到笛卡兒都會引用的名言。

笛卡兒用拉丁文說：

Cogito, ergo sum.——我思故我在。

另一方面，經驗論的代表培根，在其代表作《新工具》中指出，要用嚴謹的歸納法來找到真理。西方的思想自此分為兩大派。事實上，從柏拉圖和亞里斯多德就已經有了這樣的區分。對近代西方哲學影響較大的則是笛卡兒這一派。理性論一路發展，影響到康德的思想。

康德（Immanuel Kant, 1724-1804）建構完整的唯心論（Idealism）系統，隨後便出現唯心論與唯物論的對峙。康德之後的黑格爾（G. W. F. Hegel, 1770-1831）建構了絕對唯心論，費爾巴哈（L. A. Feuerbach, 1804-1872）針鋒相對的提出唯物論，馬克思（Karl Marx, 1818-1883）則進一步提出辯證唯物論。西方哲學由此進入烽火連天的局面，各種觀點紛紛出現，每種觀點都有可取之處，也都有些漏洞。這在近代西方哲學的發展過程中是很普遍的現象。如果以西方化或現代化做為今天生活的參考，可以說，近代西方的每一次運動都深深影響著二十一世紀的人類。

收穫與啟發

近代西方的重大變革可以概括為兩點：

1. 科學取代宗教，成為知識的權威。
2. 人的理性和經驗取代神學，成為了解宇宙和人生的主要依據。

課後思考

康德說：「你不能只以別人為手段，而不同時以他為目的。」他的意思是說，我們不可避免的會把別人當成手段，但同時也要尊重對方是一個人。你對此有什麼看法？

導論 -4　現代哲學核心

接著，要介紹現代哲學的核心。現代西方哲學從十九世紀後期至今不過一百多年，但可謂百家爭鳴，流派眾多。若想了解當前西方哲學的大致情況，要掌握以下三點：

第一，上帝死了。

第二，尋找根源。

第三，人類如何自處？

（一）上帝死了

西方哲學史流傳一則笑話：「尼采說上帝死了，上帝說尼采瘋了。」上帝是否死了我們不知道，直到今天還是很多人信仰上帝；但尼采確實瘋了。尼采（F. W. Nietzsche, 1844-1900）是天才，二十五歲尚未獲得博士學位，就被瑞士巴塞爾大學聘為希臘古典文教授，三十五歲因病退休，四十五歲精神失常，五十六歲過世。

尼采為何要說「上帝死了」？他到底想表達什麼？事實上，西方經過中世紀發展到近代，上帝除了在少數信徒心中還有牢固的地位，在知識界已經岌岌可危。從中世紀開始，整個西方社會的道德觀、價值觀均建立在宗教信仰之上；但到了尼采生活的時代，西方社會已經相當墮落，很多人陽奉陰違，只有在星期日是虔誠的信徒，平常則肆意妄為，巧取豪奪，口是心非，相互傷害。

尼采毫不客氣的說「上帝死了」，他的意思是：你們信仰的上帝已被你們這些信徒殺害了，上帝名存實亡。很多人以宗教信仰做為道德的基礎，但他們的道德出了很大問題，這代表宗教信仰已經失效。因此，「上帝死了」並不是說有一個叫「上帝」的神因衰老而死亡，而是說上帝被這些人用不道德的行為謀殺了。大家口口聲聲說自己是上帝的信徒，但行為並沒有比非信徒更好。

尼采提醒當時的歐洲人重新界定價值的系統。人活在世界上，要採取什麼樣的道德觀、審美觀和價值觀，不能再以宗教做為藉口、以傳統做為根據，必須自己面對新的挑戰。可見尼采具有大無畏的精神和令人震撼的魄力。尼采後來提出「超人哲學」：上帝死了，我們要成為超人。西方人不能再以上帝為藉口來滿足個人的私欲，這也包括巧取豪奪的殖民主義和帝國主義。

（二）尋找根源

現代西方哲學的第二個方向是尋找根源。有一件事值得參考。二戰後，1946 年夏天，德國哲學家海德格（Martin Heidegger, 1889-1976）在德國南部的森木市場巧遇中國學者蕭師毅先生，兩人聊得很投機。海德格崇拜老子，讀過各種版本的《老子》翻譯本，他總覺得自己懂老子，而現有的翻譯都不理想。此時碰到一位可以直接閱讀原文的中國學者，當然很高興，他決定每週六下午邀請蕭教授到他家，兩人相對而坐，重新開始翻譯《老子》。

從第一章〈道，可道，非常道〉開始，到第八章〈上善若水〉，兩人因為意見不合而發生爭吵。海德格年紀稍長，有點倚老賣老，他指著蕭教授說：「你不懂老子。」蕭教授不甘示弱，也指著海德格說：「你不懂中文。」其實，懂中文不一定懂老子，而懂老子也不一定非要懂中文不可。

海德格為何如此崇拜老子？因為他發現，老子所說的「道」是對古希臘時代探討的「存在本身」（Being）的最佳描述。海德格認為，從古希臘時代以來，西方學者早就遺忘什麼是存在本身，他們用「存在的東西」（beings）來代替存在本身，但這兩者是完全不同的。存在本身是根源，存在的東西是個體。個體充滿變化，生生滅滅；存在本身則像老子所說的「道」一樣，永遠不會變化或消失。海德格透過各種翻譯本了解《老子》的思想後，簡直喜出望外，遂決定將《老子》再度翻譯成德文，可惜此事未能成功。

由此可知，西方人在尋找根源時，通常會考慮以下幾個方面：

1. 原始的少數民族未經現代化的汙染，保存某些原始的智慧。
2. 從古代的宗教或神話中尋找靈感。
3. 從其他民族的智慧中尋找材料。對西方人來說，老子的《道德經》就屬於東方民族的偉大智慧。

（三）人類如何自處

人類在二十世紀經歷兩次世界大戰，人類的未來應該何去何從？因此，要把焦點拉回到人類如何自處。關於這個問題，有個小故事很有代表性。

二戰期間，德軍占領包括巴黎在內的法國大部分地區。有一天，在巴黎一家咖啡館的沙龍裡，法國哲學家沙特（Jean-Paul Sartre, 1905-1980）和卡繆（Albert Camus, 1913-1960）辯論「人有無絕對自由」。沙特主張人有絕對自由，卡繆則認為沒有。兩人都是哲學系的畢業生，口才和學識均屬一流，辯論不分勝負。

最後，較為年輕的卡繆因為失去耐心而使出「殺手鐧」，他說：「沙特先生，如果人有絕對自由，請問你能否向納粹檢舉我是地下抗德份子？」沙特沉吟良久，然後說：「不行，我做不出這樣的事。」卡繆說：「因此，人沒有絕對自由。」可見，自由至少應該以朋友間的道義做為底線。如果人與人相處完全沒有底線，如果我不能尊重別人也像我一樣是個主體，這個世界會變成什麼樣子？他們辯論的話題就是有關人與人應該如何相處的問題。

現代西方哲學已經開始轉向：由以前形上學的思辨——到底存在本身是什麼，上帝是否存在，人性的本質如何，轉到人的存在處境；由以前知識論的討論——人到底能夠認識什麼，觀念是先天的還是後天的，你所認識的能否禁得起檢證，轉到人的生命需求。傳統西方哲學重視形上學與知識論，現代西方哲學則轉而重視倫理學，就是要問：人活在世界上，什麼是善？什麼是惡？應該如何行善避惡？為什麼要行善避惡？理由何在？

哲學研究的焦點轉向人與人之間。不要把別人當做「他」——「他」是不在現場的；而要把別人當做「你」——「你」是在我對面、與我平等互動的。再進一步，不要把別人當做另外一個「我」，而要把別人當做「他者」。

「他者」像我一樣具有位格，是某一位先生或女士，有獨立的人格與思維。他者與我不同，不是我的複製品，不是另一個我。他者的面貌對我來說可能千變萬化，每一種變化對我都是一種啟發，我由此也可以了解自己的生命，因為我對別人來說也是一個他者。我與他者該如何相處，也牽涉到我與自己該如何相處。這樣就使問題變得更加複雜而深刻。

西方許多學者都在探討這一類問題，其中發展得最為充分和完整的就是存在主義，它對現代世界產生廣泛的影響。「存在」是指用真誠的態度選擇成為自己，承擔自己的命運與挑戰。這不正是我們今天所面臨的處境嗎？

存在主義人才輩出，前面談到的卡繆和沙特都曾獲得諾貝爾文學獎。卡繆的《異鄉人》和沙特的《作嘔》這兩部小說，使一代人都感受到世界有多麼荒謬。《麥田捕手》也影響整整一代人，它描繪主角無比苦悶、彷徨，直到精神崩潰的整個過程。

存在主義影響世界半個多世紀，直到今天仍發揮作用。無論小說、電影還是其他藝術形式，都不停講述現代人的荒謬處境。然而，在荒謬中能否找到未來？向上尋求宗教，它已與人產生了隔閡；向下尋求科學文明的發展，它與人隔閡更深。那就從人與人之間的關係去尋找吧！當你與別人來往時就要問：我和他的關係是什麼？因此，現代哲學發展到最後，特別強調「我」與「他者」的關係。

收穫與啟發

關於現代哲學，要記住三句話：

1. 上帝死了。人類不能再繼續依靠上帝或宗教的啟發，來解決人間的價值觀問題。
2. 回到過去，尋找根源。人類的終極答案可能要到古希臘、原初民族或東方哲學裡去尋找。
3. 影響現代文學、電影、藝術最深刻的哲學觀點是存在主義。

現代哲學仍在發展之中，可以從多方面加以欣賞，譬如：

1. 重視方法論的，可以參考現象學與詮釋學。
2. 關心社會現狀的，可以注意批判理論與正義理論。
3. 志在尋找根源的，可以研究結構主義與初民存有學（最初的原始部落或少數民族的存有學）。
4. 強調人際相處的，可以探討生命哲學與存在主義。

課後思考

針對現代哲學的三個方向，你覺得哪一項比較重要？或者哪一項是今日社會最需要的？

Part 1
哲學源自驚奇

第一章

哲學的起源

理性萌芽

1-1 這一切是怎麼回事？

從本章開始，將正式進入西方哲學的世界，學習其具體內容。

泰勒斯（Thales, 約 624-546 B.C.）被稱為西方哲學之父，他曾說：「萬物的起源是水。」就西方哲學而言，這句話標誌著世人開始用理性思考萬物的本質。探索萬物的起源成為古希臘哲學的重要命題之一。

你也許會想：探討起源有這麼重要嗎？舉個例子來說明。假如你遇到一個外國人，想多了解他，通常第一句話會問：「你是哪國人？」如果遇到本國人，通常會問他：「你是哪裡人？」你問的都是來源，好像在很大程度上，一個人或一樣東西的性質可以由其來源所決定。回到古希臘時代，當時的學者看到宇宙萬物充滿變化，但變化中好像又存在和諧的秩序。他們想了解萬物的性質是什麼，自然就要問萬物的來源是什麼。

圍繞泰勒斯的「萬物的起源是水」這句話，要介紹以下三點：

第一，泰勒斯是誰？

第二，萬物為何起源於水？泰勒斯是怎樣思考的？

第三，這句話引起怎樣的後續發展？

（一）泰勒斯是誰？

泰勒斯是古希臘人，生活在西元前 624 年至 546 年，大致相當於中國春秋時代中葉，比老子、孔子的年代大約早了六七十年。他一生只留下兩句話：

1. 大地浮在水上，萬物的起源是水。

2. 萬物都充滿神明。

第一句話前半句「大地浮在水上」，並不會使人感到驚訝。泰勒斯生活在古希臘繁榮的港口城市米利都（Miletus），毗鄰愛琴海。「大地浮在水上」的說法來自於他的觀察，缺乏科學證據。後半句話的效果則完全不同，「萬物的起源是水」這一說法在當時可謂驚天動地，因為它挑戰了有關萬物起源問題的社會常識。

在古代，無論哪個國家、哪種文明，都會不約而同的用神話故事來解釋世間一切事物的來源。中國古人說盤古開天闢地，猶太人說上帝創造世界。現在，這個叫泰勒斯的希臘人竟然說萬物的起源是水。水如此普通，何以做為萬物起源？我們要分析泰勒斯的思考過程，看他是如何得出這個結論的。

首先，要了解泰勒斯的生活背景，看他為何會打破當時的社會常識而提出這樣的觀點。泰勒斯出生於米利都，它是愛奧尼亞的十二個城邦之一。而愛奧尼亞和古希臘有何關係？

透過古代希臘地圖可知，古希臘的地域十分廣闊，除了現在的希臘半島之外，還包括整個愛琴海區域、亞平寧半島和小亞細亞等地。愛奧尼亞位於愛琴海東邊的小亞細亞這一區域，在今日土耳其境內。這裡堪稱風水寶地，是當時亞、歐、非三大洲的交通樞紐。在這種地方，通常思想上的交流非常活躍，很容易出現新的觀點。這就是泰勒斯提出顛覆性觀點的地緣背景。

接著要了解泰勒斯其人。早期哲學家有一個共同特點：通常身兼數職。泰勒斯不但是哲學家，還是自然科學家，也通曉數學和工程學。他會利用影子來測量埃及金字塔的高度，也會透過觀察天象來預測農作物的收成。

泰勒斯曾預言西元前 585 年 5 月 28 日這一天，太陽將變成黑

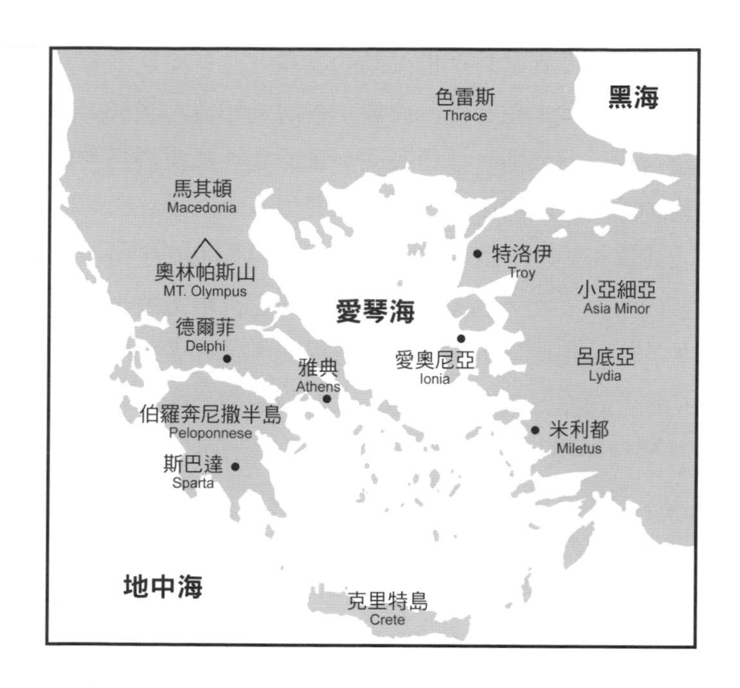

色。當時美地亞人和呂底亞人正在作戰，突然間天昏地暗，白天變成了黑夜。雙方驚恐萬分，立刻停戰言和，許多人都覺得不可思議。這件事使泰勒斯成為傳奇人物，這一天也被後代當做西方哲學的誕生之日。

（二）泰勒斯為什麼認為萬物起源於水？

泰勒斯透過觀察經驗的世界，發現水對於生命、對於世界是不可或缺的。比如，一切有生命的東西都要靠水才能活下去，生物死亡後則會脫水乾枯。水還有形態的變化：在正常情況下是液體，結冰時變為固體，燒開後又變為氣體。水的三態變化是兩千多年前的希臘人留給後世的基本物理學常識。但是，就算知道水非常重要，又如何能得出「水是萬物的起源」這個哲學結論呢？

泰勒斯顯然受到當時創世神話的啟發，並且不是一套神話，而是三套神話的啟發，包括古巴比倫、古埃及和古希臘的神話。愛奧尼亞位居古代交通要衝，三種文明交會於此，這使得泰勒斯可以概括出三種神話的共同特徵。

古巴比倫神話說，天地尚未形成之前，天地的生父與生母在水中混合在一起，生出天地，所以水的存在比天地還要早。古埃及神話說，萬物尚未出現之前，只有水的深淵，造物者從水的深淵中生出天地萬物。古希臘神話也提到，大地母親與天神合作，生出十二位巨人，稱做泰坦族（Titans），這就是後來電影「鐵達尼號」名字的來源；泰坦族的第一位巨人就是海洋神，希臘文是 Oceanus，英文就是 Ocean（海洋）。

將三套神話系統綜合來看，泰勒斯發現其中具有共同的元素──水。他相信，水絕對不是一般的物質而已，水有一種神祕的力量，簡直比神明還要偉大。於是，泰勒斯正式提出水是萬物的起源這一說法。

（三）「水是萬物的起源」引起的後續發展

事實上，從泰勒斯的學生安納齊曼德（Anaximander, 610-546 B.C.）就已經開始提出不同意見了。他認為，如果把萬物的起源說成是水，未免太具體和固定。萬物的起源應該是「未定物」（apeiron），是一種還沒有確定的東西。他的學生安納齊門尼（Anaximenes, 約 585-525 B.C.）則認為，水過於明確和固定，未定物又過於抽象，最好將兩者結合，因此萬物的起源應該是「氣」。

西方一開始進行哲學思考，就出現「吾愛吾師，吾尤愛真理」的辯證思維的特色。因此，泰勒斯被譽為「西方哲學之父」是當之無愧的。

收穫與啟發

1. 每個人都可以提出自己的觀點，只要有道理、有根據、有實證。
2. 泰勒斯說「萬物的起源是水」，重要的不是他給出什麼答案，而是他為何要探問「萬物的起源」這一問題。
3. 更重要的是學習泰勒斯的思考模式——用一統合多，這正是理性的基本功能。泰勒斯由此寫下西方哲學史的第一頁。

課後思考

請你嘗試用泰勒斯的思考模式，論證相反的或不同的說法，譬如，萬物的起源是火。也可以參考中國的五行（金、木、水、火、土）中的任何一種來說明萬物的起源。

1-2 讓神從神壇走向廚房

上一節提到，泰勒斯之所以被譽為「西方哲學之父」，是因為他說了兩句話。第一句是「萬物的起源是水」。他用一來統合多，用水這種物質來解釋萬物的來源，而不再用神話來解釋。第二句是「萬物都充滿神明」，泰勒斯想用這句話將神明請下神壇。這句話真的有如此大的影響力嗎？

本節要介紹以下三點：

第一，泰勒斯要將神明請下神壇。

第二，神話的三大功能。

第三，泰勒斯與莊子的對照。

（一）泰勒斯要將神明請下神壇

哲學家要替人類進行思考，往往展示先見之明，但是讓群眾接受某些超前的看法是非常困難的。泰勒斯說「萬物都充滿神明」，他甚至在自家廚房的門上寫了一行字：「請進，神明也在裡面。」古代希臘人看到之後，真的會嚇一跳，神明怎麼會在廚房裡面？

神明應該在兩個地方：

1. 奧林匹斯山

奧林匹斯山高達 9,600 英尺，山頂終年積雪，空氣無比清新，神明在其中逍遙自在，長生不死。

2. 神殿

今天到雅典旅遊，仍然可以看到帕德嫩神殿，由此不難想像這些神殿全盛時期的景象：神殿莊嚴肅穆，信徒頂禮膜拜，獻祭的人群絡繹不絕。這才是神明居住的地方啊。

現在泰勒斯居然說神明在他家廚房，豈不是太過分了？泰勒斯這樣說的用意，是要將神明請下神壇，從而使人的理性擺脫神的束縛，可以進行獨立的思考。

然而這件事並不容易，直到今天還沒有完成。如果想知道其中的原因，就要先了解在古希臘人的心中，神話中的神明扮演著什麼樣的角色。

（二）神話的三大功能

神話主要有三大功能：

1. 說明自然現象

神話可以用來說明自然現象。古希臘文中，「神」（theos）和「力量」（theoi）兩個詞是同一個字根。換句話說，神一定有力量，而展現力量的地方也一定有神在裡面，甚至神就等於力量。

譬如看到打雷、閃電，就相信一定有天神，稱之為宙斯（Zeus）。宙斯在希臘文中是指明亮的天空。希臘人住在愛琴海沿岸，海上經常波濤洶湧，所以當然有海神，稱之為波賽頓（Poseidon）。波賽頓在希臘文中是指搖撼著的大地。另外，人都會衰老死亡，死後會去哪裡？死後會進地獄冥府，因此一定有地獄之神，稱之為黑帝斯（Hades）。

在神話裡面，天神、海神和地獄之神本來是三兄弟，但三兄弟之間有糾結的恩怨情仇，於是造成了複雜的自然現象，像地震、山崩、海嘯之類的可怕現象都與他們有關。了解這些之後，大家就知道在什麼狀況下，向哪個神獻上什麼祭品才能平息神的憤怒，這樣活在世界上才會有安全感。

2. 肯定社會分工

神話還可以用來肯定社會分工。人類社會有各種不同的行業。有的行業看起來比較高貴，有的行業看起來比較低賤和辛苦。不過你放心，每一種行業的背後都有神在加持，像耕種、畜牧、打獵、醫藥、戰爭、法律、音樂、藝術，只要你說得出來的行業，就有相關的神，就連為天神傳遞消息都有專門的神，叫做赫爾墨斯（Hermes）。這就使得人不管從事什麼行業，都相信自己的職業具有神聖性，從而可以安心的做好本職工作。

3. 解釋人的欲望

神話可以用來解釋人的欲望，這一點更為重要。對人來說，最難認識的是自己。有時我們會覺得自己像個君子，心中有好的念頭，想做些好事。但不要忘記，我們心中偶爾也會有複雜的想法和不可告人的衝動，有些甚至會付諸行動。如果你發現人性是如此的複雜和醜惡，你還活得下去嗎？

沒關係，你在神話中會發現，所有匪夷所思、可怕、違背倫理道德的事，神明都做過，但他們還能繼續存在。這樣一來，可以讓人的生命後退一步，喘一口氣，相信自己在犯錯後還有改過的機會。

有人說神話都是假的，可以被理性所取代，但即使在兩千多年後的今天，理性仍然無法完全替代上述神話三大功能。譬如，關於自然現象，現在連最好的科學家也承認，人類所了解的物質只占宇宙的 4%，還有 96% 的暗物質和暗能量無法被了解。關於社會分工，現在社會上的行業早就超過了三百六十行，很多工作之所以沒人做，是因為大家覺得這些工作沒有任何神聖性，沒有任何意義。關於人的欲望，自從佛洛伊德提出「潛意識」之後，每個人都認為自己的內心有各種複雜的情況，似乎永遠也搞不清楚。如今患憂鬱症的人愈來愈多，這種現象變得更加明顯。

（三）泰勒斯與莊子的對照

泰勒斯說「萬物都充滿神明，我家廚房也有」，是想把神明請下神壇，請下奧林匹斯山。他希望世人調整觀念，不要再崇拜那些高高在上的、不可企及的神明，而要問自己：做為一個人，我應該承擔怎樣的責任？

「神明在廚房」的說法已經夠讓人驚訝了，但比泰勒斯晚兩百多年，中國出現了一位哲學家——莊子（約 368-288 B.C.），他的說法有過之而無不及。莊子是道家學者，有人問他「道」在哪裡，他依次給出四個答案：道在螞蟻身上，道在雜草中，道在瓦塊中，道在屎尿中。老子說「道可道，非常道」，如此偉大神聖的「道」怎麼會在屎尿中？其實，莊子真正的答案是「道無所不在」，這與泰勒斯「萬物都充滿神明」的說法不是很接近嗎？

這些哲學家之所以這樣說，是希望你了解：人不能永遠靠神話來生活，最後一定要回到自己的理性和經驗上，以客觀心態，實事求是的探索宇宙；不要再幻想著神明的援手，而要靠人類自己的力量去面對一切挑戰。

收穫與啟發

1. 對於萬物是否和諧有序之類的問題，可以用人的理性慢慢加以研究，而不必再用神明的作為來解釋。
2. 對於理性能否全面取代神話的功能，仍要持保留態度。

課後思考

聽到「萬物都充滿神明」這句話，你會調整自己對萬物、對人類的態度嗎？如何調整？

1-3 赫拉克利特：萬物的起源是火

本節要介紹赫拉克利特的一句話：萬物的起源是火。他用這句話來強調萬物的流轉變化。本節要介紹以下三點：

第一，赫拉克利特的背景。

第二，火是萬物的象徵。

第三，火是萬物的本質。

（一）赫拉克利特的背景

赫拉克利特是誰？黑格爾說：「赫拉克利特開創了一個完美的哲學開端。」馬克思在其早期著作裡也特別強調他的思想。連尼采也說：「赫拉克利特永遠不會過時。」原來赫拉克利特這麼厲害，那麼他有怎樣的背景？

赫拉克利特（Heraclitus, 535-475 B.C.）是小亞細亞地區以弗所的貴族，他放棄王位繼承權，隱居在月亮女神阿特米斯的神殿附近，整天與小孩一起玩耍。他喜歡思考人生問題，最後成為哲學家。

赫拉克利特的名言是：「你不能兩次把腳踏進同一條河流。」

河水一直在流動，你的腳第二次踏進去時，接觸到的已不是第一次踏進去的水。這句話令人印象深刻。他真正想表達的是：萬物一直處於流轉變化之中。這就是赫拉克利特「萬物流轉」的學說。這句話雖然有名，卻不是他最重要的思想。他最重要的思想是：

1. 萬物起源於火。

2. 萬物皆有「邏各斯」（logos），但它善於隱藏。

古希臘第一位哲學家泰勒斯說：「萬物的起源是水。」赫拉克利特則說，宇宙的起源不是水，而是水的對立面──火。究竟誰的說法更有道理？

事實上，說「萬物的起源是火」可能更值得信賴。根據現代天體物理學的研究成果，世人基本上都認可宇宙起源於一次大爆炸，大爆炸就是火。物理學發展至今，很多科學家仍在設法證明宇宙的起源與火有關，但是赫拉克利特早在兩千五百多年前，就提出這樣的想法了。

為什麼赫拉克利特認為宇宙的起源是火？他提出兩個理由：第一，火是萬物的象徵；第二，火是萬物的本質。

（二）火是萬物的象徵

為什麼說火是萬物的象徵？赫拉克利特認為：火不斷變化，並且保持某種均衡。

就他的觀察，火永遠在跳動，一停下來就會熄滅，所以火的特性是：不可能有片刻停止變化。宇宙萬物也在不斷變化，四季輪轉、晝夜更替、河水流動，每一秒都在變化。因此，不停變化的火可以象徵宇宙萬物的變化。

因為火在不斷變化就說火是宇宙的象徵，這樣是否過於草率？赫拉克利特又說，火雖然不斷變化，但它始終保持一種均衡。它消耗多少物質，就能產生多少能量。以冬季圍爐取暖為例，添加多少木柴就產生多少熱量，在消耗與產生之間，一定保持著均衡，不多也不少。赫拉克利特將這種均衡狀態解釋為「對立與衝突」的關係。所以，火的均衡也象徵著萬物的均衡。

綜合上述兩個方面，火既象徵萬物的變化，也象徵萬物的均衡。由此可見，「火是萬物的象徵」這一觀點似乎可以成立。

（三）火是萬物的本質

赫拉克利特進一步說，火不但是萬物的象徵，它在根本上還是萬物的本質。他提出了三個理由。

1. 火生成萬物

火是怎樣生成萬物的？赫拉克利特認為，火有兩個方向的運動。一個被稱為「下降之道」：由火產生氣，氣產生水，最後凝結為土。水和土就是海洋和陸地。有了海洋和陸地，萬物就會順理成章的出現。另外還有反方向的「上升之道」：由土變成水，水變成氣，最後成為火。這種說法顯然沒有明確的證據，但他想表達的是：火是萬物的來源與歸宿。

2. 火生成人類的靈魂

從誕生那一刻起，人的心臟就一直跳動，好像蠟燭的火焰一樣。睡覺時跳得慢，激動時跳得快，生病時跳動會失去規律。而一旦停止跳動，生命就危在旦夕。可見，生命就像火一樣，一直處於活動與變化之中。

人的生命由身體和靈魂組成。身體的來源是土與水這些比較具體的物質，靈魂則來自於火。因此，人活著的時候，要盡量讓靈魂走向火，讓自己保持清醒，嚮往光明。靈魂必須力求乾爽。赫拉克利特還說，靈魂乾爽的人最聰明，也最善良。

3. 宇宙中有一個永恆之火

火生成萬物，又生成人的靈魂，怎樣將兩者聯繫起來？赫拉克利特又提出一個大膽的想像：宇宙中有一個永恆之火。他想藉此說明，宇宙不是分散的，不是只有矛盾，宇宙背後存在統一的力量。

那麼如何理解永恆之火？他用戰爭對永恆之火做出明確解釋。他說，永恆之火就是戰爭，戰爭是萬物的父親，也是萬物的君王。

他還為此批評荷馬：「應該把荷馬從先賢名單中拖出來鞭打。」因為在《荷馬史詩》中寫道：「但願在神之間，在人之間，永遠不要再有戰爭。」

赫拉克利特認為荷馬大錯特錯。火就是缺乏與滿足，戰爭正是如此。如果沒有戰爭，沒有對立與衝突，整個宇宙將會停止而徹底毀滅，人的世界亦會消失。他說：「戰爭使少數人成為神，使大多數人成為凡人，使某些人成為自由人，而另一些人成為奴隸。」他還強調，戰爭可使戰士的靈魂回歸宇宙之火。的確，在人類的歷史上，戰爭從來沒有完全消失過。

聽起來赫拉克利特好像是好戰份子，其實不然。廣義的戰爭不僅包括軍事鬥爭，也包括一切矛盾與衝突。矛盾與衝突正是一切變化與發展的基礎，而變化與發展正是一切事物存在的根本性質。

收穫與啟發

1. 不必害怕變化，因為變化是萬物的自然狀態。因此，對個人的生老病死與成敗得失也可以看得淡一些。
2. 努力保持自己的均衡。在歲月匆匆流逝的同時，要不斷提升內在的能量。
3. 如果人的靈魂來自於火，這種火應該不是一般的火，而是另藏玄機。這就是下一節要介紹的「邏各斯」。

課後思考

赫拉克利特認為「戰爭使世界保持均衡」，這是不是意味著「戰爭即是正義」？你如何看待這樣的觀點？請想一想，有沒有可能避開戰爭而依然保持世界的均衡？

1-4 萬物皆有邏各斯，但它喜歡隱藏

接著介紹赫拉克利特的第二句話：「萬物皆有邏各斯，但它喜歡隱藏。」本節內容包括以下三點：

第一，什麼是邏各斯？

第二，邏各斯是對立的統一。

第三，邏各斯是對立統一背後所隱藏的法則。

（一）什麼是邏各斯？

當聽到一個人說話顛三倒四、自相矛盾時，就會認為這個人說話不合邏輯。「邏輯」這個詞到底是什麼意思？簡單來說，邏輯就是說話有條理。你說的話能讓我明白，就是有邏輯；你講得前後矛盾，就是邏輯混亂。

邏輯一詞在生活中使用廣泛，其實它本身是一個標準的哲學詞彙。在大學的哲學系裡，邏輯是一門成熟的課程體系，稱為「邏輯學」或「理則學」，主要內容是探討思維及推論的正確方法。如果給邏輯下個定義，邏輯就是思維的規則。

在西方的語境中，邏輯一詞至關重要。很多學科都以「邏輯」（-logy）做為學科名的字根，表示這門學科是用理性的方法研究特定領域的知識。如心理學是 psychology，生物學是 biology，社會學是 sociology。

那麼邏輯一詞究竟從何而來？邏輯一詞的字根在古希臘時代就已經出現了，古希臘文為 logos，音譯為「邏各斯」。在古希臘哲

學中，邏各斯一詞有多種含義，類似於中文的一字多義，但我們只需要掌握其中最重要的兩個含義：

1. 邏各斯就是「言語」。一個人說出有意義的話，就代表這句話裡有邏各斯。
2. 邏各斯就是「法則」。如果一個人說的話有意義，就表示他可以做出恰當而合乎理性的安排，因此邏各斯也代表法則。

有趣的是，邏各斯一詞與道家的「道」居然有高度的相似性。近代西方學者在研究老子的思想時，發現其中最難解釋的就是「道」這個字，於是有些學者就用邏各斯加以翻譯。

老子說：「道可道，非常道。」第一個道是指永恆的道，代表萬物存在的根源、萬物存在的法則；第二個道是指用言語把它說出來。道與法則、與言語恰好都有相關性。可見，邏各斯與道有高度的相似性。

更有趣的是，中國也有學者把《約翰福音》開頭兩句話翻譯為「太初有道，道成肉身」，而《聖經》的原文是「最初有邏各斯」。邏各斯代表神的言語，在這裡就是指耶穌。前面介紹過，三位一體是指父、子、靈，子是父的顯示，等於是父的言語。所以，在英文中 the word 表示言語，大寫的 the Word 則代表耶穌。

赫拉克利特想用邏各斯一詞表達什麼樣的哲學觀點？有以下兩點值得注意：第一，邏各斯是對立的統一；第二，邏各斯是對立統一背後所隱藏的法則。

（二）邏各斯是對立的統一

首先，赫拉克利特認為，邏各斯是對立的統一。所謂「對立的統一」是指：對立的事物是相互需要的，是不可分離的，是相互轉化而合成一體的。

1. 對立的事物相互需要

譬如，疾病使健康變得愉悅而美好，饑渴使飲食變得香甜可口，疲倦使休息變得令人嚮往。《孟子・公孫丑上》也有類似的話：「饑者易為食，渴者易為飲。」肚子餓了什麼都好吃，口渴了什麼都好喝。

2. 對立的事物不可分離

在一個人身上，醒著與睡著、年輕與年老、生與死，都是不可分離的對立。並且只有透過對立，才能完整的認識一樣東西。譬如，透過黑暗才能了解光明，透過噪音才會欣賞音樂，透過痛苦才可體味快樂，透過失敗才能獲得成功。

3. 對立的事物相互轉化而合成一體

對立之物可以相互轉化。表面上對立的事物，實際上是統一的；朝某一方向的變化，一定會引發朝相反方向的變化。比如，白天與夜晚組成一天，陰與陽構成太極。對立之物透過無休止的衝突，可以維持宇宙總量的平衡。如果沒有衝突，宇宙就會毀滅。《老子・五十八章》中有一句話說：「禍兮，福之所倚，福兮，禍之所伏。」表明禍與福相生相倚，也表達了類似的道理。

（三）邏各斯是對立統一背後所隱藏的法則

邏各斯除了表現出對立統一的現象之外，赫拉克利特還進一步肯定：邏各斯就是讓宇宙總量保持平衡的不變法則。一切都在變化，但變化的規則是不變的。邏各斯安排世界上一切的對立統一，所有變化背後不變的就是邏各斯，邏各斯掌控著一切。

邏各斯聽起來很抽象，赫拉克利特也知道這不好理解，因此補充說：「邏各斯喜歡隱藏。」邏各斯隱藏起來，平凡人既看不到它，也難以理解。我們要如何才能發現邏各斯呢？赫拉克利特認為要使用人的理性。

人的靈魂來自邏各斯，靈魂的作用就是理性。前面提到萬物的起源是火，火生成人的靈魂，現在又說人的靈魂來自邏各斯，那麼火與邏各斯有何關係？其實，邏各斯就是宇宙中的永恆之火。赫拉克利特還說：「邏各斯就是天神宙斯。」這些觀念在他看來都是一樣的。有一種力量總是在背後掌控一切，萬物雖然一直在變化，但都有法則可依循，這種力量就是邏各斯。人類有理性，可以認識自己、思考世界，進一步就會明白這一切都是邏各斯的安排。

收穫與啟發

首先簡單總結邏各斯所代表的哲學觀點：

1. 邏各斯是對立的統一。對立的萬物互相需要，不可分離，且相互轉化而合成一體。
2. 對立統一背後的法則是不變的，它掌控一切變化與對立。
3. 邏各斯喜歡隱藏。人的靈魂來自於邏各斯，因此靈魂具有的理性能力可以努力了解邏各斯。

我們從中可以獲得以下三點啟發：

1. 由對立統一學到初步的辯證觀念。
2. 邏各斯逐漸取代希臘神明的主宰地位。
3. 人使用理性，可以在一定程度上認識邏各斯，但不可能完全了解邏各斯。

赫拉克利特被稱為「晦澀的哲學家」，他話總是說一半，點到為止。因為他知道，真正的智慧不可能用言語完全說清楚，人的理性永遠在探索之中，理性不可能完全掌握萬物背後的邏各斯。

課後思考

你能否用對立統一的觀念，分析正在或者曾經讓你感到困惑的一段人際關係？

補充說明

從人際關係來看，常見的對立統一關係包括：在家庭中有丈夫與妻子、父母與子女；在工作中，有領導與下屬、公司與客戶；在學校，有老師與學生；在國際上，有國與國之間的關係。人活在世界上，只要跟別人接觸，就會碰到或強或弱、或深或淺的對立統一關係，我們要進一步思考三點：

1. 對立雙方有共同目標，它們的統一才有可能。老師和學生的目標都是真理，亞里斯多德說：「吾愛吾師，吾尤愛真理。」
2. 要以何種方法來達成這個目標？對立雙方一定要建立「我與你」的關係，要把對方當做在現場一樣，尊重對方。
3. 達成階段性目標之後，大家還要各自向前。原來的學生後來也可能成為老師，人生要在不斷的角色互換中實現成長和發展。

1-5 宗教被想像給絆住了

本節要介紹色諾芬尼（Xenophanes, 約 570-475 B.C.），他認為神是人類主觀的創造，這一論斷成為後世批判宗教共用的說法。

本節要介紹以下三點：

第一，古希臘宗教的情況。

第二，色諾芬尼對神明問題的反思。

第三，色諾芬尼對古希臘宗教的批評。

（一）古希臘宗教的情況

古希臘第一位哲學家泰勒斯曾努力想把神明請下神壇，他大聲疾呼「萬物都充滿神明」，但是希臘人根深柢固的神話觀念依然存在。後來的色諾芬尼則疾言厲色，直接指出神明根本是人類主觀的創造，人在想像中把神看成像人一樣，同形同性。到底當時的宗教是怎麼回事？不妨先看看現在的情況。

談到西方宗教，你會想到什麼？是尖頂的大教堂、萬能的上帝，還是在教堂裡懺悔禱告的信徒？在一般的觀念裡，宗教是神聖肅穆的領域，神應該高高在上。但在古希臘哲學家色諾芬尼生活的時代，宗教的情況則完全不同。

舉例來說，古希臘神話中最有名的神是天神宙斯，他的父親是克洛諾斯（Cronus）。克洛諾斯為了穩固自己的地位，閹割自己的父親烏拉諾斯（Uranus）。他還預知將來會有一個兒女推翻他，於是吞噬自己與妻子瑞亞（Rhea）生育的五個子女。第六個孩子是宙斯，瑞亞不想讓這個孩子再被吞下去，於是就用布包裹了一塊石頭冒充宙斯，把它交給克洛諾斯。克洛諾斯吞下石頭，宙斯則被送走。宙斯成年後回來與父親抗爭，打了十年的仗，最終獲勝，迫使父親吐出以前吞下的五個兄姊。這就是希臘最早的一段神話故事。

可見，古希臘的神完全不像今天的神。古希臘的神其實與人類很像，有陰謀與背叛，有愛也有恨，有人類的喜怒哀樂等一切情感。他們的世界與人類世界一樣複雜，只不過他們的外貌更為健美，並且能長生不老罷了。色諾芬尼為何會提出「神是人類主觀的創造」這一觀點？可以從以下兩個方面來看。

（二）色諾芬尼對神明問題的反思

1.《荷馬史詩》中的神明形象不佳

關於天神宙斯的故事，在《荷馬史詩》中亦多次描寫。色諾芬尼指出，荷馬把人類種種無恥的、醜陋的行為都加在神的身上，如偷竊、姦淫、欺詐等，他描寫的神明都太差勁。不過我們也知道，《荷馬史詩》與中國的《詩經》類似，是根據民間流傳的短歌編寫而成的。它是古希臘人的集體創作，是當時世人觀念的投射。

2. 不同民族所信仰的神明反映了他們自身的願望

色諾芬尼說：衣索比亞人說他們的神是黑皮膚、扁鼻子，色雷斯人說他們的神是藍眼睛、紅頭髮。這完全反映這些民族自身的實際狀況。

3. 如果可能的話，連動物也會如此想像

色諾芬尼最精采的一句話是：「假如牛、馬、獅子有手，並且能像人類一樣用手去繪畫、雕刻的話，牠們就會照著自己的模樣，馬畫出或雕刻出馬形的神像，獅子就畫出或雕刻出獅形的神像。」換句話說，對馬來說，牠的神像馬；對牛來說，牠的神像牛；因此人所了解的神當然像人。後代批評宗教的人常會引用他的這句話。

（三）色諾芬尼對古希臘宗教的批評

1. 宗教無法改善人的作為

古希臘的宗教不能改善人的行為。既然神明也有貪婪、背叛、仇恨等人類的弱點，那麼神明比人類偉大之處並不在於精神與道德，而只在於身體的健壯、美貌以及長生不死。因此，人與神的關係是外在的、機械的。換句話說，人在適當的時候奉獻、祈禱、舉行宗教儀式，罪過就可以得到赦免，這和良心沒有什麼關係。試想，如果一種宗教與良心無關，這種宗教能帶給人什麼啟發？當然很有限。

2. 宗教是功利取向的

古希臘的宗教是功利的。他們認為，人可以透過宗教活動來求福免禍，可以用各種占卜方法來預測未來。遇到災難時，可以去供奉阿波羅神（Apollo）的德爾菲神殿，也可以去供奉宙斯神的多多納神殿，裡面都有女祭司替人解籤。各種祭祀活動皆有交易的性質：祭則受福，不祭則受罰。罪惡有如疾病，可以用儀式治療，無論當事人是否懺悔。

3. 宗教並不能解決人的根本問題

人的根本問題是：生命的意義以及對死亡的恐懼。古希臘人對塵世非常迷戀，對死亡非常害怕，根本無法面對可能出現的未來。換句話說，希臘宗教無法啟發一個人在道德與精神上產生崇高的願望，並進一步認真修行，這是因為他們的神在外形上與人相似，在性質上也沒有太大差別。這樣的神沒有真正的超越性，又怎能指出人生的意義何在！

色諾芬尼完全不能接受這樣的宗教和神。他認為，人不應該再受想像力的控制。如果神只是出於人的想像，那麼他對人的啟發將非常有限，他只會讓人看到現實世界的利害。這樣的神對人的精神生命沒有多少幫助，反而極易成為迷信，使人完全忽略理性的作用，不去認真思考，只是盲目崇拜，最後陷入各種複雜的陷阱。

色諾芬尼並非完全批判，他在批判的同時也有積極的觀點。假如有神明的話，神明應該是什麼情況？色諾芬尼認為，真正的神無所不在、無所不見、無所不聽。神是唯一的，神什麼都知道，他可以用他的心靈和思想毫不費力的左右一切。這樣的神永遠靜止在一個地方，完全不動。後代許多哲學家談到神的時候，都會參考他的上述觀點。

色諾芬尼認為神有一個特色：神靜止在一個地方，完全不動。可見，色諾芬尼當時仍是從物質的角度出發，認為神具有一定的體積和品質，需要在某個地方才能存在。他的說法有唯物論的傾向。這一點是與後代宗教所說的神最大的差別。

近代西方哲學唯物論的代表費爾巴哈進一步延伸色諾芬尼的思想，他說：不是神造了人，而是人造了神。他甚至說，要用人類學來取代神學。費爾巴哈的思想顯然受到色諾芬尼的啟發：宗教被人類的想像給絆住了，很多神都是透過人的想像而被發明出來，人只是藉此滿足自己的願望而已。

收穫與啟發

1. 色諾芬尼主張神人同形同性論（Anthropomorphism），認為神完全是人類想像的結果。Anthropo 指人類，morphism 指模仿他的樣子。
2. 如果有正確的信仰，應該可以提升人的精神關懷與道德水準。
3. 哲學家不必迴避宗教問題，但是應該以理性的態度去面對它。

課後思考

宗教被想像給絆住了，宗教成為人類主觀願望的投射。請想一想，你對宇宙與人生的看法中，是否也有一些出自於主觀的想像？這樣的想像一定不好嗎？

第二章

唯物論與唯心論

同源異流

2-1 畢達哥拉斯：萬物皆數

古希臘哲學家畢達哥拉斯說：「萬物的起源是數字。」這句話讓人覺得莫名其妙，數字與萬物的起源有什麼關係？實際上，他是想藉此強調：在探討萬物的起源或性質時，形式比質料占有更優先的地位。

本節要介紹以下三點：

第一，畢達哥拉斯的背景。

第二，形式與質料。

第三，數學的重要作用。

（一）畢達哥拉斯的背景

畢達哥拉斯（Pythagoras, 約 571-497 B.C.）是數學家、宗教家與哲學家。國中所學的「畢氏定理」（直角三角形兩股平方和等於斜邊平方），就是他的貢獻之一。

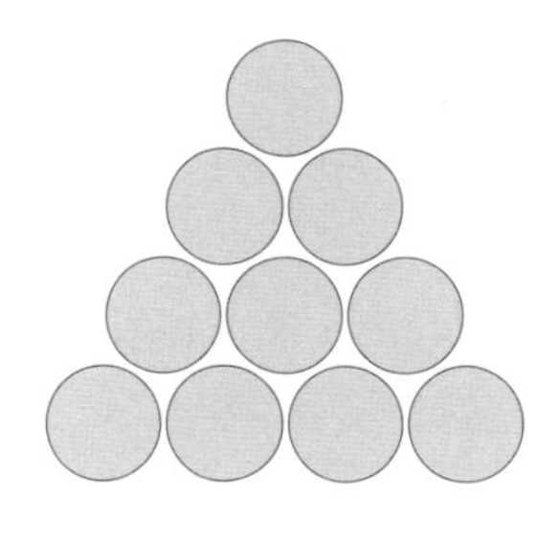

畢達哥拉斯也是宗教家，他組織了一個宗教社團──畢氏學社。他用一個神祕的圖案象徵宇宙萬物起源的奧祕，每天學生集合後都要先向神祕圖案鞠躬行禮，才開始上課。這個圖案很容易畫：最下面一行畫四個圓點，往上依次為三、二、一個圓點，由此構成一個正三角形。無論從三角形的哪個端點看，都是一、二、三、四的排列順序。一、二、三、四是所有數字中最開始的四個數

字，總和為十，代表了完美。因此，這個圖案就變成神祕的圖案，具有神聖的作用。

（二）形式與質料

畢達哥拉斯說：「萬物的起源是數字。」這聽起來有點奇怪。在他之前的哲學家對萬物起源有不同看法。泰勒斯說「萬物的起源是水」，赫拉克利特說「萬物的起源是火」。水、火、氣都是有形可見的物質，是人的感官掌握得住的，可以稱為質料。畢達哥拉斯則認為，更重要的是形式，而不是具體的質料。

比如，到動物園一看就知道哪種動物是熊貓，因為熊貓的樣子很獨特，那是熊貓特有的形式，天下所有熊貓都長那個樣子。但是天下沒有兩隻熊貓是一樣的，牠們大小不同，輕重不同，體質也不同。所有的熊貓可以統稱為熊貓，代表牠們有相同的形式；而個別每一隻熊貓則有質料上的不同。

因此，形式比質料具有優先性，人類通常都是先認識形式。譬如，有位朋友送我一件禮物，我打開一看就知道是條皮帶，說明我是先透過形式來辨認出禮物是什麼。形式可以包括形狀、作用或功能。確定它是皮帶後，我會進一步辨認它是由什麼材料做的，是真皮還是塑膠，這叫做質料。

形式與質料在西方哲學史上是非常重要的一對概念。形式可以被理性所掌握，用來分辨一樣東西是什麼，以區別於其他東西。質料可以讓人分辨出一樣東西的材料是什麼，材料有好有壞，有的貴重有的便宜。將形式與質料兩者配合，就可以認識世界萬物。

（三）數學的重要作用

如果將數學元素全部去掉，可能就無法與人溝通。譬如，我們遇到一個人，總想知道他哪一年出生、今年幾歲、家中幾人、房子幾坪……，這些都是數字。又如，今天星期幾？出差坐哪班飛機或哪趟高鐵？可見，如果沒有數字，則很難與別人來往或溝通。

數學除了數字，還包括各種圖形。以汽車為例，方向盤、車燈、車輪都是圓形的，方向盤中間被支架分割為三角形，車窗有的接近長方形、有的接近正方形。如果沒有這些圖形，將無法辨認任何東西。數字與圖形是數學中的重要元素。沒有數學，將無法認識和了解這個世界。

畢達哥拉斯本身是數學家，對數學深有研究。他說，今後談到萬物起源的問題，不用再去考慮質料，那不會有定論；真正應該思考的是形式部分。對於形式部分，數學恰好可以發揮作用。

畢達哥拉斯為何將數學看做宇宙萬物的起源甚至本質？他如何證明萬物都是數字？譬如，1、2、3、4 這四個數字，1 代表點，2 個點構成線，3 個點構成面，4 個點構成體；因此，1、2、3、4 分別代表了點、線、面、體。宇宙萬物都是有形可見的具體之物，一定會有某種具體的形狀（如圓形、三角形、六邊形、八邊形等），萬物正是在點、線、面、體的基礎上發展而成的。可見，數字構成了萬物以及整個宇宙。

畢達哥拉斯進一步認為宇宙有三個特色，均與數學密不可分。

1. 平均

畢達哥拉斯認為，宇宙特別會使用平均數。譬如白天晚上各占一半，一年分為四季，每一季都是三個月，每月平均三十天。這都體現了平均。

2. 秩序

秩序表現可以用數學來測量。時間上的先後、空間上的遠近，都可以用數字來計算和標識。譬如，兩地距離多遠，走過去要多久，都要用數學表達。這也說明宇宙很有秩序。

3. 和諧

和諧是宇宙的主要特徵。畢達哥拉斯巧妙的借用音樂來說明宇宙的和諧。他說，美妙動聽的音樂同樣離不開數學。他發現音符之間有比例的規律，善於利用這個規律就能產生和諧的音樂。懂一些樂理的人都知道，音符之間的距離叫做音程。畢達哥拉斯總結出著名的琴弦定律：音程之間比例愈簡單，和聲愈和諧。可見，畢達哥拉斯對音樂也很有心得。

他還強調，哲學與音樂密不可分，哲學就是至高的音樂。天才可以聽到行星的樂音，但不能用耳朵去聽，而要用靈魂去聽。下一節就要介紹畢達哥拉斯的靈魂觀。

收穫與啟發

1. 在認識任何事物時，形式比質料更優先也更重要。數學所象徵的正是宇宙的形式。
2. 沒有數學提供的大小比例、快慢節奏、長短對比，以及相似、反差、對稱等觀念，便無法欣賞任何東西，尤其是音樂。
3. 感官所能把握的是具體的事物，經由數學可以提升理性的抽象作用，並進一步領悟更普遍的知識，如真、善、美。

課後思考

形式與質料這組觀念也可以用來認識人。一個人的身高、體重是他的質料，但你要靠他的長相來辨認他是誰。因此，長相是人特有的形式。然而我們也常說「知人知面不知心」，由於長相會自然改變，或者透過整形而改變，所以人的心才是他特有的形式。請你思考一下，你認為一個人的形式究竟是什麼呢？

補充說明

對畢達哥拉斯來説，靈魂是人的形式，所以他才會提出照顧靈魂的各種方法。若要進一步分辨形式與質料，可以從三個方面來看：第一是對物，第二是對人，第三是對己。

1. 對於萬物，可以透過分類找到它的固定性格或可以預測的本能，以此來界定它的形式。將萬物的形式掌握住之後，它在質料上的變化就屬於比較次要的。
2. 對一個人來說，他的形式應該是他的靈魂，正所謂「日久見人心」。不過人心也會變，這正是人做為萬物之靈最特別的地方。
3. 比較重要的是，對自己要有「自知之明」。一個人有身、心、靈三個層次。「身」比較明顯，從外表一看就能了解，就像認識物質的東西一樣。「心」比較內在，不過人與人之間可以透過説話來表達心意，互相溝通。「靈」完全是自己的內在世界，是一個人的生命最特別的地方。

也有人説，人的形式應該是基因，因為基因是不變的。但是，基因很明顯的又屬於物質。這個問題並沒有所謂的標準答案。畢達哥拉斯以及其他哲學家都類似，他們提出新概念是為了幫助世人理解，進而發現事實的真相。因此，我們要就這個哲學家的定義來使用概念。更重要的是他的思考模式，他是怎樣思考才得出這樣的結論的？將他的思考模式學會之後，你就可以慢慢自己展開思考，從而領悟自己的心得。

2-2 真的有靈魂嗎？

畢達哥拉斯認為靈魂才是真正的人，所以，照顧靈魂成為人生的首要大事。

一般人聽到「靈魂」，會感覺很神祕。有些人信仰宗教，認為靈魂本來就存在，而且會不斷輪迴或死後接受審判；有些人不信仰宗教，而將靈魂當做內在真正的自我。這些想法都有其來源與背景，先不必急於判斷對錯，最好先了解一下古希臘哲學家是如何看待靈魂的。

本節要介紹以下三點：

第一，古希臘人對靈魂的看法。

第二，人生最重要的就是照顧靈魂。

第三，照顧靈魂的三種方法。

（一）古希臘人對靈魂的看法

古希臘人對靈魂的看法大致有以下三種觀點：第一，靈魂是賽姬；第二，靈魂是生命氣息；第三，靈魂是生命原理。

1. 靈魂是賽姬

希臘神話中有一段賽姬（Psyche）與愛神的故事。賽姬本來是凡間美女，後與愛神相戀，歷經種種考驗而成為女神。

這個神話表達了一個人內心的猶豫不決，又想愛又想恨等非常複雜的情緒，因此，後來「心理學」（Psychology）便以 Psyche 做為其前綴。

2. 靈魂是生命氣息

在《荷馬史詩》中經常會看到，靈魂是指「生命氣息」，好像人的呼吸一樣。然而，人活著時才會呼吸，一旦死去，靈魂就會變得蒼白無力。

特洛伊戰爭中的英雄阿基里斯（Achilles），死後進入地府，他抱怨道：「我現在好似遊魂一般，我寧可活在世間做別人的奴僕，也不願意在死者的幽靈中稱王。」可見，將靈魂當做生命氣息的觀念在當時非常流行。

3. 靈魂是生命原理

比較重要的是畢達哥拉斯的觀點，他強調靈魂是「生命原理」。只要是有生命之物，一定具有某種力量或原理，使其生命得以延續和發展。植物與動物也不例外，它們一樣具有生命原理，可以稱為植物魂、動物魂。

這聽起來有些奇怪，但是幾年前在電影「阿凡達」中，這一點顯示得很清楚：所有的動植物都有魂，它們都能與人類溝通，甚至比人與人之間的溝通更順暢。人當然也有靈魂，但是不能簡單的將人與動植物相提並論。

畢達哥拉斯將靈魂分為三個部分，分別負責感覺、活動與心智。動物、植物的靈魂只有感覺與活動的能力，但是人類不一樣。人的靈魂除了可以感覺與活動之外，還有心智的能力，可以進行理性的運作。心智才是人的靈魂本質。接下來就要問：人生最重要的是什麼？

（二）人生最重要的就是照顧靈魂

畢達哥拉斯認為，人生真正重要的事就是照顧靈魂。可以參考以下幾種有關靈魂的說法。

1. 靈魂才是真正的人，身體只是靈魂的監獄

「身體是靈魂的監獄」這一論斷在古代非常盛行，所以很多人將克制身體的欲望、修養自己當做人生的首要目標。畢達哥拉斯認為，靈魂會按照命運的規則而輪迴。這一觀念是由古代東方的奧爾菲教派（Orphism）傳到希臘的。該教派的詳細主張今天已經不得而知，但畢達哥拉斯至少從中學到一點 —— 相信靈魂會輪迴。

他曾經制止一個人鞭打一隻小狗，他說：「請你停下來，因為我從小狗的嗷叫聲中聽到已故朋友的聲音。」這句話究竟是不是畢氏說的，目前無法考證。他認為人的靈魂輪迴不但可以轉生為動物，甚至可以變成植物。因此，他禁止學生或信徒吃豆子，因為他覺得豆子很像人的生命的原始狀態。

2. 靈魂不死，靈魂是神明的親戚

古希臘人相信神明永生不死，人的靈魂是神明的親戚，因而也是永生不死的。靈魂輪迴的目的是讓人的靈魂再度回到神明的世界。如此一來，人生好像有一個光明的未來與遠景。

（三）照顧靈魂的三種方法

畢達哥拉斯提出三種照顧靈魂的方法：

1. 研究數學

數學是萬物的來源或本質所在，透過研究數學，可以進而認識萬物及整個宇宙。此外，數學有抽象作用，可以說明提升心靈的層次，使人不再局限於具體的生活享受之中。

2. 欣賞音樂

畢達哥拉斯認為音樂的本質是和諧。當然，古代還沒有現代的重金屬音樂及各種風格怪誕的音樂。透過欣賞音樂可以促進心靈的和諧，對人生修養有直接的幫助。

3. 沉思冥想

一個人如果頻繁的用感官去聽、去看、去觸摸，就會分心。相反的，沉思冥想會使人回到內在的自我，這是真正的修練。畢達哥拉斯對此十分重視。他的學生在拜師五年內要保持沉默，專心聽課；五年之後，有問題才能請教老師。

畢達哥拉斯組建的社團具有宗教性，有許多類似宗教戒律的規定：他要求學生睡醒後疊好被子，不然靈魂就會被捲在被子裡；他相信人是神的財產，所以不可縱欲，亦不可自殺，自殺等於謀奪神的財產；勿在燈旁照鏡子；更古怪的是，洗腳時先洗左腳，穿鞋時先穿右腳等等。

畢達哥拉斯曾在南義大利的克羅頓（Croton）取得統治權，一百多年後，當地居民對他的教條實在忍無可忍，於是驅散了他後代的徒子徒孫。這個宗教團體的結局顯然不好，但畢達哥拉斯有關靈魂的各種論述仍有參考價值。

收穫與啟發

1. 靈魂是生命的原理。人有身體與靈魂，身體是人的質料，靈魂才是人的形式，是人之所以為人的標誌。
2. 人的靈魂有心智的部分，可以表現出理性的力量，這種力量可以讓人為善或者為惡。如果選擇正確的方向，靈魂最後可以回歸到神明的大家族。
3. 人生的首要大事是照顧靈魂，方法是研究數學、欣賞音樂以及沉思冥想。

在西方哲學史上，畢達哥拉斯最大的影響力體現在柏拉圖身上。後文談到柏拉圖時，我們將會看到畢達哥拉斯的靈魂觀念對古代最偉大的哲學家有怎樣的啟發。

課後思考

先不管畢達哥拉斯對靈魂的各種說法是否正確，對於他提出的照顧靈魂的三個方法——研究數學、欣賞音樂、沉思冥想，你覺得哪一個最值得參考？

補充說明

畢達哥拉斯既然提出三種照顧靈魂的方法，一定有他的考慮。在數學、音樂和沉思這三點之中，哪一點需要更高的門檻？

1. 談到數學。畢氏所謂的數學以什麼程度為準？我認為，凡是有形可見、可以讓你肯定它是什麼形狀的，凡是可以計算、可以累積的數字，就是基本的數學。如果數學是指高深的解析幾何、微積分等，那很多人都是門外漢。
2. 談到音樂。音樂可以讓人由感性的和諧提升到心靈的和諧，人在不同的年齡層會欣賞不同的音樂。重要的是，你聽的音樂能否達成畢達哥拉斯所說的目的，即讓你感覺到和諧、安全、穩定、永恆？
3. 談到沉思冥想。許多人都選擇這一點，因為沉思冥想好像不需要太高門檻，其實不然。沉思冥想並非只是向外觀察，目的還是要向內回到自身。沉思冥想一定要有思考的材料。在這個方面談得比較具體、比較深刻的是亞里斯多德，他認為人生的最高幸福在於觀想，可以與這裡的沉思冥想連起來思考。

除了這三點之外，有人認為繪畫和運動也可以達成專注的效果，可以照顧靈魂。但是，身體運動的效力是否可以達到靈魂？繪畫是在表達一種創意，表現你的心思。而畢氏所謂的照顧靈魂，關鍵還是在於收斂。

2-3　哲學原來是愛好智慧

本節的主題是：哲學就是愛好智慧。為何會有這樣的說法？

本節要介紹以下三點：

第一，哲學是什麼？

第二，為什麼說哲學就是愛好智慧？

第三，畢達哥拉斯表現出三種愛。

（一）哲學是什麼

先來談一談哲學是什麼。談到哲學，會發現下面兩種現象：

第一，世界上任何一所圖書館的圖書編號都是從「0」開始，編號「1」則是哲學類。不禁讓人好奇哲學為什麼排第一？這是因為人間所有的學問都分門別類，只有哲學是統合性的學問，可以將各種學問整合起來，找到重點，並給予明確的歸納。

第二，有些人明明研究的是數學、物理、化學，或者專攻社會學、心理學、人類學，但研究到最後，他們取得的最高學位都稱為「哲學博士」（Ph.D., Doctor of Philosophy）。這是因為西方從中世紀發展到近代的學術傳統認為，哲學是所有學問中最特別的，它被稱做學問的學問、知識的知識或科學的科學。這三種說法都來自於同一個拉丁文的片語 Scientia Scientiae，翻譯成英文為 the Science of Sciences，意為各門學科中統合性的學科。

第一點說明哲學範圍廣泛，無所不包；第二點說明哲學十分高深，好像是一門最深刻的學問。然而在現實生活中，情況並非如此。常有人笑稱，哲學家就是整天在漆黑的房子中尋找黑貓的人。然而哪裡有貓呢？你可能只是自己在幻想吧！也有人說得更直接，哲學是把簡單的東西說成複雜，把原本懂的事情說得讓人迷惑不解。眾人對哲學有這樣的印象，實在令人遺憾。

（二）為什麼說哲學就是愛好智慧？

首先使用「哲學」（希臘文的拉丁文寫法是 Philosophia）一詞的是畢達哥拉斯。他怎麼會想到用這個詞來形容研究哲學的人呢？原來他是從奧林匹克運動會上得到了靈感。古希臘奧林匹克運動會每四年舉辦一次，到畢達哥拉斯時已經舉辦了六十餘屆。他發現運動場上有三種人：

1. 商人：他們看到運動會現場人數眾多，有利可圖，於是擺攤叫賣或做廣告推銷自己的產品。商人的目的在於求利益。
2. 運動員：運動場上的運動員代表著自己的城邦，他們希望透過比賽獲得榮譽，也可以讓自己從此衣食無缺。運動員的目的在於求名譽。
3. 觀眾：觀眾中有極少數人並不是任何一支隊伍的粉絲，也沒有任何其他想法，他們只有一個念頭：要發現真相。譬如，每四年舉辦一次這樣的競賽，意義何在？人生到底應該追逐什麼樣的目標？這些觀眾可以從運動競賽中，體會到人生應該走什麼樣的路。他們代表了愛好智慧、希望了解真相的人。

於是畢達哥拉斯區分出三種人：第一種追求利益；第二種追求名譽；第三種追求真正的知識，亦即智慧。他為此創造了一個新的詞，叫做 Philosophia，這個詞由 Philia 和 Sophia 兩個希臘字合成。

Philia 就是愛。古希臘人通常用三個詞來表達愛：

1. Eros 代表情愛，描寫感性的情欲之愛、男女之間的激情等；

2. Agape代表博愛，這種愛具有宗教情操，能普遍愛每一個人；
3. Philia 代表友愛，通常指朋友間的友誼，它溫和而理性，可以長久的維持下去。

Sophia 就是智慧。談到智慧，需要對信息、知識和智慧三個詞加以分辨。

1. 信息：就是資訊或每天發生的事件，如每天最熱門的新聞、八卦消息等。信息往往都是片段，缺乏前因後果與可靠性，並且常處於變化之中。
2. 知識：大學一般都分為幾十個學科，每一個學科都有專門的知識。一個人可以針對世界上某個領域進行專門的研究，獲得深刻的了解，從而成為某方面的專家。但是這類專家通常分而不合，無法將專業知識與自己的生命相結合。他們只是某一方面的專家，對其他領域可能一無所知。
3. 智慧：簡單來說，智慧就是完整而根本的理解。說到「完整」，人生的完整歷程是生老病死，你能否將人生視為一個整體？你年輕時是否會想到，當自己年老後甚至面臨生命盡頭時，會有怎樣的心態？說到「根本」，則是指人生中最複雜、最深刻的問題，比如什麼是痛苦、罪惡或死亡？所謂「智慧」，就是對這些問題做出完整而根本的思考。「愛好智慧」意味著你可能一生都在尋找答案，卻未必能獲得最終的解答。但是在追求的過程中，整個生命會不斷的轉化提升，表現出與眾不同的特色。

（三）畢達哥拉斯表現出三種愛

畢達哥拉斯透過自己的觀察與思考，發明了「哲學」一詞。他在現實生活中身體力行，親身示範，具體表現出以下三種愛：

1. 愛沉思

畢達哥拉斯創建的畢氏學社在南義大利的克羅頓逐漸發展。他住的房屋表面看起來像是一座神殿，進去之後會發現裡面還有一個地下室，他每天都要花好幾個小時在地下室中沉思。可見，一個人若想向上提升，首先就要向下沉潛到幽深之處。他從地下室出來後，就對學生說：我在地獄裡聽到了什麼消息，現在要往上提升了。他說自己到過地獄，這只是他個人的說法，但至少表明他能與別人保持距離，讓自己進入深刻的思考。前面也介紹過，要當畢達哥拉斯的學生，前五年不能說話，只能認真的學習和思考老師所教的一切。

2. 愛治病

畢達哥拉斯有一段時間到處旅行，目的是給人治病。他要治療的不是身體方面的疾病，而是靈魂上的問題。譬如一個人活得不快樂，他會問：你追求的是物質還是精神？你是否忽略了它們的平衡？這有點類似於今天的心理醫師。這一點深深影響了尼采，尼采後來說過一句名言：「哲學家是文化的醫生。」有些人表面看來很正常，畢達哥拉斯卻能發現他內在的問題。尼采把這一點延伸到對整個文化的診斷上，他認為真正的哲學家能夠提早診斷文化向好還是向壞的發展趨勢。

3. 愛教書

畢達哥拉斯認為教書是最神奇的事。別的東西（如權力、財富）給別人之後，自己擁有的就減少了，給別人愈多，自己剩下的就愈少。但教書不一樣，老師把所有的學問都傳授給學生，自身的學問非但不會減少，由於教學相長的緣故，他的學問還可能增加。

從上述三種獨具特色的表現，可以看出畢達哥拉斯言行一致，是一位真正的哲學家。

收穫與啟發

1. 在奧運會上心態超然、只想知道真相的極少數觀眾才是哲學家。哲學家的這種形象，也表現在後代所有的科學家和學者身上，他們專心致志，為了求真而求真。只不過哲學家所追求的「真」，是完整而根本的道理。
2. 哲學就是愛好智慧，所以哲學要做根本的探討，或探討根本的問題。在哲學界，很多人都有不同的觀點，這些觀點不一定都對，我們要學習的是哲學家分析問題的方法與面對問題的態度。所謂「愛好智慧」，是說人這一生只能慢慢的接近智慧，卻不可能真正的擁有智慧，因為智慧是屬靈的，是神明的特權。這是西方非常明確的立場。
3. 哲學會調整及改善人的觀念與行為。學習任何一套哲學，都會對你有某種啟發。不同的觀念會帶來不同的行為，行為造成習慣，習慣塑造性格，性格再進一步決定你的命運。

課後思考

哲學與哲學家的關係如何？對於前文介紹的哲學家，你覺得可以接受哪位哲學家的思想？接受之後，你在行為上或生活態度上有沒有轉變？

2-4 巴門尼德：能被思想的就是存在嗎？

本節介紹巴門尼德說的一句話：「能被思想的就是存在。」這句話聽起來非常抽象，簡直不知所云，所以特別值得用心探討。

為什麼要重視巴門尼德這個人呢？我們介紹過古希臘有三大哲學重鎮：愛奧尼亞、南義大利、雅典。南義大利有兩大學派：畢達哥拉斯學派（Pythagoreans）、埃利亞（Elea）學派。埃利亞學派的主要代表人物就是巴門尼德（Parmenides, 514-? B.C.）。

巴門尼德到底有多重要呢？柏拉圖在他的著作中提到巴門尼德時說：「巴門尼德值得我們尊重與敬畏。對於他所說的話，你要擔心的是你懂不懂，而不是他說的對不對。」更重要的是，整個西方哲學史上有兩大思想派別——唯心論與唯物論，兩者共同的來源都是巴門尼德。這足以讓人產生高度的興趣，一個人怎麼會同時啟發兩種完全對立的思潮呢？

本節要介紹以下三點：

第一，巴門尼德尋找真理之路。

第二，巴門尼德對存在的看法。

第三，巴門尼德如何啟發唯心論和唯物論？

（一）巴門尼德尋找真理之路

巴門尼德留下一首詩叫做〈真理之路〉。他在詩中描寫自己來自無知的黑夜，在人群中孤獨的走著自己的道路，最後得到女神的教誨，讓他進入冥界。要知道生，必須先知道死，這樣才能使生命恢復完整。最後女神向他伸出右手，肯定他覺悟了真理。這首詩啟發我們：人本來是無知的，所以要孤獨的尋找，最後得到神的啟示，在尋找的過程中要對生與死有全方位的了解和體認。

請問，他找到真理了嗎？巴門尼德說有三條路供你選擇：第一條是意見之路，第二條是虛無之路，第三條才是真理之路。

1. 意見之路：宣稱一樣東西既存在又不存在

譬如你說：「一朵花先是存在，後來它凋零了，不存在了。」巴門尼德認為這是你的意見，根本不可靠。意見來自於感官的經驗，會讓你認為一樣東西先是存在，然後變成不存在。但說同一樣東西「既存在又不存在」，是矛盾的說法。因此，感覺是不可靠的。

2. 虛無之路：宣稱一樣東西不存在

如果宣稱一樣東西不存在，既然不存在，何必談它呢？比如，我現在說「獨角獸不存在」，既然獨角獸不存在，這句話不就等於說「不存在的東西不存在」嗎？何必多此一舉？因此，對於虛無根本不必談，也不必想。

3. 真理之路：凡存在之物皆存在

「凡存在之物皆存在」，這句話不是在繞圈子嗎？這樣說代表沒有其他可能性，既沒有虛無的東西，也沒有從存在到不存在的變化，這才是真理。如果不能認識到這一點，根本就不能與你談論這樣的問題。

因此，如果一樣東西真的存在，它一定能被談論；既然能被談論，就一定能被思想。所以結論是：能被思想的才是真正的存在，能被思想與真正的存在是同一回事。這叫做「存在與思想的一致性原則」，這是巴門尼德最主要的貢獻。

（二）巴門尼德對存在的看法

聽到巴門尼德所謂的真理，我們都會愣一下。如果能被思想的才能存在，思想與存在是一致的，那麼會推出什麼結論？從負面來看，巴門尼德否定了時間、空間以及變化。不能談變化，因為變化是感覺的經驗，是不可靠的。從正面來看，如果把時間、空間、變化統統排除，可以得到以下三點結論：

1. 一切存在之物形成單一整體，它不可毀滅

如果存在本身能夠被你思考，它當然是唯一的存在，它形成一個整體，在它之外沒有任何東西。宇宙萬物統統在這個存在整體裡面，這個整體不是被造的，而是完整而充實的東西。

2. 這個單一整體的內部沒有對立、衝突與矛盾，它不可分割

3. 這個整體是不變而永恆的

它在時間上是無限的，沒有任何限制；但在空間上必須是有限的，因為人類無法思考在空間上無限的東西。並且它是圓球形的，因為從圓球的中心到球面的任何一點都是等距離、等重量的。這是巴門尼德非常有趣的觀點。

（三）巴門尼德如何啟發唯心論和唯物論？

自從巴門尼德提出了上述的觀點之後，從此在西方哲學史上探究真正的存在，就不能只看那些暫時存在的、不斷變化的、個別的東西，而要關注永恆者與持續存在者。這樣一來，唯心論和唯物論的「唯」這個字就出現了。那麼，後來又是怎樣發展出唯心論和唯物論的？

按照巴門尼德的說法，存在只能由思想去把握，這一點啟發了西方唯心論之父——柏拉圖。柏拉圖對他推崇備至，認為在蘇格拉底之前的希臘哲學家裡，只有巴門尼德是偉大的，可以與創作史詩的荷馬相提並論。關於柏拉圖是不是唯心論者這個問題，我們在介紹柏拉圖的部分會再做說明與討論。

但是，「存在只能由思想去把握」並不等於「存在本身就是思想」。巴門尼德明確的說，存在本身在空間上是有限的，並且是圓球形的。這代表存在本身是一種類似於物體的東西。存在本身既沒有變化也不會消失，而且存在本身又是物質，由此推出物質是不滅的。從這個角度來看，巴門尼德也是唯物論的啟發者。古代第一位標準的唯物論者是德謨克利特（Democritus of Abdera, 約 460-371 B.C.），他是原子論的創始人。

柏拉圖與德謨克利特屬於兩種完全不同的思想，一個是唯心論，一個是唯物論，兩者同源而異流——有相同的來源，但在發展方向上卻分道揚鑣。

收穫與啟發

1. 討論萬物的起源，不能只關注其質料（如水、氣、火），或只關注其形式（如數學），而要關注那唯一的「存在本身」。
2. 能被思想的就是存在本身，它是永恆的、唯一的。巴門尼德這一觀念同時啟發了唯心論與唯物論。
3. 巴門尼德所否定的虛空、變化、時間，真的不存在嗎？這不是會引起更多的爭論嗎？下一節，就要介紹他的學生是怎樣替他辯護的。

課後思考

赫拉克利特認為萬物一直在變化中，巴門尼德則認為萬物沒有任何變化。你認為誰的說法更可信？

補充說明

從巴門尼德開始，推出了思想三律。什麼是思想三律？

1. 同一律（A＝A）。任何東西一定是它本身。
2. 不矛盾律（A ≠ -A），有時也稱為矛盾律。任何東西都不是非它本身。
3. 排中律（A 或者 -A），A 或者非 A 必有其一。任何東西或者是它本身，或者不是它本身，沒有中間的可能。

你可能會認為：這有什麼稀奇的，本來就是如此啊！但是請進一步思考，當你說「張三是勇敢的」那一刻，張三必須遵守這三律：張三就是張三，張三不是非張三，張三或非張三必有其一。這樣一來，你在思考時必須排除一切變化。如果關注變化，你根本不可能進行任何思考，因為當你說「張三」的一剎那，張三已經變化了，已經不是你所說的「張三」了。因此，人類所知的世界是被人的思想定格的世界，它永遠不可能等於具體存在的世界，因為後者一直在變化中。

2-5　變化只是幻覺嗎？

本節的主題是：變化只是幻覺嗎？

前文介紹了巴門尼德的核心觀念，他強調：能被思想的才能存在，存在是一個整體，沒有任何變化的可能。這種說法引起許多人的批評和嘲笑。不過，他的學生齊諾（Zeno of Elea, 489-? B.C.）為老師辯護，他還發展出一種特殊的哲學方法——歸謬法，後來被廣泛應用。

本節要介紹以下三點：

第一，什麼是歸謬法？

第二，齊諾批判多元論。

第三，對齊諾的批評與評價。

（一）什麼是歸謬法？

所謂「歸謬法」是說，當你與別人辯論時，先暫且接受別人的說法是正確的，然後再透過舉例或推論得出荒謬的結論。

歸謬法非常好用。譬如你說「張三是好人」，而我認為張三是壞人，我可以先接受「張三是好人」的說法，然後透過舉例，說明張三做的許多事情完全違背「好人」的定義，從而證明「張三是好人」這一說法是荒謬的。換句話說，我不用急著去證明張三是壞人，因為有時證實自己的說法更不容易，還不如先接受對方的觀點，再證明他的說法最後會導致荒謬的結論，這就叫做歸謬法。

齊諾是如何使用歸謬法來替老師巴門尼德辯護的呢？巴門尼德

的一元論否定了變化。一般人以為有變化，而變化代表有很多東西，具有多樣性，這樣才能從這個東西變成那個東西；而且變化一定是在時間、空間中展開的。齊諾現在要告訴這些人，認為有變化、有時間、有空間，都是錯誤的。

齊諾提出一個很有趣的論證。阿基里斯是有名的飛毛腿，但是如果讓烏龜先走一步，他就永遠也追不上烏龜。齊諾說，如果你認為有變化、有空間，則空間是由無限的點所構成。如果讓烏龜先走一步，雖然這一步看起來很短，但是由於點不占空間，所以任何一段距離都包含了無限的點，那麼阿基里斯怎麼可能在有限的時間內跨越無限的點呢？因此，阿基里斯永遠也追不上烏龜。這就是齊諾的著名論證，一聽就知道這是詭辯。

齊諾還有一個「飛箭不動」的論證也很有趣。運動就是一種變化，但是飛箭射出之後，一定在某一個瞬間占有某一個空間位置，那它不就是靜止的嗎？飛箭在每一剎那都是靜止的，又怎麼能射中目標呢？

亞里斯多德在他的著作《自然學》中，特別對齊諾加以批評，說他提出的四十多個悖論令人感到莫名其妙，與日常生活經驗完全不相吻合。這些批評使得齊諾比他的老師巴門尼德還要有名。

（二）批判多元論

其實，所有的荒謬結論都要歸咎於「多元論」。巴門尼德主張「一元論」，後代學者在此基礎上發展出唯物論與唯心論，「唯」就代表一元。但是，如果主張有變化，就意味著有很多東西，這樣才能由一個東西變成另一個東西，這當然是多元論。

齊諾在學術上最有名、最常被討論的是下面這則論證。齊諾旨在批判多元論，他認為「多」是一種幻覺。他說：如果主張多元論，就代表宇宙是由許多單元組成的，那麼這些單元有體積嗎？首先，單元若有體積，則可以被無限分割，宇宙就成了由無限單元所組成的，從而變得無限大，這是荒謬的。其次，單元若無體積，則無論如何疊加這些單元都不會有體積，宇宙就變得無限小。所以，如果你認為宇宙不是唯一的整體，而是由許多單元組成，不管你是主張單元有體積還是無體積，最後都會推出荒謬的結論。這就是標準的歸謬法的應用。

齊諾還有一個很有趣的論證。一袋米掉在地上會發出聲音，那一粒米或千分之一粒米掉在地上有聲音嗎？憑人的耳朵無法聽到聲音，但結論一定是有聲音。如果千分之一粒米落地時沒有聲音，那為什麼一袋米落地時會有聲音呢？請問是從第幾粒米開始出現聲音的？這顯然是荒謬的。他這樣說的用意是：理論上如果承認有東西，它就必須能被無限的加以分割。

「無限」兩個字能被理解嗎？中國戰國時代有個學派叫做名家，代表人物是惠施，他是莊子的朋友。《莊子》書中提到過惠施的一個論證：「一尺之棰，日取其半，萬世不竭。」（《莊子‧天下》）意即一尺長的木杖，每天截取一半，萬世（三十萬年）都不會用完。這與齊諾所說的「千分之一粒米掉在地上是否有聲音」是一樣的意思，無論怎麼截取，從理論上來說一定還剩有木材，但實際上根本無法想像。

齊諾提出許多類似的論證，目的只有一個，就是證明巴門尼德的一元論是正確的，即沒有任何變化，沒有空間，沒有時間。齊諾在論證中充分使用歸謬法以及辯證法。齊諾的論證其實是一種詭辯，他要強調的是：有永遠是有，無永遠是無，沒有什麼變化，沒有什麼多元的東西。

但是，這種說法能夠成立嗎？

（三）對齊諾的批評與評價

亞里斯多德這樣批評齊諾，他說：「時間，就算是最小的一個片刻，也有它的連續性。」換句話說，由於時間是連續的，所以在任何一剎那，物體仍然可以移動。因此，齊諾關於「飛箭不動」的說法不能成立。

在空間方面，所謂的「無限可分性」只是說明它具有這種潛能。任何東西無論怎麼分，分到最後一定還是有東西。不可能剛開始的時候有東西，而分到最後就沒有東西了。「無限可分」僅僅是就潛能來說的。其實，分到最後已經超出人的感覺範圍，也超出認識能力。

亞里斯多德雖然對齊諾有不少批評，但他還是肯定齊諾這位前輩，稱他為「辯證法的發明人」。黑格爾也說：「齊諾主要是客觀的、辯證的考察了運動，不愧為辯證法的創始人。」（《哲學史講演錄》）。

所謂「辯證法」（dialectics），簡單說來就是「正反合」，對話的正反雙方互相吸取對方觀點中的優點，然後向上提升，形成一個新的觀點，稱之為「合」。齊諾提出很多有趣的論題，他在論證中就充分使用了辯證法。

收穫與啟發

1. 齊諾是個辯論高手，他首創歸謬法，並且增強辯證法的威力。
2. 齊諾深入探討動與靜的關係、無窮與有限的對照、連續與離散的狀態，並做出進一步的辯證思考。
3. 他提出的許多論證生動有趣，有助於思維能力的訓練。當然，對於結論我們不一定要接受。

課後思考

請你思考一下，假如你買了一輛新車，從第幾年開始你會覺得車已經舊了呢？

補充說明

用齊諾的方法就會知道，在買到車的一剎那，車就已經開始變舊了，否則這輛車永遠沒有舊的問題。

有些人聯想到「忒修斯之船」的典故，亦即從現在開始換這艘船的木板，請問換到什麼時候它就不再是忒修斯之船了？

「忒修斯之船」的典故來自一個神話故事。雅典國王打不過米諾斯，於是被迫每九年進貢七對童男童女，送到半人半牛的怪獸米諾陶洛斯那裡。忒修斯自告奮勇說：「讓我去吧。」他和大家約定好，如果他殺了怪獸平安回來，他的船就換上白色的船帆。結果他殺了怪獸，太過高興而忘了換船帆，返航時仍舊掛著黑帆，國王以為忒修斯已死，於是就自殺了。

回到忒修斯之船的悖論，事實上，你不斷更換木板，甚至最後換掉全部木板，你還是會肯定它是原來那艘船。這裡要注意兩點：第一是它的形式，若這艘船的形式不變，仍保留著原來的外形特徵，你就會說還是那艘船；第二是它的定名，也就是它的招牌，大家若約定俗成的說這樣的船就叫忒修斯之船，你就會說還是那艘船。即便木板全被更換了，質料完全不同了，它還是那艘船。因為判斷它是什麼船的關鍵不在於質料，而在於形式。

不過，忒修斯之船的悖論與本節課後思考側重點不同。忒修斯之船談的是船的「同一性」問題，即這艘船還是原來那艘船嗎？課後思考談的是同一輛車的「新舊」問題。這是兩個不同問題。

第三章

蘇格拉底之前的哲學流派

原子論與辯士學派

3-1 誰把哲學帶到雅典？

本章要介紹蘇格拉底之前的哲學流派，本節的主題是：誰把哲學帶到雅典？主要介紹以下兩點：

第一，古希臘時期的雅典如何成為哲學的殿堂？

第二，安納薩格拉是把哲學帶到雅典的第一人。

（一）雅典成為哲學的殿堂

雅典的成就首先要歸功於兩位政治家：立法者梭倫（Solon, 638-559 B.C.）、執政官伯里克利（Pericles, 495-429 B.C.）。梭倫在西元前 594 年出任雅典城邦的第一任執政官，是最早為雅典制定法律的人。他制定的法律有兩個重點：

1. 所有公民都享有平等的權利；
2. 為城邦服務是所有公民的最高榮耀，因為個人的命運與城邦的命運緊密相連。

一百多年後，雅典進入由伯里克利主政的「黃金時代」。伯里克利在紀念陣亡將士的演講中，特別強調雅典具有三點特色：1. 雅典的民主政治肯定人人平等，大家都是自由的；2. 雅典人的命運一向與城邦結合在一起，服務城邦、為城邦犧牲是公民的榮耀；3. 雅典是全希臘的學校，所有希臘人都應該向雅典學習。

雅典人如此自豪，是因為雅典很特別，可概括為「三個兼顧」：

1. 兼顧身心

兼顧人的身與心，這不僅是雅典人的特色，在希臘很多地方也有類似的風氣。有一位埃及祭司遇到梭倫時說：「梭倫啊梭倫，你們希臘人真是小孩子！」他的意思是說，小孩子喜歡遊戲，而希臘人是人類歷史上第一個懂得認真遊戲的民族。

除了四年一度的奧林匹克運動會之外，希臘還有許多每年一度的競賽與表演活動，這些活動讓希臘人每天都興高采烈的生活。他們一方面享受活著的樂趣，另一方面對於生命的痛苦和陰暗面也有充分的認識，並願意忍受。對於一個人生命的正面和反面、快樂和痛苦，希臘人都有深刻的認識。因此，希臘的特別之處，第一點就是兼顧身心，喜歡遊戲。

2. 兼顧心智與精神

「心智」與「精神」兩個詞看起來很相似，該如何區分？「心智」針對的是有形的層次，「精神」則針對無形的層次。有形的層次包括科學、技術以及現實人生等方面，它們有形可見，可以被思考、被測量、被掌握。無形的層次包括文學、藝術、哲學等方面的發展。雅典能夠兼顧心智與精神，在這兩方面都取得輝煌的成就。

談到西方以下幾個領域的代表人物，總是少不了雅典人。提到歷史學，沒有人會忘記西方歷史學之父希羅多德（Herodotus, 約 484-425 B.C.）與緊隨其後的修昔底德（Thucydides, 約 460-400 B.C.），他們兩人在西方歷史學上永遠閃閃發光；談到戲劇，沒有人會忘記希臘三大悲劇作家——愛斯奇勒士（Aeschylus, 526-456 B.C.）、索福克勒斯（Sophocles, 496-406 B.C.）與歐里庇得斯（Euripides, 480-406 B.C.）；談到詩歌，立刻就會想到品達（Pindar, 518-438 B.C.）；談到醫學，則一定不會忘記希波克拉底（Hippocrates, 460-370 B.C.）的貢獻。

希臘在哲學領域更是人才輩出。一直在希臘各地發展的自然學派，以及後來迎頭趕上的辯士學派，都在雅典這個地方有了重大的發展。接著蘇格拉底上場了，隨後又出現了柏拉圖與亞里斯多德。他們三人被稱為「希臘三哲」，是學習西方哲學必須要記住的三位代表人物。

3. 兼顧個人與城邦

第三個兼顧就是本節開頭一再強調的兼顧個人與城邦。同時兼顧這三點，思想便會形成完整的體系，並且與整個社會相配合。

在波斯—希臘戰爭之後，波斯王后非常好奇的問屬下：「聽說希臘人作戰時都好像自由人一樣，為了他所珍愛的國家、人民、土地而奮戰，難道他們沒有主人嗎？」屬下回覆她：「他們只服從法律。」波斯帝國的統治者總認為「我們是主人，擁有很多奴隸，我們可以讓奴隸做任何事」。但是他們碰到的希臘民族不一樣，尤其像雅典這樣的城邦，雅典人都是自由人，他們只服從於法律。由此可見古希臘時代雅典的特色。

接著要問：是誰把哲學帶到雅典？這個人有何主張？

（二）把哲學帶到雅典的第一人

我們應該記住的是：安納薩格拉（Anaxagoras of Clazomenae, 500-428 B.C.）是把哲學帶到雅典的第一人。他原本在愛奧尼亞學習哲學，二十歲時（約西元前 480 年）移居雅典，在此教學三十年。伯里克利是當時雅典的政治領袖，安納薩格拉一開始是伯里克利的老師，後來兩人成為朋友。安納薩格拉後期因為公然宣稱「太陽是一塊熾熱的石頭，月亮則是一塊土」，而被控以「不敬神」的罪名，正是在伯里克利的幫助下才得以離開雅典。

安納薩格拉的哲學主張有兩個重點：

1. 自然學派方面的主張

安納薩格拉原來也屬於自然學派。自然學派一路發展，後來受到巴門尼德的影響而進入一元論。安納薩格拉的思想非常具體，在探討萬物起源時主要有兩點看法：

(1) 萬物由同質體（Homoeomereity）組成。他將宇宙萬物的組成元素稱為「同質體」，即同樣性質的物體或單元。為什麼要強調同質體？他提出了兩個小問題：人沒有吃頭髮，為何會長頭髮？一頭牛只吃草而不吃肉，為何會長肉？這說明，在人的食物中可以找到人的頭髮的成分，在草中也可以找到牛肉的成分。可見，宇宙萬物都是由同質體所構成，如此才能順利轉化。

(2) 萬物皆含有萬物的部分。安納薩格拉還說：「一切都在一切裡面。」即任何東西中都有其他一切東西的成分。他的上述主張，很快就會被另一位更重要的唯物論者——德謨克利特所超越。

2. 提出宇宙「知性」的概念

安納薩格拉認為，探討宇宙萬物的來源不能只關注質料與形式，還應注意到動力的問題。「宇宙」一詞的希臘文為 cosmos，代表秩序（order）。如果只關注質料與形式，那麼宇宙為何會有秩序？秩序是由誰在安排的？安納薩格拉提出他的創見，認為宇宙中應該有一個「知性」在安排一切，使宇宙顯得有秩序。知性類似於人的理智，是一種能夠思考的力量，也可稱為「超級知性」，希臘文是 Nous。

這句話曾讓蘇格拉底大為驚豔，並稱讚「安納薩格拉是此前的哲學家中唯一清醒的人」。蘇格拉底清楚意識到，宇宙中的秩序不可能純粹由物質的隨機碰撞而形成，應該有一個超級「知性」在安排這一切。安納薩格拉的說法讓他看到一線曙光。

但是，後來蘇格拉底對他非常失望，因為他在提出「知性是宇宙秩序的來源」之後，就把知性棄之不顧了。究其原因，是由於對知性的研究無從著手。在知性啟動萬物混合體的運轉後，安氏接著用機械論的方法來加以解釋：宇宙萬物出現之後，萬物之間互相碰撞，呈現一種機械式的運作。但他還是無法說明一個重點：運動的目的何在？

簡單回顧思想的發展過程。人首先要掌握宇宙萬物的「質料」是什麼，再問它的「形式」是什麼，接著就要問「動力」何在，但不能忽略還有最後一步，這也是蘇格拉底等哲學家最為強調的：這一切有「目的」嗎？一百多年後，亞里斯多德根據質料、形式、動力、目的這四個詞，提出他重要的「形上學」理論。

安納薩格拉雖然強調動力，但他只是將知性拿出來偶爾一用，接著就把它放回到「盒子」裡。此後，西方哲學用一個專門的術語來描寫這種方式，稱之為「解圍的神明」（deus ex machina）。這就好比我有個機器盒，每當無法解釋世界是如何形成的，我就把機器盒裡的神請出來，說「這一切都是神造的」；說完後又把神放回盒子裡，然後繼續說「世界就是這樣發展的，我們很難想像它有什麼目的」。這就是安納薩格拉讓蘇格拉底既興奮又失望的地方。

收穫與啟發

1. 雅典經過百餘年的發展，在西元前第五世紀創造文化上的輝煌成果，在哲學上的成就更是令人佩服。其原因在於：梭倫和伯里克利這兩位偉大的政治人物，讓雅典人的心靈完全自由，人與人之間相互平等，個人與城邦的命運緊密相連。
2. 希臘哲學的第一站是愛奧尼亞，第二站是南義大利，第三站是雅典。安納薩格拉是把哲學引進雅典的功臣。他的學說一方面提出「同質體」做為萬物的根源，另一方面強調有一個宇宙

「知性」在安排一切，使一切有秩序。

3. 哲學家在探討萬物的性質時，已經由來源轉向動力，再進一步就要轉向目的了。

課後思考

有兩種人生態度：

1. 你可以充分安排自己要做的事，就像有「知性」在主導一樣，並且努力達到預期的成果；
2. 你身不由己，隨著社會潮流走下去，心裡想的是「船到橋頭自然直」。

請問你比較欣賞哪一種態度？或者你希望採取某種折衷立場？

3-2 德謨克利特：萬物皆由原子與虛空組成

本節要介紹的是德謨克利特，他建構了西方第一個唯物論系統，提出原子論（Atomism）。原子論與西方近代科學革命所發展的一系列科學成果都有關係，因此，德謨克利特的思想受到眾多科學家的肯定與欣賞。

本節要介紹以下三點：

第一，德謨克利特的重要性。

第二，德謨克利特的原子論在說什麼？

第三，德謨克利特的思想為何會長期沉寂？

（一）德謨克利特的重要性

德謨克利特（Democritus of Abdera, 約 460-371 B.C.）是古希臘時代一位百科全書式的作家，作品內容豐富，涵蓋物理學、數學、技術、音樂和倫理學，可惜流傳下來的資料很有限。

德謨克利特也是古希臘時代頗具個人特色的哲學家。如果看古希臘哲學家的肖像畫，會看到兩個人：一個哭臉，一個笑臉。

哭臉的是前面介紹過的赫拉克利特，他認為宇宙中有一個邏各斯，但它善於隱藏，無論如何也想不透邏各斯到底要做什麼，所以他經常愁眉苦臉，說出來的話總是晦澀難懂，西方稱他為「哭臉的哲學家」。

笑臉的是這裡要介紹的德謨克利特，他整天笑咪咪的，因為他已經想通了。他認為根本就是唯物論，所有的一切都是由原子構成的；人不用傷腦筋，不用擔心死後的世界，不用害怕死亡；不需要去奉承神明，也不用擔心神明會對人如何。想開這點之後，就盡情享受人生吧！

德謨克利特的重要性還不止於此。馬克思的博士論文題目就是《德謨克利特的自然哲學與伊比鳩魯的自然哲學之比較》。

伊比鳩魯（Epicurus, 342-270 B.C.）比德謨克利特晚出生一百多年，他的思想遠承德謨克利特，但他發展出更為明確的人生態度，被稱為「享樂主義」（Hedonism）。伊比鳩魯的「享樂主義」並非每天不顧一切的吃喝玩樂，而是在看透人生的許多問題之後，不再自尋煩惱，讓自己過一種有節制的、平靜的生活，讓自己的精神狀態保持和諧。

馬克思曾對這兩位古希臘哲學家進行過深入研究，後來提出自己的思想，我們在其中的很多地方都可以看到這種相關性。

（二）德謨克利特的原子論在說什麼？

先看「原子」（atom）這個詞，它是由希臘文轉化而來，由 a 和 tom 兩個詞合成。在希臘文中 tom 代表切割，a- 做為前綴代表否定，atom 就是指不能再切割的東西。可見，宇宙萬物就是由原子這種不可切割的單元所構成。

原子有什麼特色呢？原子的性質完全相同，它不可分割而且永遠存在，它數量無限，形狀不定，分散在虛空中。原子之間只有體積與形狀的不同，它們經過不斷碰撞，構成了我們所見的萬物。

萬物在「性質」上的差別（可分為礦物、植物、動物等）是由原子的數量、形狀，以及排列次序的不同所決定的。這種解釋很單純，你會發現宇宙萬物其實沒有那麼複雜。不要再問宇宙萬物背後有什麼、裡面有什麼，萬物完全是由同樣性質的原子所構成的，僅此而已。

但是這樣一來，又面臨著新的問題。請問：人也是由原子構成的嗎？說「人的身體是原子構成的」還比較好解釋，因為身體屬於物質，也會像其他生物那樣新陳代謝。

但是進一步就要問：人有沒有靈魂？難道人的靈魂也是由原子構成的嗎？

德謨克利特這樣解釋人的身體的感覺能力。譬如，我能看到一輛車，那是因為我的身體是由許多原子構成的，當我看一輛車時，我的眼睛會派出眼睛的原子，車就派出車的原子，車的原子可代表車的形狀、顏色、體積、大小等，雙方的原子相互碰撞之後，我就會知道那是一輛車。這樣的解釋雖然很難證實，但是聽起來也很有趣。不過接著要問：除了身體的感覺能力之外，人還有理智能力可以去理解，理智不是與人的靈魂有關嗎？

德謨克利特認為這很容易解釋，靈魂也是由原子構成的，不過較為特別的是，靈魂是由一種球形的原子構成的，因為球形最有穿透力。我們與別人談話時能相互理解，這是因為人說話時會向外發射某些球形原子，它能穿透對方的身體而被對方接收，因而兩個人可以互相溝通，了解彼此的思想。不但如此，因為人的靈魂原子非常精密，而且活動力很強，有時還可能出現自發的思想。譬如，我學會幾樣東西之後，可以將其整合起來形成新的想法。德謨克利特認為這樣就可以解釋靈魂的問題了。

重要的是，德謨克利特的原子論保持了理論的一致性。如果主張萬物是由原子構成的，就不能說人類是例外。人的身體與萬物相似，還比較容易用原子來解釋，但不能說靈魂是例外。否則，難道還有另一個屬於靈魂的世界嗎？

不但如此，一旦說一切都是由原子構成的，後面就要進一步說明：神明是否存在？神明是否為一種更精密的原子，這種原子與構成萬物的原子有何差別？

德謨克利特認為這也很簡單，它們只有程度上的差別，而沒有種類上或本質上的差別。他用原子的粗糙與精密來說明萬物的存在，不失為一派具有完整系統的哲學。

以這樣的方式思考固然可以解釋人的靈魂，但還是要問人生的目的何在？人會思考，自然就會面對這樣的問題，這是下節將要探討的主題。

（三）德謨克利特的思想曾長期沉寂

值得一提的是，為什麼德謨克利特的思想在很長一段時間內沒有得到發展？這是因為他與蘇格拉底處於同一時代，柏拉圖在《對話錄》中全力推崇蘇格拉底，對德謨克利特的思想卻隻字未提，而柏拉圖的《對話錄》對後代的影響相當大。

柏拉圖認為，人活在世界上最重要的就是目的，如果目的沒有澄清，人應該如何生活？到最後，活不活都差不多。德謨克利特的思想因為長期受到幾位大哲學家的「圍剿」而沉寂多時，這是歷史上的一個客觀事實。

知道德謨克利特的原子論如何解釋靈魂的問題，也明白他的思想為何會被長期壓制，接著還要進一步思考：人與人之間難道沒有價值上的差別嗎？能夠不分辨人的善與惡嗎？如何界定人生的意義？死後的生命會消解而恢復到原子狀態嗎？下節將會介紹德謨克利特的倫理學，將對上述問題做進一步的思考，卻不一定能得到圓滿的答案。

收穫與啟發

1. 真正存在的只有原子和虛空。原子在古希臘文中是指不能再切割的基本單元。原子的數量是無限的，原子有形狀和體積的差異，排列方式也不相同，原子在虛空中活動，聚散分合，由此形成宇宙萬物的變化。
2. 人有靈魂，靈魂是一種球形原子，具有很強的穿透力。因此，人可以思考、互相溝通、了解彼此的想法，甚至還能有創意。

課後思考

為了保持理論的一貫性，原子論認為靈魂也是由原子組成的。先不管這種說法是對是錯，請你思考一下，如果主張原子論，那麼人生該何去何從？

3-3 低調的人生態度

德謨克利特的原子論是西方第一個完整的唯物論系統，他在實際生活中也表現出低調的人生態度。本節要介紹以下四點：

第一，人生應該怎麼過？

第二，愛智慧的人有什麼表現？

第三，德謨克利特對人生的客觀描述。

第四，如何進行主觀上的修練？

（一）人生應該怎麼過？

了解原子論的具體內容之後，接著就要問：人生應該怎麼過？德謨克利特主張低調的人生態度。所謂「低調」就是說不要唱高調，不要說死後還有輪迴、有天堂地獄這些問題。低調可以用三個詞來說明：

1. 平安。人活在世界上，總是希望身體健康、心理正常，這叫做平安。
2. 平靜。在世界上有很多朋友而沒有什麼敵人，不用擔心任何突發的災難。這叫做平靜。
3. 平衡。即內外平衡、身心平衡，我同社會始終能保持一種和諧的關係。

平安、平靜、平衡，代表低調的人生態度。就唯物論哲學來說，很自然會發展出類似德謨克利特的觀點。那麼德謨克利特是如何說明人生幸福這個問題的？

人活在世界上都在追求幸福，這是千古不變的道理。但對於幸福是什麼？每個人的看法都不太一樣。在古希臘時代，這個問題比較單純。「幸福」的希臘文是 eudaimonia，eu 代表優質的、好的東西，daimon 代表精靈。所謂的幸福人生，就是一出生就有一個好的精靈陪伴著你。daimon 這個詞很難翻譯，譯為「精靈」聽起來仍有些抽象，可以把 daimon 想成一個人的命運，就好像每個人出生時都帶著一幅命運的地圖，決定了他這一生會如何發展。擁有一個好的命運，就叫做幸福。

德謨克利特是希臘人，自然會受到希臘神話的影響。在神話中，精靈被當做某一位神的代表，可以直接決定某人一生的遭遇。因此，幸福就是擁有一個好的精靈，而精靈就住在人的靈魂裡。

我們可以猜想，若靈魂本身是球形的原子，構成精靈的原子恐怕更為精密。更進一步，應該還有一個神明的世界存在。德謨克利特直言不諱的說：「神明總是給人好東西。但是人由於自己的欲望有偏差，便把好東西用在壞的地方；甚至完全不領情，自己情願選擇不好的生活方式。」也就是說，人誤用了神明的禮物。

（二）愛智慧的人有什麼表現？

哲學就是愛智慧，在唯物論的系統下，德謨克利特認為愛智慧的人應該有以下三點表現：

1. 思慮周到。考慮任何事情都面面俱到，事先想好所有可能的發展。考慮成熟後，還要表現出以下的行為特點。
2. 言語得當。說話恰到好處，就不會得罪人，或帶來後患。
3. 行為公正。做事合乎法律和風俗習慣，就不會引起別人批評。

由此可見，德謨克利特的哲學很務實。對於人生應該如何，他有兩方面的建議：

1. 做一個客觀的描述。他先要讓你知道人生的實際狀況，然後讓你自己做選擇。當你客觀的了解這個世界之後，自然就知道怎樣生活可以讓自己過得平安、平靜、平衡。
2. 做一些主觀的修練。修練自己才能對自己的人生負責，可以讓自己獲得快樂，減少不必要的煩惱。

（三）德謨克利特對人生的客觀描述

下面引用德謨克利特重要的五句話，看他是如何對人生做出客觀描述的。

第一句：身體的強壯與容貌的俊俏是年輕人的優點，但是智慧之美則是老年人所特有的資產。

這句話告訴我們，從年輕到年老應該重視哪一方面。

第二句：如果你欲望不多，那麼很少的一點資產對你來說也顯得很多很夠，因為有節制的欲望使窮人也像富人一樣有力量。

這句話說得很好。後來笛卡兒還模仿他的口吻說：一個人的欲望不超過能力範圍，就很容易感到快樂。

第三句：為了孩子而積聚太多的財富，只是一種藉口，用於自欺欺人的掩飾自己的貪欲。

很多做父母的都說「我賺錢是為了孩子」，但說到底，只不過是在掩飾自己的欲望而已。

第四句：大膽是行動的開始，但是決定結果的則是命運。

做事大膽、勇於嘗試固然不錯，卻不一定能夠成功，成功顯然還要靠命運的幫助。

第五句：整個宇宙大地對智者是敞開的，因為一個高尚靈魂的祖國就是這個宇宙。

這句話說得最為到位，這種客觀描述已經達到最高境界。我們介紹過安納薩格拉，他提出「太陽是一塊熾熱的石頭，月亮則是一塊土」，這讓雅典人無法忍受，認為他對神明不敬，後來他就不再過問政治。有人問他：「你怎麼不再為祖國著想了？」安納薩格拉就指著天空說：「你千萬不要亂講，我永遠在替我的祖國設想。」這說明他把整個宇宙當做他的祖國。

德謨克利特和安納薩格拉雖然屬於不同的學派，但在這方面的觀點卻十分類似。

以上五點是德謨克利特對人生實際狀況的客觀描述，稍加思考便會覺得很有道理。從年輕到年老，有錢或沒錢，如何掌握欲望，一直到最後整個宇宙都是關懷的對象，實在令人嚮往。

（四）如何進行主觀上的修練？

德謨克利特在《倫理學》中留下了幾百句話，下面這五句話告訴我們應該如何從主觀上加以修練。

第一句：譴責自己的過錯比譴責別人的過錯更重要。

這句話聽起來很熟悉，孔子說過類似的話：「已矣乎，吾未見能見其過而內自訟者也。」《論語．公冶長篇》，意思是我沒見過能夠看到自己的過失，就在內心自我批評的人。不一樣的時代和文化背景，說出來的話卻很類似，都是要嚴以律己而寬以待人。

第二句：要留心，即使獨自一人時，也不要說壞話或做壞事，而要去練習在自己面前比在別人面前更知恥。

這不就是把「慎獨」換了一種說法嗎？《大學》第四章提到「慎獨」時說：我一個人在房間時，就好像有五個人在旁邊看著我、指著我一樣。（原文：此謂誠於中，形於外，故君子必慎其獨也。曾子曰：「十目所視，十手所指，其嚴乎！」）這與德謨克利特所說的又高度類似。

第三句：既然都是人，就不應嘲笑別人的不幸，而應該悲嘆。

因為我們都是人，都屬於人類，發生在別人身上的不幸，也可能發生在自己身上，或發生在我們關心的人身上。

第四句：明智的人不去煩惱他所沒有的東西，而是能夠享受他所擁有的東西。

這句話非常好，有人進一步說：「人生的快樂有兩種，第一種是取得你所要的，第二種是享受你所有的。」但是很少有人會去實踐第二種——享受你所有的。這句名言居然脫胎於此！

第五句：應該盡量思想得多而不是知道得多。

他在這裡分辨了兩個詞。一個是「知道」。上課聽到別人說什麼，看書看到別人寫什麼，這些都屬於「知道」，我可以每天學點新東西，讓自己知道得更多。但更重要的是，要「思想」得更多。「思想」代表要深入的加以體會，把老師說的、書上寫的與自己的經驗相結合，從而孕生自己的心得。

由此可見，德謨克利特提到的五種主觀上的自我修練，非常切合實際。

收穫與啟發

1. 要珍惜現實的人生，不論任何哲學立場，都是在追求合理而幸福的人生。
2. 與其煩惱靈魂問題，不如先平靜度日。以原子論來看，靈魂也是由原子組成的，人死之後原子自然消解，所以不用擔心死後靈魂會到哪去，因為根本不存在這個問題。
3. 但是，人生真的沒有性質上的差別嗎？活得久一點只是「量」上的差別，到底有沒有「該做什麼樣的人」這一類的問題？

了解德謨克利特關於「客觀的描述」、「主觀的修練」的說法之後，就會發現，他也認為人生有性質上的差別，但是在他的唯物論系統中要證明「質」的差別顯然有困難。一般而言，古代哲學家對於人類世界的現狀和未來發展，有時並未做出明確的區分。不過，至少可以從平安、平靜、平衡這三點低調的人生態度中，獲得一定的啟發。

課後思考

本節談到「低調的人生態度」是世間眾人在生活上的最大公約數，先認真客觀的理解人生的實況，再選擇自己要修練的目標。德謨克利特說：「明智的人，不去煩惱他所沒有的東西，而是能夠享受他所擁有的東西。」你對這句話有何體會？

3-4 人是萬物的尺度嗎？

本節的主題是：人是萬物的尺度嗎？

蘇格拉底之前的古希臘哲學發展成為兩大系統：一個是自然學派，它的巔峰成就和結晶就是德謨克利特的原子論；另一個就是辯士學派。本節要介紹的是辯士學派的第一位代表人物——普羅塔哥拉（Protagoras of Abdera, 482-411 B.C.），他說過的一句話直到今天仍被許多人引用，即「人是萬物的尺度」。

本節內容包括以下三點：

第一，辯士學派的由來。

第二，普羅塔哥拉的名言。

第三，對普羅塔哥拉的批評。

（一）辯士學派的由來

先簡單介紹辯士學派的由來。當時希臘各個城邦有一群受過教育的人，他們喜歡到各地旅遊，發現各個城邦或國家有不同的風俗習慣、法律制度與宗教信仰，各種生活規範都是相對的，由此認為人間的法律和信仰都是相對的東西。他們學問和口才俱佳，便教導年輕人修辭學和辯論術，以便在人間取得具體有效的成果。

有人將辯士學派譯為「智者學派」或「哲人學派」，這種翻譯並不恰當。因為從畢達哥拉斯以來，就一直將哲學界定為愛好智慧。人只能愛好智慧，卻不能擁有智慧。如果某個學派自詡為「智者」，反而有諷刺的意味。另外，在《莊子．天下篇》裡，專門用

「辯士」一詞來描寫當時的一群人，他們口才出眾，思想敏捷，擅長辯論，但事實上都是詭辯，讓別人口服而心不服。所以用「辯士」一詞來翻譯這個學派是比較恰當的。

（二）普羅塔哥拉的名言

普羅塔哥拉是辯士學派的代表人物，他說了很多名言，其中最重要的一句話是：

人是萬物的尺度，他看起來存在的就存在，看起來不存在的就不存在。

這句話長期受到極大關注，引起許多討論。「人是萬物的尺度」，所謂的「人」是指個人還是人類？當然不可能是人類，因為人類不可能達成共識，因此一定是指個人。這樣一來，這句話就變成「個人是萬物的尺度，他說存在的就存在，說不存在的就不存在」，這句話的含義需要分析一下。

首先，在感覺方面，每個人都可以自行判斷。比如今天是冷還是熱，每個人都有自己的判斷，無法勉強別人認同自己的說法。你說今天很冷，但從北極來的人會覺得很熱；你說今天很熱，可是從非洲來的人會覺得很冷。可見，冷熱是相對的。

其次，在個人嗜好方面也是相對的。有人喜歡吃江浙菜，有人喜歡吃蒙古烤肉，每個人的口味不同。

另外，在認知方面，每個人生下來都有特定的環境與教育背景，因此在認知方面也是相對的。

比較麻煩的是在道德方面。如果每個人在道德上也各行其是，社會怎麼穩定發展？另外，如果在宗教信仰上也是各說各話，各信各的神，也會導致一定的困難。

因此，說「個人是萬物的尺度」，很容易造成相對主義。「相對主義」是指每個人都有自己的說法，既不能說自己一定對，也不能說別人一定不對。相對主義很容易演變為「懷疑主義」。可見，對於「人是萬物的尺度」這種觀念，確實應該予以警惕，需要澄清這句話的內涵到底是什麼。以這句話為基礎，還能衍生出其他的論斷。再來看他說的第二句話：

一切判斷因人而異，都是相對的，不能正確使用任何名稱來稱呼任何東西。

譬如說「這座山很高」，那要看與哪座山比較，即使是喜馬拉雅山，在飛機上看也不覺得高。有一次我在北京機場取行李時，忽然嚇了一跳，以為自己變成「魔戒」中的哈比人（就是矮人），因為正好有一隊美國 NBA 球員也在等著取行李，他們每個人都比我高出兩個頭以上。其實我身材中等，這就說明身材的高低是相對的。可見，用來描述人間事物的任何詞語都不是固定的，都是比較而言。說一個人是好人，但還有比他更好的人，壞人也一樣，美醜就更不用說了，所以普羅塔哥拉的話確實有一定道理。

第三句話是羅塔哥拉說過的最好的一句話，這句話經久流傳：

對於神明，我不知道他們是否存在，也不知道他們像什麼樣子，因為人生太過於短暫。

這句話可謂千古名言。在西方只要談到宗教問題，很多知識份子就拿這句話來搪塞，說：我不和你談了，有關神的問題太晦澀，我既沒見過也不了解，人生太過短暫，還沒來得及想通，生命就已經過去了。

（三）對普羅塔哥拉的批評

普羅塔哥拉的這幾句話都在說明：一切都是相對的。但問題是，如果每個人說的話都是相對的，或者每個人說的話都同樣有價值，那麼普羅塔哥拉憑什麼要教導年輕人？此外，他收的學費出奇的高，按今天的情形來說，他只要教十個學生就可以買一棟房子了，他為此飽受批評。

柏拉圖在《對話錄．普羅塔哥拉篇》中曾批評他和辯士學派，諷刺他們是「販賣精神雜貨的掌櫃」。

不過，普羅塔哥拉確實很喜歡教別人。有個故事是這樣的，普羅塔哥拉希望能找到好的學生來傳承他的學問。有一次，他發現一個資質非常優秀的年輕人，但是年輕人沒錢付學費。普羅塔哥拉對他說：「你來跟我學習，學成之後，你去打官司。如果官司打贏了，代表我教得很有成效，你再付我學費；如果官司打輸了，就不用交學費了。」

口頭約定好之後，他就認真的教這個年輕人。

年輕人學成之後離開，後來打官司都打贏了，但他就是不交學費。於是普羅塔哥拉去找他，說：「我們約好的，如果你再不交學費，我就去法院告你。如果法官判我贏，按照法官的判決，你就要付我學費；如果法官判你這個學生贏，按照我們的約定，你官司打贏的話，也要付我學費。所以不管法官判我贏還是判你贏，你都要付我學費。」

但這個學生非常厲害，可謂青出於藍勝於藍，他說：「那我就一定不用付學費了。如果法官判老師贏，按照我們的約定，畢業後我打官司輸了，則不用付學費；如果法官判我贏，按照法官的判決，我贏了也不用付學費。所以不管法官判我贏還是判我輸，我都不用付學費。」

這是一段很有名的詭辯。從古至今，很多思想都被這種詭辯給攪混了。如此一來，人與人之間到底該如何相處？沒有人能說出什麼道理來。

收穫與啟發

1. 人有理性，可以判斷，在許多方面確實成為萬物的尺度。譬如你個人覺得冷熱，喜歡吃什麼口味的菜，或是對於審美的判斷，都是你個人可以決定的。
2. 我們所見的價值是相對的，這並不必然就倒向懷疑論，可以轉向另外一個問題：價值的絕對基礎何在？或者，價值到底有沒有絕對基礎？蘇格拉底就是從這個方向發展他的想法。
3. 普羅塔哥拉有關神明的說法確實是千古名言，今天想起來仍覺得有效——關於神明的問題太過於晦澀，而人生太過於短暫。

課後思考

在感覺與嗜好方面，每個人都是萬物的尺度，請你想一想，還有哪些方面可以這麼說？這種觀念若是普遍推廣的話，你能想像它的優點與缺點嗎？

3-5 什麼都不存在嗎？

本節的主題是：什麼都不存在嗎？我們要介紹古希臘時代的另一位辯士——高爾吉亞（Gorgias of Leontini, 約 483-375 B.C.）。高爾吉亞說：「沒有東西存在。」這句話將辯士學派的相對主義推到懷疑主義的極致。

上一節介紹辯士學派的代表人物普羅塔哥拉，他認為「人是萬物的尺度」，所謂的「人」指的是個人，這樣一來，我們所說的所有東西都是相對的。以這樣的觀念來看萬物，很容易從相對主義變成懷疑主義。現在，高爾吉亞就明白的告訴你，所有的一切都可以被懷疑。

本節要介紹高爾吉亞所說的三句話：

第一，沒有東西存在。

第二，即使有東西存在，也不能被你認識。

第三，即使有東西存在，也能被你認識，你也不能告訴別人。

（一）沒有東西存在

高爾吉亞為何會說出這麼奇怪的話？因為他也運用了齊諾的歸謬法。如果有人說「有東西存在」，他就先接受別人的說法，然後從「有東西存在」開始推論，直到推出荒謬的結果。

高爾吉亞說：「如果說有東西存在，這個東西只有三種可能：第一種，它是存在的；第二種，它是非存在的；第三種，它是既存在又非存在的。」

1. 它是存在的

我們先解決第一種可能，後面的就很容易解決了。如果說有東西存在，那這個東西是永恆的還是派生的？派生就是從別的東西衍生出來。存在之物只有這兩種可能。

如果它是永恆的，永恆的東西是無所限制的，無所限制的東西不能在任何地方，因為它不能被限制；但不能在任何地方就等於不存在。所以若它是永恆的，則它不存在。

如果它是派生的，那它是被什麼東西派生的？是被存在派生的，還是被非存在派生的？如果它是被存在派生的，既然已經存在，則談不上派生；如果它是被非存在派生的，非存在是虛無，又怎麼可能派生出存在？

因此，它既不能是永恆的，也不能是派生的，所以它本身不是存在的。

2. 它是非存在的

既然是非存在，怎麼能說它存在？如果把非存在說成存在，那存在就是非存在。

3. 它是既存在又非存在的

既存在又非存在，這顯然是自相矛盾的命題。所以高爾吉亞的第一個說法「沒有東西存在」可以成立。他也知道，如果只講這一句話，別人會認為他腦袋有問題，所以他又提出第二個說法。

（二）即使有東西存在，也不能被你認識

什麼是「認識」？「認識」是思想的一種作用，當看到一樣東西並加以界定——它就是它，而不是別的東西，這就叫做認識。但是，人的思想很奇特，請問：你能否想像一些不存在的東西，如怪獸、女神？如果你可以想像這些東西，則說明你可以去思想許多不

存在的東西。

那麼，存在的東西能否被你完全思想到？這就不一定了。因為你思想的內容不見得可靠，所以存在的東西不一定能被你完全思想到。因此，就算有東西存在，也不能被你思想；不能被你思想，又怎麼能被你認識？

（三）即使有東西存在，也被你認識了，你也不能告訴別人

這個說法比較有道理。即使有東西存在，也能被你認識，但是你也不能告訴別人，因為你告訴別人要透過言語。如果我用聲音描述一樣東西，譬如「車子」，當你聽到「車子」這個聲音，怎麼知道我說的車子具體是什麼顏色，大小如何，有哪些功能？所以，當你聽到我用聲音來描述一樣東西的時候，你無法掌握我真正要表達的東西。

你聽到的是聲音，而我看到的是真的東西，我描述一個人長得很高、很帥，這些都是一句話的聲音而已，你怎麼能想像出真人是如何高？如何帥？

可見，我要表達的東西和你想像的東西完全是兩碼事，所以就算我可以認識，也不能告訴你。這樣一來，人與人的溝通都變成不可能了，你又怎麼可能去教別人？

我們介紹了辯士學派的兩位代表，這裡有一個很有趣的結論。根據普羅塔哥拉的說法，每個人的說法都對，因為「人是萬物的尺度」，所謂的「人」是指個人，所以每個人的說法都是對的；根據高爾吉亞，每個人的說法都是錯的，因為每個人說的話都不能被別人理解，最後只能說每個人的說法都是錯的。同樣的辯士學派，兩位代表居然得出完全相反的結論，無論哪種說法，一般人恐怕都很難接受。

對於高爾吉亞所說的第三點——溝通的困難，我們都深有體會。我們有時很認真的描述一件事情，對方怎麼愈聽愈糊塗？話說得愈多，造成的誤會可能愈深。所以與人交往的時候，不見得要說很多話。

《莊子・大宗師》描寫幾個好朋友在一起，他們彼此「相視而笑，莫逆於心」。真正的好朋友之間不必多言，彼此深有默契，見面笑一笑就知道對方的心意，可謂志同道合。當然，這種境界是很難達成的。

一般人如果想與別人溝通、向別人學習，通常也很不容易，在《莊子・天道》當中有這樣一個故事。齊桓公在堂上讀書，堂下有一個做車輪的老先生好奇的問：「君上，請問您所讀的書是誰寫的？」齊桓公得意的說：「聖人寫的。」車匠說：「請問聖人還活著嗎？」齊桓公說：「聖人早就過世了。」車匠於是說：「那麼君上所讀的，不過是古人的糟粕罷了！」齊桓公聽了很生氣，說：「寡人讀書，你一個做車輪的工人竟敢妄加評論！快說個道理出來，否則就殺了你。」

車匠說：「我從小就做車輪，如果下手慢了，輪子與承軸接起來就很鬆散；如果下手快了，接起來就很緊澀。下手必須不慢不快，得之於手而應之於心（演變為成語「得心應手」），這其中的奧妙是無法用言語來描述的。我的心得無法傳授給我的兒子，所以我現在七十歲了還在做車輪。君上所讀的書是聖人寫的，但聖人早就不在了，他留下的文字不過是糟粕罷了。」

這個故事說明，語言文字只是一種工具或載體，目的是要傳達人的觀念與思想，但讓別人準確理解自己的想法是十分困難的。因此，我們在與別人溝通時，要特別注意這個問題。

收穫與啟發

1. 辯士學派的主要問題在於相對主義：依照普羅塔哥拉，則每個人說的都對；依照高爾吉亞，則每個人說的都錯。對錯是相對的，由此很容易演變成懷疑主義，根本沒有辦法判斷誰說的是正確的。
2. 人際溝通必須使用言語，所以始終會有各種困難。「就算你認識一些東西，也很難告訴別人」，這一點高爾吉亞說的是對的。我們甚至可以再加一句話：「就算你告訴別人，別人也不見得聽得懂。」我長期教書，對此很有心得，老師上課認真教書，學生的考試結果則千差萬別。同樣上課，有人理解，有人完全不理解，由此可見溝通之困難。
3. 辯士學派提醒我們要思考多元價值觀，這一點是正確的，但未必就要互相懷疑對方的觀點，一個社會還是需要建立某些共同的價值標準。

課後思考

人與人的溝通向來是個難題，聽了高爾吉亞的說法後，你下一次與別人溝通時會注意哪些問題？如說話慢一些，換個別人懂的方式來說，或者請別人重述你說過的意思？

第四章

蘇格拉底

以反詰法探討真理

4-1 蘇格拉底的「無知」

本章要介紹的是蘇格拉底。蘇格拉底十分好學，對於在他之前的自然學派與辯士學派都非常熟悉。但他後來只做一件事，就是每天上街與別人聊天、對話，最後發現好像沒有人能說得過他。我們會問：他是真的有學問，還是僅僅口才比較好？本節的主題就是：蘇格拉底的「無知」。

用「無知」形容人，一般都是貶義，代表這個人很天真、什麼都不懂，或強不知以為知；但蘇格拉底的「無知」並非如此。蘇格拉底始終保持一種質疑的心態，就算是權威專家的結論，他也會有所警惕，他求證的過程恰恰反映出他的明智。這背後有什麼故事呢？

本節要介紹以下三點：

第一，蘇格拉底發現了三種人的無知。

第二，德爾菲神殿的箴言。

第三，蘇格拉底與兩位中國哲學家的對照。

（一）蘇格拉底發現了三種人的無知

蘇格拉底（Socrates, 469-399 B.C.）每天都與朋友在一起聊天。他的朋友柴勒風（Chaerephon）比較調皮，有一天去德爾菲神殿問了一個問題。

德爾菲神殿在古希臘時代赫赫有名，直到今天依然廣為人知。它供奉的是阿波羅神，即太陽神，代表白天、光明、一切清清楚楚。雅典人遇到重大的困惑，無論是城邦大事還是個人問題，都會帶一隻山羊到德爾菲神殿向女祭司請教，女祭司根據她得到的啟示給出解答。

曾經有兩個城邦要作戰，其中一個城邦派人去問戰爭結果如何，得到的答案是「戰後會有一個城邦滅亡」，但是沒說是哪個城邦。這就像許多人算命或占卦時聽到的解釋，總覺得有點模稜兩可。

柴勒風的問題是：「在雅典有沒有人比蘇格拉底更明智？」得到的答案是「沒有」。柴勒風喜出望外，立刻跑去告訴蘇格拉底說：「我去請示了神明，神明說沒有人比你更明智。」蘇格拉底心想：我怎麼能算明智呢？我一天到晚與別人討論問題，自己都沒有把握。但是神說的話一定有道理。為了了解神到底是什麼意思，檢驗一下神是否講錯了，我要設法找到一些真正明智的人。

於是他帶著一些年輕的朋友，拜訪社會上公認為明智的三種人：第一種是領導城邦的政治人物；第二種是擁有很多粉絲的作家；第三種是具備專業技術的工匠。

他先去拜訪政治人物。交談之後發現，這些人雖然有其專業的知識，卻未必了解人生真正的幸福是什麼。他們只知道發展經濟、改善生活，除此之外一無所知，卻以為自己知道。蘇格拉底說：「我不知道，但是我從不會自以為知道。從這一點來看，我比他們要稍微好一點。」他還補充道：「我發現那些最有名聲的人，正是最愚蠢的人。」這樣一來，他樹立了許多敵人。但他並不害怕，他說：「我必須首先考慮神的話，我要分辨神為什麼說我最明智。」

接著他拜訪第二種人——有名的作家，在當時包括悲劇作家、頌神詩作家、史詩作家等等。蘇格拉底說：「我拿出他們作品中最精采的片段請他們解說，你相信嗎？在場其他人幾乎都比作者本人解說得更好。」蘇格拉底由此得出結論：詩人寫詩不是靠智慧，而是靠天才與靈感。就像為人占卜、算命的人一樣，他們說了很多話，卻不知道自己為什麼這樣說，也不知道自己說的是什麼意思。這些作家靠寫詩受到歡迎，就認為自己最聰明，以為自己也可以對別的事情發表許多見解。

接著他又拜訪第三種人——有專業技術的工匠。工匠很有能力，可以建造城牆、神殿、軍艦、商船等。蘇格拉底說：「這些工匠具有專業的技藝，確實知道許多一般人不知道的事，但他們也犯了同樣的錯誤——他們是很好的工匠，就以為自己也知道其他重要的事物。」

最後他得出結論：「神說我最明智，因為只有我知道自己是無知的。別人都像我一樣無知，卻自以為有知，在自己本行以外的事物上也以為自己勝過別人。」蘇格拉底是在提醒我們，只有神是明智的，人的明智其實沒有多大價值，或者根本就沒有價值。蘇格拉底很清楚自己的無知，結果反倒成為神眼中最明智的人。

這種說法當然會引起許多人的反感，他後來被三個人聯手控告，在他七十歲時被告上了法庭，有兩大罪狀：腐化雅典青年、不信城邦的神明而自立新神。

我們先談第一點，他為何被告腐化雅典青年？因為經過蘇格拉底對三種人的拜訪和對話之後，年輕人發現了真相，所以對他們不再像從前那樣畢恭畢敬，這不是對年輕人造成了不良影響嗎？蘇格拉底其實是想讓年輕人知道：一個人的名聲、地位和權力並不值得尊重，值得尊重的是他擁有真正的知識。

（二）德爾菲神殿的箴言

什麼是真正的知識？我們將視線轉回到德爾菲神殿。德爾菲神殿上刻著兩句話：

認識你自己，凡事勿過度。

第一句話「認識你自己」與「知」有關。人生最重要的是先認識自己：到底我是什麼樣的人？我這一生要追求什麼？對我來說什麼是最重要的？我這一生完成什麼目的就值得了？

第二句話「凡事勿過度」與「行為」有關。做任何事都要有分寸，這個「度」是很難拿捏的。要記得一個原則——不要太過分，這樣一來，行為就會比較收斂。

（三）蘇格拉底與兩位中國哲學家的對照

說到蘇格拉底認為自己無知，有趣的是，中國古代也有兩位哲學家談到這一點。

第一位是孔子（551-479 B.C.），他的年代比蘇格拉底更早。孔子在《論語・子罕》中公開說過：「吾有知乎哉？無知也。」我什麼都知道嗎？我是無知的。有一個很老實的鄉下人問我問題，我就設法從這個問題的正反兩方面詳細推敲，然後找到答案。這說明真正有學問的人都是謙虛的，知道學無止境。

第二位是道家的莊子（約 368-288 B.C.），他的年代晚於蘇格拉底。莊子說：「知止其所不知，至矣。」（《莊子・齊物論》）一個人知道在他所不知道的地方停下來，他的知識就達到頂點了。這句話聽起來好像有點誇張，但不要忘記，這正是孔子所說的「知之為知之，不知為不知」（《論語・為政》），如此才是正確的求知態度。人活在世界上，如果在某些方面確有所知，也一定要知道：我們不了解的其實更多。

收穫與啟發

1. 我們從小受教育，學到了一些專業知識，但千萬不要以為自己對其他事物也有所知，我們不知道的東西太多了。我們應該要保持求知的心態和好奇心，才能不斷增長知識。

2. 人只能「愛好智慧」，在一生中努力「認識自己」，並且「行事不要過度」。換言之，人生是從無知走向有知的過程。蘇格拉底承認自己的無知，因而成為西方哲學家的典型。

課後思考

承認自己無知可能引發兩種情況：

1. 鼓勵自己奮發上進，不斷求知；
2. 難免感到洩氣，不知道應該如何改變這種情況。

不知道你的想法如何？是否有更好的建議？

4-2 在對話中思考

人的思考在本質上就是一種對話。譬如在看到一個人時，我就會自問：「他是張三嗎？他不是張三嗎？他確實是張三。」我沒有說任何話，只是腦筋一轉，就是一個對話的過程。

思考就是對話，在與別人對話的過程中，你能否進行有效的思考？蘇格拉底在這方面做出重要示範，他的學生柏拉圖流傳後世的著作就稱為《對話錄》，這是西方哲學最重要的第一本書。蘇格拉底在對話中發展出三種方法：反詰法、歸納法和辯證法。

本節將介紹蘇格拉底如何在對話中思考，內容包括以下三點：

第一，蘇格拉底在對話中的表現。

第二，蘇格拉底的作風。

第三，蘇格拉底從對話中發展出三種方法。

（一）蘇格拉底在對話中的表現

1. 論勇敢

《對話錄》中有一篇叫做〈拉克斯篇〉（*Laches*），描寫蘇格拉底與兩位將軍聊天，其中提到蘇格拉底以前從軍作戰時很勇敢。勇敢有時表現為進攻時奮勇向前，有時也表現為撤退時勇於殿後。蘇格拉底就屬於後者，他慢慢後退，雙眼緊盯著對方，隨時準備拿起武器作戰。可見，蘇格拉底有令人稱道的勇敢事蹟。與他聊天的另外兩位將軍都曾親自帶兵打過許多勝仗，由他們三人討論「什麼是勇敢」這一主題顯然非常適合。但討論到最後，居然沒有得出結論，這是怎麼回事？

對話開始時，蘇格拉底一定會請別人先提出他們的觀點。其中一位將軍拉克斯說：「所謂『勇敢』就是按照長官的命令向前衝鋒，絕不後退。」蘇格拉底說：「這真的是勇敢嗎？一定不能後退嗎？」「當然不能後退。」蘇格拉底於是舉例說明：「普拉提亞（Plataea, 479 B.C.）之役，面對波斯人的進攻，斯巴達的將軍先下令撤退，然後再進行反攻，最後取得了勝利。如果勇敢是絕不後退，這個例子與定義不就矛盾了嗎？」拉克斯於是很驚訝的說：「我以前一直以為勇敢就是向前衝，大不了一死了之，這樣看來，勇敢非但不是盲目的衝鋒——那顯得很魯莽，反而要有計謀，要思考勇敢的目的是要戰勝對方。」

這三人在作戰方面都很有經驗，對勇敢都有實際的體會。兩位將軍原以為自己知道什麼是勇敢，但與蘇格拉底談話之後，他們都承認自己不知道什麼叫勇敢了。就連蘇格拉底也承認自己不知道。

2. 論友誼

《對話錄》的另外一篇〈呂西斯篇〉（*Lysis*）描寫蘇格拉底遇到一對朋友，聊起關於友誼的話題。蘇格拉底說：「你們兩人是好朋友，有深厚的友誼，你們一定知道友誼是什麼。請問，友誼是兩人有相似之處而互相吸引，還是兩人完全相異而互相彌補？」這個問題很有趣，如果說兩人因為相似而互相吸引，但既然相似，你有的他也有，他有的你也有，這種友誼有什麼好處？這不叫友誼，而叫同類相聚，彼此之間並沒有特別的吸引力。

那麼，友誼是因為兩人相異而可以互補嗎？現在有許多人經常分析哪些星座或屬相可以互補，甚至說人與住房也能形成某種互補，有各種各樣的說法。但是，與自己不同的人交朋友來實現互補，這也行不通。你怎麼知道別人可以與你互補？與你不同的人太多了，假如你是某個星座的，那麼還有十一個與你不同的星座，你選哪一個？

蘇格拉底就是以這樣的談話方式讓許多人陷入困惑，本來以為自己知道的東西，經過討論之後變得不太確定，到最後甚至根本無法確定了。

3. 論虔敬

蘇格拉底生平最後一次對話的場景令人驚訝，這次對話就發生在法院門口。他接到法院的傳票，一大早就到法院門口等待開庭，好像等待他的命運一樣。這時他遇到一位名叫尤西弗羅的中年人，《對話錄》中這篇的篇名就叫做〈尤西弗羅〉（*Euthyphro*）。

尤西弗羅看到蘇格拉底便問：「你怎麼到法院來了？你這種人不可能告別人吧？」蘇格拉底說：「我確實不是原告，而是被告。」他反問尤西弗羅：「你為什麼來法院呢？」尤西弗羅回答說：「我是原告，我要告人。」「告誰呀？」「告我父親。」居然有兒子要告父親！蘇格拉底說：「那你一定有非常特別的理由吧，能否說來聽聽？」

原來尤西弗羅的父親是一個農莊的主人，在夏天農忙時臨時雇了一個工人，後來這個工人與家裡的長工發生爭執，把家裡的長工打死了。父親身為主人，就把外雇的工人捆起來，丟到山溝裡，派人向德爾菲神殿請示：「神啊，該給這個人什麼懲罰？」結果因為冬天太冷，還沒等到神的回答，雇工就凍死了。

尤西弗羅說：「我父親因為自己的疏忽而侵犯了神的權力，所以我要告我父親對神不敬。」蘇格拉底聽後真的嚇了一跳，他說：「既然你對神這麼重視，對於什麼是『敬神或不敬神』肯定有清楚的認識，請你一定要當我的老師，啟發我的智慧，解除我的疑惑，因為我被告的兩條罪狀中，就有一條說我對神不敬。」

於是兩個人開始討論什麼是對神虔敬，結果發現尤西弗羅的解說很難成立。尤西弗羅說：「對神虔敬就是做神喜歡的事。」蘇格拉底說：「神有很多，老神喜歡的，新神不一定喜歡；這個神喜歡的，那個神不一定喜歡。神與神之間還有鬥爭和戰爭，到底該如何判斷神是否喜歡呢？」

蘇格拉底進一步問道：「請問，一件事因為神喜歡，所以它是善的；還是這件事本身是善的，所以神一定要喜歡？」答案當然是後者。一件事本身為善，那麼神必須喜歡，否則便違反了神的本性，神就不能叫做神了。

更重要的問題是：你為什麼要對神如此虔誠呢？蘇格拉底舉例說：「你家裡養了一匹馬，你平常照顧好這匹馬，是要利用牠替你拉車。你對神這麼虔誠，難道是要利用神嗎？」這種說法聽上去就是對神不敬。討論到最後，尤西弗羅只好說：「哎呀，我突然想起來還有別的事沒做，我先走一步。」尤西弗羅為什麼要走？因為他根本沒弄清楚什麼是敬神或不敬神，又怎能以此為標準去狀告自己的父親？蘇格拉底居然化解了一樁家庭糾紛。

（二）蘇格拉底的作風

這三次對話體現了蘇格拉底的作風。他在任何地方與任何人聊天，只要聊到關於人的德行方面的重要概念，就一定窮追不捨，要與他展開進一步的對話。蘇格拉底從來不演講，也不上課，只是每天上街與別人聊天。聊天開始的時候，對方談論的往往並非蘇格拉底關心的話題，蘇格拉底便一再阻攔，讓對方不要談那些無聊的事，直到對方開始談論起自己目前的生活狀態和以往的生活方式，也就是要談談他自己。一旦對方陷入蘇格拉底所設想的話題，他就會從各個角度完整地檢視對方，讓對方反思自己這一生過得是否真實，對於德行是否有真正的認識。討論到最後，蘇格拉底便會說出他的至理名言：「沒有經過反省檢查的人生，是不值得活的。」

一般人的生活都是遵照習俗，什麼時候拜神獻祭、怎樣與別人說話、說什麼話，大家都照著習俗去做，以為那樣就是對的。大家都認為這樣叫做勇敢，那樣叫做德行或善，你便信以為真。蘇格拉底這種令人厭煩的質問究竟有什麼意義？他想讓世人了解：人應該如何自處，才能成為真正的人；正確的思考方式可以轉化為正確的行動，關鍵在於要思考，要了解。

（三）蘇格拉底從對話中發展出三種方法

蘇格拉底從對話中發展出三種方法，分別是反詰法、歸納法與辯證法。

1. 反詰法

所謂「反詰法」，就是把握別人言論中的一個重要概念或觀念，不斷反問，請他說清楚那到底是什麼意思。直到今天，西方在教學中仍然廣泛採用「蘇格拉底的反詰法」，這是一種很好的教育方法。譬如聽到別人說今天天氣不錯，就請他先定義一下所謂「不錯」是指什麼。這樣一來，大家說話就會比較清楚，可以避免產生誤會，實現有效的溝通。

2. 歸納法

討論問題時，一般人都會從自己的見聞出發，根據各種例子，歸納總結出其中的規律，這就是歸納法。歸納法的問題在於缺乏普遍性，過去發生過許多類似的事，並不代表將來一定會發生同樣的事。譬如，你研究了一百隻北極熊都是白色的，由此歸納出「凡北極熊皆為白色」的結論，但你沒有把握明天是否會出現一隻其他顏色的北極熊。可見，由歸納法得出的結論只是暫時有效，它缺乏普遍性，還需進一步採取其他的思考方法。歸納法在學術上被廣泛應用，但我們也要知道它的限制。

3. 辯證法

我與你的立場不同，我們兩人透過對話，互相吸取對方的優點，對同一件事就會有更全面的看法，使認識能夠向上提升，這就是辯證法。辯證法一般可以概括為「正反合」三個字。所謂「合」就是將正反雙方的觀點向上提升，從而形成某種共識。但是一旦出現「合」，它也是一種說法或立場，馬上就會有一個與之相對的不同立場出現。因此，辯證法可以不斷運作，辯證的過程可以持續進行。「辯證法」的英文是 dialectic，「對話」是 dialogue，兩個詞有相同的字頭 dia，該字頭來自於「二」。有兩個人才能進行對話，有正反兩種立場才能展開辯證。辯證法是西方重要的哲學方法。

下面舉一個例子，來說明怎樣使用蘇格拉底的方法。

首先提出一個被大家認可並視為常理的說法，如「有錢就是好的」。接著要質疑該說法的正確性：有錢真的是好的嗎？這個錢是如何得到的？透過搶劫或騙人得來的錢也可以說是好的嗎？顯然不行。這說明「有錢就是好的」這句話有問題，需要修正為「有錢，並且要使用正當手段賺到才是好的。」

進一步來看，用正當手段賺到錢之後，成為守財奴顯然也不好，因此這個說法還要再度予以修正。蘇格拉底會說，看到一個人有錢，要問兩個問題：第一，他賺錢的方法是否合理合法？第二，他賺到錢之後，是做金錢的奴隸，當個守財奴，還是做金錢的主人，可以用他的錢去做好事？

我們常常聽到別人說賺錢最好，你可以這樣思考：用什麼方法賺錢？賺錢之後對錢的態度如何？運用辯證的思考或對話，將會產生比較積極的正面效果。

收穫與啟發

1. 使用反詰法，可以使對話更為深入。與別人討論問題時，要一再請別人把他用的字詞界定清楚，這樣會使對話更有效率。
2. 使用歸納法，可以提煉自己的觀點。譬如談到勇敢或正義，你可以使用自己所見過的勇敢或正義的例子，歸納出自己的看法。
3. 使用辯證法，可以保持開放的心態。辯證法承認，我是正方，相對的一定有反方，因此要保持開放的心態，才能吸取別人有價值的觀點，再向上綜合提升。

課後思考

你在日常生活中與別人討論或爭論時，遇到過以上哪些辯論方法？你善於使用哪種對話方式？不善於應對哪種方式？你認為自己應該提高哪一方面的認知？

4-3 傾聽內心的聲音

蘇格拉底除了遵守城邦的法律與傳統的信仰之外，他還有一個人生指南——傾聽精靈的聲音。這個特別的說法是他在法庭上替自己辯護時提出的，因此，先簡單介紹一下蘇格拉底出庭受審一事。

蘇格拉底在七十歲時被三個人聯手控告，指控他有兩大罪狀。

第一條罪狀是腐化雅典青年。他帶領年輕人去拜訪社會上三種有地位、有名聲的人，由此得罪了這些人。他教導年輕人要追求真理，不要在乎社會上的名聲、地位、權力、財富等，被認為是腐化雅典青年。

另一條罪狀聽起來更嚴重，告他不信仰城邦的神明而自立新神。蘇格拉底替自己辯護說：事實並非如此，我沒有自立新神，不過我確實在很多時候會聽到精靈的聲音。

本節要介紹以下三點：

第一，什麼是精靈的聲音？

第二，精靈的聲音可以理解為良心的聲音。

第三，良心的聲音只會說「不」。

（一）什麼是精靈的聲音？

首先，什麼是精靈？當時的雅典人認為，每個人一出生都有精靈在身邊守護，精靈就像守護天使，把你一生該做什麼、不該做什麼都安排妥當。簡單來說，精靈就像一張命運的地圖。一般人都不太在意，從未感覺精靈的存在。但蘇格拉底不同，他在法庭上說，精靈從他小時候就發出聲音，警告他不要去做那些不該做的事。譬如他曾經想要從政，精靈的聲音就提醒他說「不要做，不要做」，於是他就放棄了。

蘇格拉底又說：「今天早上我到法院的時候，精靈並沒有發出聲音來阻止我，說明我到法院接受審判不是壞事而是好事。」我們都知道蘇格拉底最後被判了死刑，天下還有比死亡更可怕的壞事嗎？但不要忘記，蘇格拉底在西方能有如此大的影響力，最重要的原因就是他面對死亡的態度。他等待執行死刑的那段時間，有大量珍貴的資料經由《對話錄》的記載而流傳於世。

說到精靈，古希臘時代並不認為那是迷信，幾乎所有希臘人都相信有這樣的精靈，他會適時給你某種啟發。在希臘文中，「幸福」就是 eudaimonia，「精靈」就是 daimon，可見幸福與精靈有關。「幸福」的字首 eu- 意為優質的、好的，因此，你這一生得到一個好的精靈就是幸福。有些人表面看起來糊裡糊塗的，但是做任何事都很順利，一般會說他「命好」，其實說不定是因為他可以聽到精靈的啟示。

蘇格拉底就能聽到精靈的啟示，由此避開不好的事，而去做那些該做的事。這讓他的一生首先在道德上站穩腳步，可以進一步追求重要的人生真理。蘇格拉底對於精靈當然非常佩服，願意接受他的啟示。

蘇格拉底為什麼強調精靈的聲音？因為他不願意再用人格化的方式去描述精靈。前文介紹過，古希臘宗教的最大問題就是擬人化，把神看做像人一樣同形同性而缺乏超越性，對人的實際生命很少有啟發。

蘇格拉底用「聲音」來代表「精靈」，而且這個聲音只說「不」，從來不說「是」。

（二）精靈的聲音可以理解為良心的聲音

是否只有希臘人、雅典人才有這種精靈？中國人沒有嗎？其實每個人都有，我們可以把「精靈之聲」理解為「良心的聲音」，而每個人都有良心。「良心的聲音」後來在西方產生重大影響，當你的行為不被社會接受時，你是否還要繼續做？如果你只看外在的要求，就會被群眾化，變成許多人之一，從而喪失主見。所以，你應該堅持做你認為正確的事，這叫做「良心原則」。良心原則在很多地方都可以應用。

譬如第二次世界大戰時，有許多德國軍官拒絕接受長官的命令，他們不願意殺害猶太人，因為他們良心上認為：猶太人中有很多老弱婦孺，他們一輩子沒做過什麼壞事，看起來就像我們一樣善良，為什麼只因為是猶太人就要被殺？所以他們寧可不做軍官而選擇叛逃，拒絕執行殺人的任務，這就是良心原則的體現。

尼采在這方面有個觀點非常精準，他在談到蘇格拉底時說：「蘇格拉底成就了人類歷史上的轉捩點。每當人類社會出現危機，都有一個確定之物是不可懷疑的，那就是人的心靈深處有一個恆存的、堅持行事正當的義務，這是一個絕對的義務。」蘇格拉底的偉大發現就在於此，他以自己的生命做為見證，肯定每個人的內心都有一個最後的堅持。

尼采對蘇格拉底有很多評論。在談到悲劇創作時，尼采強調日神和酒神的共同作用：日神代表形式，使人謹守規矩、每天安分守己的過日子；酒神的作用好比一個人喝醉酒，由此啟發靈感，使他充滿創意。尼采認為，蘇格拉底接近日神的立場，尼采本人顯然更欣賞酒神的立場，崇尚沒有任何限制的創造力。但是對於蘇格拉底的偉大貢獻，尼采的看法很值得參考。

從另一方面來看，蘇格拉底既然肯定有一種精靈的存在，就不能說他是無神論者。十八世紀的啟蒙運動興起了反宗教的思潮，伏爾泰有一句話很有趣，他說：「那個無神論者說只有一個神存在。」這是什麼意思？古希臘時代是多神論，奧林匹斯山上就有許多有名的神。伏爾泰是在反諷蘇格拉底是無神論者，因為他相信只有一個神。

（三）良心的聲音只會說「不」

並不是只有蘇格拉底一個人能聽到精靈的聲音，如果把精靈的聲音理解為良心的呼聲，那麼很明顯每個人都有。中國的儒家對這一點說得尤為透徹：孔子與學生討論問題，會問「你的心安不安」；孟子談到人性的問題，會問「你的心忍不忍」。「不安」與「不忍」這兩個詞，是了解儒家的重要關鍵，它們有一個共同的特色——都從「不」來說。這與蘇格拉底的說法不是很接近嗎？

蘇格拉底說，從年輕時期開始，每當他想做一件不該做的事，內心都會有個聲音對他說「不要做，不要做」。這個聲音只說「不」，卻從來不說「是」。因為你如果去做該做的事，這叫做順其自然，內心不會發出聲音；你如果去做不該做的事，內心就會產生一些壓力，發出禁止的聲音。蘇格拉底比一般人更真誠，所以可以聽到內心的聲音。

收穫與啟發

1. 人生的修練要由真誠面對自己的良心開始。只要用心傾聽，良心就會提供指示。
2. 人活在世界上，必須尊重國家的法律與祖先的信仰，但是在具體的行動上，不可忽略內心的聲音。

課後思考

蘇格拉底強調，內心的聲音只會對他的不當行為說「不」，而不會對正當的行為說「是」。請問，你有沒有類似的經驗？

補充說明

談到良心的時候，首先最基本的是要分辨「良心」與「道德意識」的不同。

什麼是道德意識？在某個時代、某個社會裡，對於善惡一定有某些共同的判斷，它透過教育、輿論等方式為人所熟知。所以，每個人都會對道德有某種清楚的認識，知道什麼是善、什麼是惡。道德意識的內容通常與法律不會相差太遠，但它比法律更細膩、更深刻。道德意識是相對的，每個人都有自己的道德意識，但別的時代、別的社會的人未必認同。

良心則是一種絕對的要求。一個人如果沒有善惡分辨的要求，代表他沒有良心，不再屬於「人」這一範疇。孟子多次提到，如果沒有惻隱之心、羞惡之心、辭讓之心、是非之心，就不是人，原因就在這裡。

有些事情屬於日常生活的個人選擇，在這方面永遠沒有標準答案。沒有人能告訴你，是家庭重要還是職業重要，你要根據個人的情況來判斷，譬如要考慮你的父母、孩子的情況如何。這不涉及良心的問題，只涉及智慧的判斷和選擇。

真正的良心只有在碰到道德底線時才會出現。比如在納粹統治期間，很多德國軍官不忍心殺害無辜的猶太人，他的良心過不去，這就是所謂的道德底線。蘇格拉底也一樣，當他面臨重大的、攸關生死的抉擇時，才會出現精靈的聲音。因為道德抉擇一旦放鬆，人會覺得自己變成了行屍走肉，根本不再是一個真實的人，所以內心才會產生如此大的力量。

可見，對於良心，我們要特別敏感。良心是對善惡的要求，這種要求一定存在。另一方面，良心雖然是天生的，每個人都具備，但只有碰到道德底線時，良心才會出現，你才會知道「這一點我過不去」。

4-4 知與德必須合一嗎？

本節的主題是：知與德必須合一嗎？

在西方哲學史上，「知德合一」是蘇格拉底的招牌理論，它到底在說什麼？簡單來說，一個人只有知道什麼是德行，才可能有真正的德行，這就是「知德合一」。

但問題是，一個人知道應該孝順就一定會孝順嗎？反之，一個人如果不知道什麼是孝順就一定不會孝順嗎？

蘇格拉底的意思是：如果你知道孝順而沒有去做，代表你不是真正知道什麼是孝順，你的「知」只是一種見聞，只是聽別人說過或書本上看過，並沒有真的了解孝順的重要性和必要性。

反之，如果不知道什麼是孝順，也許偶爾可以做出孝順的行為，但那只是碰巧，你並沒有真正了解孝順的重要，因此不會一直堅持下去。

譬如，當父母心情不佳時，子女安慰他們就是孝順。你如果不用上班，也會去安慰父母；但是如果急著上班或有其他事，你就先不管他們了。這代表你沒有真正了解孝順的意義，所以只是偶爾為之，但不能一直堅持，這就是蘇格拉底的意思。

本節的內容包括以下四點：

第一，分辨兩種德行。

第二，知與德的關係。

第三，德行只能靠自己覺悟。

第四，知德合一引發的後續討論。

（一）分辨兩種德行

先介紹蘇格拉底的立場。「知德合一」的「德」一般指德行，即善的行為。德行有兩方面的要求：

1. 每個人按照他的職責而應該有的行為，如工程師、老師、警察等職業都有相應的職責要求；
2. 只要生而為人就應該有的行為。

這兩者不同，卻常被混淆。蘇格拉底曾舉例說，如果你是雅典公民、家庭主婦或小孩，根據不同的身分，在德行上各有不同的要求。但是，無論具有哪種身分，你始終是一個完整的人。做為一個完整的人，應該具有什麼樣的德行修養？

蘇格拉底每次與別人談論德行時，開始大家都覺得很簡單，所謂「德行」似乎就是描述一下自己的職務有哪些要求，即今天所謂的「職業倫理」。但蘇格拉底會進一步問道：「這難道是德行的真正意義嗎？」就好比你把一只碗打破，一變成多，但碎片怎麼能代表一只碗的整體呢？不同領域有不同的職責，這些職責所代表的德行是「多」，但這些「多」並不等於一個完整的人應該有的德行。可見，蘇格拉底的思考比一般人更為深刻。

（二）知與德的關係

進一步來看「知」與「德」有何關係。

首先，一個人必須知道什麼是德行，才會有真正的德行。我們平常也會做很多好事，但卻不一定知道它是好事，也不清楚它為什麼算是好事，這就是「不知而行」。做好事只是碰巧而已，缺乏依據。如果下次碰到挑戰或考驗，就不見得繼續做好事。還有些人是「知而不行」，代表他只是知道外在的規範，卻不了解內在的道理，不清楚該做的事與人性之間有什麼必要的關聯。可見，一個人對德行無知，就不會行善。蘇格拉底於是得出結論：無知是最大的罪惡。那麼如何才能讓自己走出無知的世界，進入真正的知識殿堂？這正是蘇格拉底一生努力奮鬥的目標。

此外，蘇格拉底還有一個相關的觀點：沒有人故意為惡。

蘇格拉底認為，你如果清楚的知道這是壞事，就不可能去做，人不會明知故犯。譬如一個人搶錢時，他之所以將社會規範棄之不顧，是因為他認為錢是最善的，此時他並不知道搶錢是一件惡事。如果他真的知道這是壞事，即使沒有社會規範，他也不會去搶。世界上每個人在做壞事的時候，心裡想的都是「這件壞事啊，請你做我的好事吧」、「這個惡啊，請你做我的善吧」。黑道份子販毒、殺人、搶劫的犯罪過程中，都會認為這些事對他而言是好事，而不考慮這些事對社會有何危害。

當然，社會的規範是相對的，無法簡單評判好壞。但重要的是，這件事在本質上是一件好事嗎？一個人可能為了滿足個人欲望而去做壞事，對於是否傷害別人或破壞社會規範，他可能毫不在意，只想著滿足自己的欲望，對他而言這是唯一的善。有一個學派就有這樣的觀點：只要讓我快樂，其他的一切都可以犧牲。這樣一來不就變成誰更兇悍、更膽大妄為，誰就可以為所欲為了嗎？蘇格拉底想要強調的是：人如果知道什麼是善，自然就會行善；但「知道」絕非一般的認識而已，而是要知道什麼才是真正的德行。

（三）德行只能靠自己覺悟

一個人按其身分和職責做事，應該具備相應的德行，如節制、勇敢、正義等，但這些只屬於個別情況的要求。請問：有沒有關於人的生命整體的要求？德行是一個整體，你對這個整體能否有所認識？蘇格拉底認為這種德行是沒辦法教的。他甚至說：「如果有人真正了解什麼是德行，又能教會別人，這個人就好像是在人群中行走的神。」一個人了解人生的目標何在，能主動實踐德行的要求，同時又能教導別人，這樣的人確實罕見。

蘇格拉底與人對話時，每一次都謙虛的說自己不了解，希望別人發表意見。柏拉圖在《對話錄》中，討論什麼是真、善、美，什麼是謙虛、德行、虔誠，但是討論到最後，大部分篇章都沒有結論。何以如此？因為能將所有德行會聚起來的是人內在的生命，而一個人到底為什麼要行善才是最根本的問題。針對這個最根本的問題，蘇格拉底問：德行能不能教導？如果德行可以教導，我們只要跟對老師就能獲得啟發。但他認為德行不能教導。

據說蘇格拉底的母親是一位助產士，專門為別人接生胎兒。蘇格拉底從小耳濡目染，認識到每個人都要自己孕生出智慧。他把自己比做助產士，他說：「我只是幫別人生出智慧的胎兒，卻不能給別人智慧。」

如何幫助別人自己孕生出智慧？蘇格拉底的方法是，先讓別人陷入困惑，對過去所知的東西加以質疑。他要讓你自己覺悟：你過去知道的都是表面的現象或外在的形式，你並不清楚它們真正的意義；真正的意義無法用言語表述，只能靠自己的實踐來體驗。換言之，若想真正了解什麼是德行，一定要靠自己的覺悟。

為什麼每個人都有覺悟的可能性？這裡涉及蘇格拉底另一重要觀點：人的靈魂早在出生之前就存在，靈魂了解什麼是真正的智慧和德行，但一出生就全忘記了。因此，蘇格拉底說：「知識就是回憶。」特別是關於德行方面的知識，不能靠別人教導，一定要靠自己的回憶才能覺悟。人一旦覺悟就能由內而發，知道完整的德行是怎麼回事。這種說法背後有各種複雜的思辨，在當時引起不少討論。

（四）知德合一引發的後續討論

蘇格拉底的說法引發哪些後續的討論，我們選擇兩個方面來看：

第一，如果過於強調「德行」與「知」的緊密聯繫，豈不是忽略了人很軟弱的這一面？人有情感，很容易受到情緒影響；人有意志，也常常把持不定。這對於認知難道不會產生某種副作用嗎？了解這一點之後，還能說「知」與「德」一致嗎？

第二個問題更嚴重。蘇格拉底認為有一種整體的德行，它是對整個生命的要求，一旦了解，你的一生就沒有問題了，等於是把你前世所見的德行全部回想起來，你這一生就有了真正的知識，從此可以步上正軌。後代有一個學派對此展開討論，請問：一個人有德行還是無德行，難道是一刀切嗎？難道不能在某些方面為善，而在另一些方面為惡嗎？

世界上確實有這樣的事：一個人對朋友很好，但對父母不見得孝順；一個人對父母孝順，對子女教育卻不見得留意。一個人的力量有限，在德行實踐中，常常會掛一漏萬，捉襟見肘，自顧不暇。這樣的話，還能說德行是一個整體，一個人有德就各方面統統有德，一個人無德就每一方面都無德嗎？

後代確實有這樣的觀點，認為你如果有三種善、兩種惡，代表你還不算是真正的善，要麼全部是善，否則統統不算。這種略顯極端的看法與蘇格拉底也有關係，因為他說「知德合一」，「知」與「德」是一致的。如果你的「知」只有某一部分，代表你的知不完整，那你的德也不可能完整。

另外，我們再將蘇格拉底與中國學者王陽明進行比較。王陽明（1472-1529）是明朝中葉的學者，他宣導的「知行合一」如今盡人皆知。他說：「知是行之始，行是知之成。」把「知」與「行」

視為一個整體。他的觀點與蘇格拉底的相似之處在於：他們所謂的「知」都是有關德行的知，而不是其他方面的知。

王陽明的「知行合一」是儒家傳統的發展。如果「知」沒有「行」的配合，那樣的「知」不落地、不切實；如果「行」沒有「知」做為基礎，那樣的「行」無法堅持、不能長久。王陽明是十五世紀的人，他的說法較為清楚和完整，而且他也沒有像蘇格拉底那樣，強調「知」與「德」要完全一致。

收穫與啟發

1. 「知德合一」的「知」，不是對外在現象的知識，也不是某種專業的知識，而是對於德行方面的知識，是教你應該如何行善的知識。
2. 蘇格拉底創建的學派在西方被稱為「主知主義」，認為一切都要靠「知」，「知」也可理解為「智」。蘇格拉底偏重理性，認為每個人都要很清醒，只要清楚了解自己知道什麼，就會去做該做的事。
3. 蘇格拉底有些話我們聽過就會記得，如「無知是最大的罪惡」、「沒有人明知故犯去做不該做的事」。但我們也知道，明知故犯在世間很常見，因為人的意志很軟弱——明明知道該做，卻不見得做得到；明明知道不該做，卻偏要去做。

課後思考

「知德合一」的說法在西方受到很多批評，批評者認為：它太重視理性的作用，而忽略人也是感性的動物，會受到意志與情感的干擾。你覺得這樣的批評可以成立嗎？或者，你可以替蘇格拉底辯護嗎？

補充說明

蘇格拉底的思想被稱做「主知主義」，他認為「知」是決定後面一切發展的關鍵，其內涵可以從三方面來理解：

1.「主知主義」認為「知即是德」，我們講「知德合一」只是一個比較簡便的中文表達方式。說「知即是德」是要強調：

(1) 對「德」無「知」就不可能有德，如果有德，只是碰巧；

(2) 對「德」有「知」則一定會有德，如果無德，則代表不是真知。

舉例來說，我說「只要是荷蘭人，一定喝海尼根啤酒」，但有一個荷蘭人叫皮特，他就不喝海尼根啤酒，我就說：「那是因為他不是真正的荷蘭人。」這個幽默的說法恰好可以反映「主知主義」的觀點，即如果有「知」而無「德」，代表所知的不是真知，否則「德」一定會伴隨「知」而出現。

2. 真知是由內而發的。譬如知道勇敢是一種「德」，當你表現出勇敢的行為時，有兩種可能：第一種是出於你對勇敢的真知和肯定，使你的力量由內而發，採取行動；第二種是從外面看，你的行為符合勇敢的外在要求，但你不見得對勇敢有內在的真知。主知主義強調第一種，出於內在的真知而去實踐才叫「知德合一」，這樣才能使整個生命的境界往上提升。

3. 知與德都有發展的空間。蘇格拉底在臨終前對他的弟子們說：「今後你們要一如往昔，按照你們所知最善的方式去生活。」將來發現更好的生活方式再去調整，人只能對自己當下的真誠覺悟負責，且知且行，不斷提升。

掌握住這三點，就可以較為準確的掌握蘇格拉底「知德合一」觀念的內涵。

4-5 為什麼不怕死？

人應該如何正視死亡帶來的恐懼？蘇格拉底用死亡見證了他的人格與哲學，因此，我們要介紹他受審和死亡的過程。

本節內容包括以下三點：

第一，蘇格拉底受審的過程。

第二，蘇格拉底對死亡的觀點。

第三，蘇格拉底漠視死亡。

（一）蘇格拉底受審的過程

首先介紹他受審的過程。西元前 399 年，蘇格拉底七十歲之際，被人誣告兩大罪狀，上法院接受審判。如今美國的法庭就是借鑑雅典當時的審判方式。審判分兩個階段：第一階段先由法官團判定被告是否有罪；如果有罪的話，第二階段再判定他要接受何種處罰。雅典的法官團由公民輪流擔任。雅典分十個區，每個區每年選出五十位代表，共五百人組成法官團。蘇格拉底進入法院，面對五百人的法官團，他要為自己展開辯護。

蘇格拉底被控告兩大罪狀。第一是腐化雅典青年。他在陳述相關事實後，認為自己並未腐化青年，他只是按照神的指示，帶領眾青年發現真理和真相而已。第二是告他自立新神，他說：「我沒有自立新神，我只是服從精靈的聲音，精靈是所有雅典人都相信的神明之一。」

蘇格拉底的話鋒十分犀利。法官團習慣於看到犯人的軟弱，譬如，找家人哭哭啼啼一起求情，可是這位已經七十歲的老先生卻好像在教訓他們。臺上的法官多數比蘇格拉底年輕，但既然坐在法官的位置上，自然希望受到尊重。聽到蘇格拉底的辯護詞，法官都不太開心。最後投票表決，兩百八十票比兩百二十票，以六十票之差判蘇格拉底有罪。

判定有罪後，對於要接受何種處罰，雅典有一個特別的制度設計：犯人可以自己建議一種替代性懲罰，看法官團能否接受。一般人有兩種選擇：一是放逐，既然雅典人看我不順眼，不如把我放逐到其他城邦，今後不再見面就好；另一種選擇是罰款，可以用支付贖金來抵罪。蘇格拉底則說：「你們要處罰我只有一個辦法，就是把我關在英雄館（Prytaneum）裡，這樣我就不能和別人聊天，你們就可以避開我了。」

當時希臘很多城邦都設有英雄館，專門用來供養奧林匹克運動會的金牌選手，讓他們在此安養天年。蘇格拉底明明被判有罪，居然要求將他關到英雄館裡。這下子法官更生氣了，他們以更大的差距——三百六十票比一百四十票，判處蘇格拉底死刑。

（二）對死亡的觀點

蘇格拉底似乎明知會有這樣的結果，但是他毫不在乎。被判死刑之後，蘇格拉底說：「請容我再說一段話。」隨後他表達了對於死亡的觀點，這在西方哲學史上是非常重要的資料，對一般人也很有啟發。

蘇格拉底認為死亡只可能有兩種情況。

第一種情況，死亡就像是無夢的安眠。人死之後，如果沒有任何知覺，一生就此結束的話，就像睡覺時不做夢，這實在是太好了，連波斯大王都要羨慕這樣的情況。雅典曾兩度受到波斯的侵略，雅典人都知道威猛兇悍的波斯大王。這段話讓我們聯想到莊子對古代真人的描寫——「其寢不夢，其覺無憂」（《莊子・大宗師》），即睡覺時不做夢，醒來後沒煩惱。如果死後毫無知覺，就像睡覺時不做夢，那麼死亡有什麼不好呢？

第二種情況，如果死後靈魂繼續存在，那麼不但不用煩惱，靈魂反而從身體的監獄中得到解脫，重獲自由。當時有一種思想認為人的本質是靈魂，蘇格拉底也接受這種觀點。人死之後，靈魂離開身體，可以自由追尋它所嚮往的目標。蘇格拉底說：「死後靈魂如果可以自由去尋找的話，我要去找那些古代偉大的智者，與他們一起繼續聊天和對話，共同探討什麼是智慧和真理。」

這就是蘇格拉底對於死亡給出的兩個答案。

（三）漠視死亡

審判結束後，蘇格拉底被關入監獄，準備接受死刑，這期間恰好碰上雅典一年一度的聖船節。相傳雅典王子救回被奉獻為犧牲品的七童男七童女，因此每年五月，雅典人就派船到海上去祭祀阿波羅神，在聖船來回的一個月內不准殺人。蘇格拉底在監獄裡等待死刑的一個月裡，友人安排讓他逃獄，但他不肯。包括柏拉圖在內的許多人，每天都去探望他，大家經常傷心痛哭，但蘇格拉底對即將到來的死亡無動於衷，好像死亡這件事與他無關，死亡似乎也沒什麼不好。他這種漠視死亡的態度讓很多人深受啟發。他臨死前說的三句話備受關注。

1. 你們埋葬的只是我的身體

蘇格拉底看到很多朋友和弟子在哭泣，他說：「你們為什麼哭呢？你們埋葬的只是我的身體，真正的我還是與你們在一起的。」這說明死亡的只是身體，身體結束之後，人的精神還在。

2. 今後，你們仍當一如往昔，按照你們所知最善的方式去生活

一位弟子問他：「老師您走了，將來我們有問題該怎麼辦？要找誰來給我們答疑解惑呢？」蘇格拉底說：「今後，你們仍當一如往昔，按照你們所知最善的方式去生活。」

這句話是千古名言。人活在世界上，只能按照自己所知最好的方式去生活。如果將來發現更好的方式，覺得今天的方式不是最好，那該怎麼辦？沒關係，一旦發現更好的方式，就立刻調整。人要真誠面對現在的自己，不能等著將來發現最好的方式才去生活。人每天都要過日子，所以只能按照現在所知最善的方式去生活。

3. 克利多，別忘了我還欠醫神一隻雞

蘇格拉底的最後一句話是對他的朋友克利多（Crito）說的，他說：「克利多，別忘了我還欠醫神阿斯克勒庇俄斯（Asclepius）一隻雞。」按照當時希臘人的習俗，患病就會到供奉醫神的廟中許願，痊癒之後獻給醫神一隻雞做為還願。蘇格拉底的意思是「死亡意味著我的病好了」，他要提醒我們：身體是靈魂的監獄，人活在世界上就像生病，死亡就是病的痊癒，使靈魂得以解脫。

當時監獄的獄卒深受感動，忍不住對蘇格拉底說：「你是我見過的犯人中最溫和、最善良的。我從沒見過像你這樣的犯人，其他犯人都是吵嚷叫罵，怨天尤人，你這麼溫和善良，太讓我難過了。」獄卒為此還痛哭一場。

最後，獄卒把毒藥（據說是有毒的蘿蔔汁）送上來，蘇格拉底問他：「我能否先往地上倒一些，用來祭神？」獄卒說：「不行，藥量是調配好的，如果倒一些出來，喝下去恐怕無法生效。」蘇格拉底說：「好吧，我有這個心意就好了。」他接著對獄卒說：「你比較有經驗，知道毒藥發作的過程，我的情況是否正常，請你提供指教。」

蘇格拉底將毒汁一飲而盡，開始是腳麻了，他問獄卒：「是這樣嗎？」獄卒說：「是的。」接著，大腿麻了，肚子麻了，當毒藥快侵入心臟時，他向克利多說出剛剛介紹的那句話。

這就是蘇格拉底留給世人的最後一幕，整個過程有如電影情節，但卻是真實上演的，讓人倍感震撼。這一幕如同後來的耶穌被釘死在十字架上，都對西方人產生深遠的影響。

收穫與啟發

1. 按照蘇格拉底的說法，我們沒有理由害怕死亡。死亡或者是無夢的安眠，或者是靈魂的解脫，從此可以自由追尋我們畢生嚮往的目標。
2. 要珍惜我們的人生，不斷求知與行善，達成愛好智慧的目標。

課後思考

透過今天的學習，不考慮任何宗教和信仰，請問：你對死亡有什麼新的看法？你是否贊成蘇格拉底對死亡的看法？

補充說明

談到死亡，我們可以用孔子的觀念來做對照。孔子對死亡有兩種觀點：第一，死亡是自然生命的結束；第二，死亡是價值生命的完成。這意味著人有雙重生命：一個是自然生命，我們的身體都會生老病死，最後都會結束；另一個是價值生命，我們在一生中可以不斷思考與自由選擇，從而實現某些價值，死亡意味著價值生命的「完成」。

孔子教學生，強調立志。有了志向，生命就有了方向，你選擇任何價值都會朝這個方向集中，可以使生命的價值不斷提升。到死的時候，會覺得這一生沒有白過，非常值得。

就像王陽明臨死的時候，學生問他還有什麼遺言，他說：「此心光明，亦復何言！」

如果把人生理解為雙重生命，則每一個人都有其特殊的價值，不能用外在的、可以量化的成就來規定價值的標準，生命的價值不能只做外在的衡量。因此，每一個人都要對自己的生命負責，這就是「雙重生命」觀念的意義所在。有些人能夠載入史冊，有些人（像蘇格拉底）可能進入永恆，這都是他們各自的造化。

我們可以從中學習到的是：面對死亡，要對自己的生命負責，讓自己的一生能夠不斷掌握到更高的價值，不斷實現生命境界的提升。

Part 2
哲學雙重系統

第五章

柏拉圖

深入剖析人生

5-1 上街尋找蘇格拉底

本章將介紹古代西方最重要的哲學家──柏拉圖。柏拉圖有多重要呢？可以借用黑格爾的一句話來形容：「談起希臘文化，轉頭必見柏拉圖。」柏拉圖對於人性和人類社會有怎樣的觀察，對於教育和政治又有什麼建議，這些問題都是本章討論的重點。

在西方社會，當你遇到一位傑出人士，通常可以問他：誰是你的蘇格拉底？這句話的背景就與柏拉圖的故事有關。柏拉圖晚年回顧自己的一生時，說：「我感謝神讓我生為雅典人而非蠻族人；生為公民而非奴隸；生為男人而非女人；以及最重要的，生於蘇格拉底同一時代，能夠與他結識。」這句話中提到了幾個「幸運」：

生為雅典人是幸運的，因為雅典人文化水準較高，他們認為自己是周邊蠻族的核心，是整個希臘的學校；

生為公民是幸運的，因為雅典人大部分是奴隸或是沒有公民權的婦女；

生為男人是幸運的，因為在古代社會，男人有參與政治、社會活動、戰爭等各方面的權利和義務；

最後，柏拉圖表達自己的獨到見解，他覺得自己能夠認識蘇格拉底是一生最大的幸運。

柏拉圖認識蘇格拉底真的只是幸運嗎？當時有許多人具備像柏拉圖一樣的條件──生為雅典人、生為公民、生為男人，但他們卻透過民主政治的運作，判了蘇格拉底死刑。因此，柏拉圖能有後來的成就，絕不是只靠幸運，而是靠他的慧根和抉擇。

本節要介紹以下四點：

第一，柏拉圖的家世與教育背景。
第二，柏拉圖遇到蘇格拉底時發生了什麼事？
第三，柏拉圖向蘇格拉底學到了什麼？
第四，蘇格拉底死後，柏拉圖一生的發展如何？

（一）柏拉圖的家世與教育背景

柏拉圖（Plato, 427-347 B.C.）是雅典人。雅典有輝煌的歷史和鼎盛的文化，在政治上有貴族派和民主派兩大勢力。柏拉圖的母系親戚是貴族派的領袖；因為父親早逝，母親改嫁，柏拉圖的繼父是民主派領袖伯里克利的好朋友。

柏拉圖從小認真學習，一心想為城邦服務，希望在政治方面有所建樹。得益於這樣的家庭背景，柏拉圖接受了當時最完備的教育，很早就學會繪畫、作詩、撰寫宗教祭典的頌詞，後來又學會寫作抒情詩和當時最流行的悲劇作品。

（二）當柏拉圖遇到蘇格拉底

柏拉圖二十歲就創作了自己的悲劇作品，信心滿滿準備參加年度悲劇作品競賽，希望奪取桂冠詩人頭銜。需要說明的是，這裡的「詩」不是今天所謂的「詩」；在希臘文中，「詩」（poiesis）指廣義的創作，包括各類文學創作，當時最主要的是悲劇的創作。在前往劇場的路上，柏拉圖看到路邊有一群人在聊天，就湊上前去，原來是蘇格拉底正在與人對話。

蘇格拉底比柏拉圖足足大了四十二歲，在雅典這個人口不到四十萬的城邦裡，柏拉圖早就聽說過蘇格拉底這位公民——他出身平凡，總愛在街頭、體育館或市場邊與人聊天。這是柏拉圖第一次親眼目睹這樣的場面：蘇格拉底純熟的運用反詰法，態度從容，言語犀利，問題層出不窮，論證環環相扣，使得對手理屈詞窮，只能隨著蘇格拉底的說法而不斷探問最根本的人生意義問題。

柏拉圖聽完這場對話之後，內心大為震撼，立刻下定決心要轉向哲學，因為哲學是愛智慧，人生所有的問題最後都要歸結為一點——你能否用理性做出清晰、徹底的思考，以使自己發現真理。好像在電光石火的剎那，柏拉圖忽然覺悟自己應該何去何從。他不再前往劇場參加悲劇創作比賽，而是轉身回家把所有的文藝作品一把火燒掉，從此以後，每天只做一件事——上街尋找蘇格拉底。

（三）柏拉圖向蘇格拉底學到了什麼？

柏拉圖從蘇格拉底身上，學到要用真誠而開放的態度追求真理，把每個人天賦的、能夠思考的理性充分發揮出來。他向蘇格拉底學到了三點：

1. 原則：用理性的態度探討真理。古希臘流傳著許多神話和傳說，有許多說法採用未經證實的假設，現在蘇格拉底則強調：人應該發揮理性的作用。
2. 題材：人生的意義才是關鍵問題。蘇格拉底始終扣緊人生意義的問題：到底人活著有意義嗎？人生的目的何在？
3. 方法：反詰法、歸納法和辯證法。反詰法就是針對別人問題中的一個詞彙不斷反問，請對方把話說清楚。另外，前面也介紹了歸納法和辯證法。

柏拉圖深受蘇格拉底的啟發，他留給後世的作品是《對話錄》，由一系列對話所構成。這是西方早期最完整的一部作品，流傳至今仍然可信的有二十六篇，蘇格拉底在其中的二十二篇裡都扮演對話的主要角色。這些對話中談論的問題包括：人生應該追求什麼，人生的意義與目的是什麼；真善美等價值是否有其基礎，它們的判準是什麼；什麼是快樂，什麼是愛；人是否有靈魂，靈魂是否不死；以及理想的城邦應該如何。

柏拉圖從蘇格拉底身上學到：人不能只活在一個充滿變化的世界上，要設法追求人生中永恆的一面。

（四）蘇格拉底死後，柏拉圖進一步的發展

我們可以從以下三方面來介紹：

1. 學術方面

柏拉圖跟隨蘇格拉底八年之後，在當時的民主制度下，經過合法的審判過程，蘇格拉底被判處死刑。蘇格拉底含冤而死之後，柏拉圖與幾個同學離開雅典，到埃及、南義大利和其他城邦去遊歷，以增長見識。

十二年之後，也就是柏拉圖四十歲時，他返回雅典，創辦一所學院（Academy）。這是歐洲的第一所大學，一直延續了九百多年。柏拉圖在學院中教授哲學、數學、物理、天文學等，還要求學生參加公開的繆斯女神（Muses）的崇拜儀式，可見他同時關注人的心智發展和心靈需求。簡而言之，就是要以科學的精神實事求是，目的是要培養政治家兼哲學家。這是柏拉圖在學術方面的成就。

2. 政治方面

柏拉圖年輕時有從政的理想，後來他轉向研究哲學，希望為城邦培養出哲學家君王，但是很難有這樣的機會。後來他到西西里島上一個叫敘拉古（Syracuse）的城邦，希望培養一位哲學家君王。他三度前往，最後無功而返，鎩羽而歸。

3. 對後代的影響

蘇格拉底過世的時候，柏拉圖特別強調：「老師死了，我們都

成了無父的孤兒。」言下之意是把蘇格拉底當做自己精神生命的父親。柏拉圖對後代的影響非常深遠，從他的思想中可以看到許多後代的觀念，包括社會主義、共產主義、女權主義、節育與優生學、道德與貴族統治、自然教養與自由意志的教育、生命哲學、心理分析等等。

美國哲學家愛默生（R. W. Emerson, 1803-1882）說：「柏拉圖就是哲學，哲學就是柏拉圖。」英國哲學家懷德海（A. N. Whitehead, 1861-1947）說：「兩千多年的西方哲學，不過是柏拉圖思想的一系列注解而已。」對於柏拉圖的貢獻，後續還會做進一步的介紹。

收穫與啟發

1. 緣分固然非常重要，但是還需要有敏銳的判斷與勇敢的抉擇。每個人在年輕時都需要有心靈導師，透過「親炙」或「私淑」他，來提升自己的生命境界。
2. 向老師學習之後，還要深思力行，站在老師的肩膀上繼續往前走。跟老師學習之後有兩種可能：第一種是「照著講」，第二種是「接著講」。所謂「照著講」，就是照本宣科，完全重複老師的觀點。蘇格拉底有一批這樣的學生，他們的表現並不傑出。所謂「接著講」，就是能進一步發揮老師的思想到更高的境界，甚至有更好的創見，將老師的體系加以完成。蘇格拉底沒有寫過一個字，卻在西方始終享有大哲學家的地位，就是因為柏拉圖這位學生在《對話錄》中充分發揮了他的思想。

課後思考

一個人在生命中的不同階段會遇到不同的導師，與其崇拜他，不如學習他，並且要立定志向，站在前人的肩膀上，實現更進一步的發展。要成就自己的人生價值，良師益友是必不可少的，你有沒有找到自己的人生導師呢？

補充說明

啟發我的「蘇格拉底」是誰？我們經常能想到的是：父母或長輩、老師或前輩。也可能因為閱讀某些人物的傳記、聽到某些學習的節目而獲得啟發。在此要區分三種不同的啟發：

1. 人在生命的不同階段，總會受到一些人的啟發和影響。這屬於很自然的情況，否則我們不可能一路成長，而具有現在的思想和觀念。
2. 是孔子所說的「三人行，必有我師焉」，我們可以從身邊的人獲得啟發。人本來就具有不同的性向和才華，成長的環境也不同，因此「聞道有先後，術業有專攻」，我們應該隨時向身邊的人虛心學習。
3. 是要特別強調的「精神上的父親」。這樣的超級生命導師可能百年不遇，但我們可以從東西方的古代聖賢中去尋找，雖不能至，心嚮往之。

在雅士培（Karl Jaspers, 1883-1969）所著的《四大聖哲》中提到了四位聖哲，按寫作順序依次為：蘇格拉底、佛陀、孔子和耶穌。蘇格拉底過世時，柏拉圖說：「老師死了，我們都成了無父的孤兒。」佛陀圓寂之後，他的弟子們也好像失去了精神上的父親。孔子過世之後，因為孔子的兒子不幸比孔子先過世，所以學生主動為他守喪三年，盡的不是弟子之禮而是兒子之禮，子貢還特別守了兩個三年之喪。耶穌過世後，他的門徒非常悲傷，覺得從此以後失去精神上的父親。

因此，要特別強調第三種——精神上的父親。父母給了我身體，但是誰能讓我的精神生命覺醒？誰能讓我知道自己是一個人，有自己特殊的路要走，要實現自己內在的價值呢？現代人可以從宗教家、哲學家、教育家中去尋找自己的精神之父，或從某些偉人的傳記中得到啟發。

要想獲得深刻的啟發，一定要念茲在茲。譬如孟子，他比孔子晚了一百七十九年出生，他雖然沒見過孔子，但是他把孔子所有的著作全部找來研究。徹底通曉之後，又把孔子的思想進一步發揮，最後被後人並稱為「孔孟之道」。西方的柏拉圖也是如此，他把蘇格拉底的思想在他的《對話錄》中充分加以發揮。因此，我們一定要自己努力去尋找這樣的超級生命導師。

5-2 大家都在洞穴中

柏拉圖對於人性有怎樣的觀察，對於人類的現狀有何憂慮？如果要鑽研哲學，愛好智慧，首先要知道：人類的真實處境其實有很大的問題。柏拉圖指出人類有兩種不正確的心態：第一是「幻想」，即以假為真，看到每天變化的一切，以為那就是真實；第二是「相信」，即把個別的、具體的東西當做普遍之物來對待。「幻想」和「相信」都是主觀的，柏拉圖希望世人首先能認識到這一點，進而排除這樣的心態。為此，他提出著名的「洞穴比喻」。

本節要介紹以下兩點：

第一，柏拉圖的「洞穴比喻」在說什麼。

第二，柏拉圖對「知識就是知覺」的批判。

（一）洞穴比喻

柏拉圖說，人類居住在洞穴中，像囚犯一樣雙手雙腳被捆綁在椅子上，只能看到前面的牆壁上有很多影像來回活動，大家就以為那是真實的。有一個人比較調皮，他掙脫了繩索，回頭一看，原來身後有一道矮牆，上面有很多道具，矮牆後有一個火炬，照著矮牆上活動的道具，使道具的影子投射到眼前的牆壁上。眾人一直以為真實的東西，原來只是道具的影子而已。

換句話說，世人長期以來把牆壁上的影像當做真實，只看到實物的倒影，只聽到真理的回聲，所見的世界殘缺不全。人被自己的情感和偏見所扭曲，又因為語言的媒介而被他人的情感和偏見所扭曲。他們的心態就像無知的孩童，但是執迷不悟的脾氣卻完全像是大人，絲毫不想逃離這個囚籠。偶爾讓他看到真相，他也因為眼睛無法適應而寧可接受原有的影像。

那個掙脫繩索的囚犯，轉身發現所見的一切都是道具的影像。他不甘心，就繼續前行，發現上面還有一個洞口。他爬出洞口，看到光天化日的世界。原來，所有道具的原型都真實存在於這個新世界之中。

他從黑暗進入光明，剛一開始眼睛不能適應，幾乎快瞎了。這叫做「使人目盲的光明」，在西方成為一個很有名的術語。當你忽然發現真相，意識到從前所見的都是虛幻，你是否會覺得一時難以適應，眼睛好像瞎了一樣？

想到還有很多同伴仍然囚禁在洞穴中，這名囚犯心生不忍，便走回洞穴，想告訴同伴們真相。當他從光明再度返回黑暗，眼睛又模模糊糊的看不清楚，走路跌跌撞撞，偶爾還會摔跤。他對其他人說：「大家看到的都是假的，外面才是真實的世界。」其他人說：「你連這裡都看不清，走路都會摔跤，還想騙我們嗎？」大家不喜歡被打擾，不喜歡做夢時被喚醒，就把他毒打一頓，最後竟然把他殺害了。

柏拉圖比喻中的這個人顯然代表了蘇格拉底。可見，追求真理是要付出代價的。一個人如果想看到真理，必須轉身才能發現，必須張開心靈之眼，才能看到真相。

（二）對「知識就是知覺」的批判

柏拉圖「洞穴比喻」的目的何在？當時很流行辯士學派的思想，辯士學派的代表普羅塔哥拉曾說：「人是萬物的尺度。」這句話讓人聽起來很愉快，但其中的「人」是指個人，因而每個人都是萬物的尺度，每個人只能訴諸於自己的感覺。這樣會出現一個問題：什麼是知識？難道知識就是我的知覺嗎？我覺得熱，代表今天就很熱；我覺得冷，表示今天就很冷。冷和熱是以我的知覺來決定。如此一來，知識變成相對的，會導致各種複雜的問題，最後可能陷入懷疑論。柏拉圖提出「洞穴比喻」，主要針對的就是當時社會上流行的這類說法。我們順著柏拉圖的思想，對「知識就是知覺」的說法提出五點批判：

1. 知覺會產生矛盾的印象。同一樣東西，近看比較大，遠看則很小；一樣東西是輕還是重，要看它與什麼東西相比較；在不同光線下，一樣東西可能顯示為白色，也可能顯示為黃色。任何東西的大小、輕重、顏色都是相對的，可見，知覺會產生矛盾的印象。

   諸如此類的例子很多，譬如平行的鐵軌延伸到遠處，看起來像是相交的；筷子放到水中，看起來像是彎的。這說明由知覺不可能產生有效的知識。

2. 如果知識就是知覺，都是相對的，那麼所有學說及其論證就都是相對的，不可能普遍有效。孩童所見的與老師所見的都是真理，所有的證明和談論都是廢話，沒有任何意義。

3. 更進一步說，如果知識就是知覺，那麼你不可能對未來有任何知識。我們常常會推測自己的未來如何，譬如我覺得今年會遇到貴人，請問：它會實現嗎？如果知識只是知覺，我們就不可能有任何可靠的知識去預測未來。

4. 如果知覺就是真理，顯然動物也有知覺，那麼動物是否跟人一樣，也可以說它們是萬物的尺度呢？普羅塔哥拉的說法本身是自相矛盾的。

   一個人認為他看到的是真，那就是真，認為他看到的是假，那就是假；按照這個邏輯，如果我認為普羅塔哥拉所說的是假的，那他不就錯了嗎？這種說法破壞真理的客觀性，使真假之分毫無意義。

5. 所有知覺中都含有非感覺的要素。譬如我說「這是一張白色長方形的紙」，如此簡單的一句話，也不能僅靠知覺而得出。首先，我要判斷這是一張紙而不是一片木頭，這需要知道紙與木頭之間有何差別，如何分類；然後判斷這張紙是白色的，這需要與其他顏色進行對比；最後透過與其他形狀對比，才能判斷出它是長方形的。把上述過程整合起來，說「這是一張白色長方形的紙」，要用到許多過去的經驗與相關的資料才能進行判斷。將這一切整合在一起的絕不是知覺，而是心靈的其他能力。

因此，柏拉圖才會大力批判「知識就是知覺」的說法。與此同時，柏拉圖還要批判把知識當做意見的看法，因為有些意見是猜測的。譬如我說「現在張三和李四正在打電話」，也許我猜對了，他們確實正在打電話；但這不能叫知識，它只是我個人的意見而已。這次猜對了，不代表下次也能猜對。

因此，知識是一種判斷，這種判斷必需要對認知對象有充分的了解與合理的說明。至於這樣的觀念是如何產生的，後續章節會做進一步的詳細說明。

收穫與啟發

1. 感官所掌握的現象世界是不可靠的。這樣說並非要否定感官，而是要繼續探求真實的東西，要提升認知到感官以及感官的對象之上。
2. 我們要張開心靈之眼，讓理性開始運作。這樣才能認識真相，進而做出勇敢的抉擇。

3. 我們學會一個術語——「使人目盲的光明」，就是讓人的眼睛都快瞎的光明。一旦得到真知，以前人云亦云的想法一時之間不就像是一片漆黑嗎？忽然見到光明，能夠適應嗎？「洞穴比喻」提醒我們：要轉動身體，勇敢的擺脫「幻想」和「相信」的心態，努力追求可靠的真理。

課後思考

從暗室到光天化日，眼睛難以適應，因為光明使眼睛看不清楚。你是否也有類似的經驗，因為領悟某種真理而無法看清日常的世界？

5-3 擁有魔戒，你會做什麼？

上一節介紹柏拉圖的洞穴比喻，本節繼續介紹柏拉圖對人性和人類社會的觀察。本節的主題是：擁有魔戒，你會做什麼？旨在說明人性十分脆弱，禁不起檢驗，因此需要法律和教育。

「魔戒」（*The Lord of the Rings*）是廣為人知的電影，其中多次出現只要戴上魔戒，人就隱形不見的橋段。魔戒在西方有久遠的背景，最早出現在柏拉圖的《對話錄・理想國》中。本節將介紹魔戒故事最早的版本，並由此探討人性。至於人類該如何面對這樣的挑戰，柏拉圖也提出自己的觀點。

本節內容包括以下三點：

第一，魔戒故事的最早版本——蓋吉斯的戒指。

第二，柏拉圖對人性問題的思考。

第三，柏拉圖最後認為，法律是次佳的選擇。

（一）蓋吉斯的戒指

柏拉圖為了探討人性到底是善還是惡，是要為善還是為惡，人是否擁有完全的自由，於是講述了一個古代的傳說。古希臘有個城邦叫呂底亞，國王叫蓋吉斯（Gyges）。這個傳說就是關於他的故事，一般稱之為「蓋吉斯的戒指」（the Ring of Gyges）。

蓋吉斯原來是呂底亞的一個牧羊人，每天在郊外牧羊。有一天，雷雨大作，發生嚴重的地震，導致地面裂開。地震之後，蓋吉斯跑到裂開處一看，發現下面好像有一些珍貴的珠寶。他爬到地底下，除了珍珠寶貝之外，他還看到一個空心的青銅馬，其中有一具屍體，手上戴著一枚戒指。他就把戒指取下來戴在自己手上，然後繼續牧羊。

當時牧羊是呂底亞的重要產業，每個月都會舉辦一次牧羊人大會，向國王報告牧羊的情況。蓋吉斯在會場覺得無聊，就轉動自己的戒指。戴戒指一般都是將戒面朝外，他轉動戒指將戒面朝向自己。忽然之間，他發現別人好像看不到他了。明明是認識的人，蓋吉斯朝他們揮手，別人也不理會。他想：難道別人看不到我嗎？於是他跑到廣場上跳舞，居然也沒人制止他，他真的隱形了！他回到座位上，再把戒指的戒面轉向外面，一切又恢復了正常。

他知道了如何隱形的祕密，這樣一來，做任何事情都不會被發現，也不用負責任，從此便一發不可收拾。他設法成為國王的信使，進入王宮向國王報告這次開會的情況。接著他用隱形的方法，誘姦了皇后，謀殺了國王，自己取而代之成為國王。這就是「蓋吉斯的戒指」的故事。

（二）對人性問題的思考

柏拉圖講這個故事用意何在？柏拉圖接著說：「假設有兩枚這樣的戒指，給大家公認的好人戴一枚，壞人戴一枚，他們後面的表現會如何？」換句話說，如果你可以隱形，那麼你還需要做好事嗎？你還怕做壞事嗎？

結果柏拉圖非常失望的說：「最後，這兩個人根本分不出誰是誰啊。有誰可以免於這樣的誘惑，在自己可以隱形的時候依然走在人生的正路上，而不去侵犯別人的產業？在市場上可以拿走任何想要的東西而不會被發現，到別人家裡可以同任何人做愛，可以隨便謀殺任何人，或從牢房裡放走任何人，這樣的人簡直就成了人群中的神啊。如此一來，好人和壞人就分不清楚了。」

柏拉圖得出一個令人失望的結論，他說：「沒有人心甘情願去行善，沒有人以行善為樂。」每個人行善都是因為有一些壓力，都有被迫的成分，因為不能隱形，所以必須遵守規範。天下有很多人沒有行善，卻透過偽裝使別人相信他是行善的。但是，有誰願意做個真正的善人，卻沒人相信他是行善的呢？簡單的結論是：一個人行善都是為了得到某種好處，或是為了某種外在的名聲，或是為了有形的報酬。這個問題確實非常深刻。

美國在許多年前做過一次民間問卷調查，其中一個問題就是：「如果可以隱形，你要做什麼？」結果令人難以想像，有百分之八十的受訪者回答要搶銀行。我們這才理解為什麼銀行需要這麼多安全措施，配備這麼多警衛和錄影機，因為人性過於脆弱，根本禁不起誘惑。

人性確實非常軟弱，總是好逸惡勞，希望不勞而獲，且貪得無厭，完全禁不起誘惑。思考一下：如果可以隱形，最希望做什麼事？當然是希望隨心所欲。「隨心所欲」的說法出於《論語．為政》，子曰：「吾十有五而志於學，三十而立，四十而不惑，五十而知天命，六十而〔耳〕順，七十而從心所欲不逾矩。」孔子十五歲立志求學，三十而立，一路發展上去，努力修行，最後「七十而從心所欲不逾矩」。孔子堪稱人類的典範，他很清楚的知道：自己到了七十歲才能從心所欲不逾矩。換句話說，孔子七十歲之前如果從心所欲，就有可能逾矩。

一般人千萬不要心存僥倖，以為人性是善的，這是一種太過冒險的想法，順著這樣的想法發展，後果恐怕不堪設想。在電影中，人可以易容改裝，扮演別人；如果你可以隱形，不是更方便為惡嗎？如果人人都能隱形，必定天下大亂。

（三）法律是次佳的選擇

柏拉圖到了晚年特別強調法律的重要，《對話錄》留傳下來的有二十六篇，最後一篇就是〈法律篇〉。柏拉圖撰寫〈法律篇〉的時候已經接近八十歲了，這篇文章等於是對他的整個思想做一個全面總結。他認為，如果無法找到理想的哲學家君王，那麼法律是次佳的選擇。

關於法律，柏拉圖提出一些觀點。第一個就是所謂的「金律」，即我願意別人對我做什麼，我也要如此對別人做，也就是「己之所欲，施之於人」。約四百年後，耶穌也說了幾乎完全相同的話：「你們願意人怎樣待你們，你們也要怎樣待人。」（《馬太福音》，7:12）孔子所說的「己所不欲，勿施於人」一般被稱為「銀律」。金律代表積極的，我自己願意對別人行善，也希望別人這樣對我，這是積極的作為。銀律代表消極的，我自己不願意碰到的事，我也不要對別人做。事實上，這兩者是不能割裂的。

柏拉圖在〈法律篇〉中進一步要求我們不可欺負陌生人。他說：「我們對於陌生人所犯的罪行，比起我們對同胞、對認識的人所犯的罪行，將會更直接的引來神明的報復。因為陌生人既無親戚，也無朋友，所以他們可以要求更多的關懷與寬容，不論是人的，還是神明的關懷與包容。」

既然如此，如果我們可以隱形，我們能做侵犯別人的事嗎？當然不行。柏拉圖還進一步強調：「對自我有強烈的執著，是一切罪惡的最常見來源。」每個人都執著於自我。前面提到「蓋吉斯的戒指」的故事，不就是因為可以隱形，而使自我變成世界的中心，有如神明一樣嗎？隱形後做出違法之事，顯然是不對的。隱形的時候，別人固然看不見你，但是神明看得見。另外，隱形的時候固然可以隨意做不義之事，但是如果別人像你一樣也能隱形去做這些事，後果會如何呢？這些都是從隱形觀念所引發的思考。

收穫與啟發

1. 人性確實軟弱。我們今天如果在社會上還能站得穩，不是因為我們很堅強，而是我們還沒有碰到真正的考驗。因此，對於人性不能掉以輕心，要隨時保持警覺，不斷進行修練。
2. 換位思考非常重要。我們要常常想，如果我是他，如果他是我，我們該如何互動往來？這種換位思考對應於儒家的一種很好的思想——「恕」道。對於西方來說，我們也會慢慢發現，這是人與人相處最重要的基礎。
3. 法律是不可或缺的。柏拉圖晚年時，發現自己無法實現最初的理想。他原來希望出現一位哲學家君王，或是讓君王學習哲學，後來他認為這樣太難了。他在有生之年也做過試驗，結果都失敗了，所以最後他說：「法律是次佳的選擇。」

課後思考

如果你有一只可以讓你隱形的魔戒，請問：你最想做的一件好事和壞事是什麼？

補充說明

這是到目前為止最具挑戰性的問題。我自己也曾思考過很長時間。談到隱形的問題，一般人的反應在某一點上很類似。如果可以隱形，要做什麼好事？這很難想出來。如果能隱形，要做什麼壞事？那可就多了。這說明了人的生命有內在的潛意識，它相當複雜，所以對人性不能沒有戒心。

在此對人性問題做一個比較完整的說明。我們要問：人性到底是什麼？人有理性，有自由可以做選擇，因此就有應不應該的問題，稱之為「應然」。既然人有自由，為什麼非要行善避惡呢？讓人行善避惡一般有三個理由：

1. 社會規範。因為不能隱形，大家都看得到你，所以你要行善避惡，否則將受到法律制裁。但社會規範總有漏洞，有些人可以設法逃避。
2. 信仰宗教。信仰宗教後，大家想的都是要修來世，或是死後接受審判。宗教給人一個內在的、自我的約束，有時比外在的法律約束更強。但是很多人根本不信仰宗教，而且不同宗教之間也存在著複雜的競爭、鬥爭的關係。
3. 訴諸於每個人都有的良心。但良心是什麼？每個人良心的判斷都不太一樣，又該如何評判呢？這裡先提出行善避惡的三個理由，將來有機會，再做深入的談論。

如果只就「人可以隱形，你要做什麼」這個問題來看，有以下三點值得思考：

1. 換位思考。人與人可以互動，如果你隱形去做某些壞事，受害者也許會精神崩潰，也許他也要設法隱形。你做的任何事都會對別人造成傷害或影響。
2. 蝴蝶效應。你本想去救助窮人或懲治壞人，但後面引起連鎖反應，後果恐怕不像你原來想的那樣美好。同樣的，你隱形去做壞事，後面的蝴蝶效應連續發展，最後的結果也難以預料。最後你會發現，隱形、不隱形的最終結果差別不大，因為生命終究有它的極限，都會結束。
3. 人群中的神。如果可以隱形，你就變成柏拉圖所說的「人群中的神」，可以為所欲為。但是很快，也許幾天幾個月，你就會覺得無聊。中國歷史上的某些皇帝不就跟隱形人一樣嗎？他做任何事都不用負責，他就等於法律。但是不要忘記，中國歷代皇帝的平均年齡不到三十五歲。

假如你可以隱形，愛做什麼就做什麼，沒有任何阻礙，那還有什麼值得喜歡？如果可以輕而易舉的得到任何東西，那還有什麼值得珍惜？人生正是因為有內在、外在的各種限制，所以才需要選擇，選擇之後價值才能呈現。如果什麼都可以隨心所欲的得到，那一切都失去了價值和意義。沒有任何限制，也就沒有真正的自由。

5-4 讓孩子心想事成，正是害了他

對人性問題有所認識後，接著介紹柏拉圖對教育和政治的看法。

說到教育，每個人都懂一點，也都不完全懂。先看兩個極端。一是所謂的「虎媽狼爸」，他們想盡辦法讓孩子贏在起跑線上，讓孩子一路勝過同儕，在念書考試與專業才藝上都出類拔萃。但他們可能忘了反思：孩子快樂嗎？孩子會有幸福的人生嗎？

另一個極端是一味順從孩子的願望與要求。在《易經》的象徵中，乾卦象徵父親，也象徵馬；坤卦則象徵母親，也象徵牛。一味順從的父母等於為子女做牛做馬，完全以子女為主，對子女照顧得無微不至。但是他們同樣忘了反思：孩子是否受到了理想的教育？孩子會有幸福的人生嗎？

不妨參考古希臘哲學家柏拉圖對教育的看法。好的教育自然要從小開始，因此本節的主題是柏拉圖說過的一句話：讓孩子心想事成，正是害了他。

本節要討論以下三點：

第一，人為什麼要受教育？

第二，教育可以幫助人走向幸福嗎？

第三，如何得到好的教育？

（一）人為什麼要受教育？

人為什麼要受教育？因為人性並不完美。柏拉圖透過「洞穴比喻」指出：很多人把假的當成真的，在幻想的世界中生活，並且非常執著於自己的所見。同時，柏拉圖透過可以讓人隱形的「蓋吉斯的戒指」，說明人性根本禁不起誘惑，很容易胡作非為。可見，一方面人性很固執、很執著，另一方面，人性又很軟弱，因此非需要教育不可。

（二）教育可以幫助人走向幸福嗎？

柏拉圖深受蘇格拉底的影響，同樣認為「知識就是德行」。因此，受教育的目的，就是讓你得到真正的知識，了解人生的幸福何在，而德行與幸福似乎密不可分。無知是最大的罪惡，柏拉圖甚至說：「一個人無知的話，還不如不要出生。」不僅完全浪費此生，甚至可能誤人誤己，對城邦造成傷害。

談到「知識就是德行」，一個重要的問題是：這種知識是別人告訴你的，還是你從自己內在的人生體驗中慢慢領悟出來的？眾所周知，教育是需要合作的藝術。不管老師怎麼教，受教育者一定要積極配合才會有成效。蘇格拉底的母親是助產士，他很早就知道怎樣替別人接生嬰兒。蘇格拉底認為自己也像助產士一樣，可以幫助別人生出智慧的胎兒。受老師的影響，柏拉圖也認為：一個人要想獲得智慧，一定要自己不斷努力；但是在人生的最初階段，一定要接受良好的教育。

（三）如何得到好的教育？

柏拉圖首先提出一項基本原則，他說：「幸福的人生，不能在財富、名聲，以及各種裝飾品中尋找，一定要轉向內在，在自己的心靈中尋找。」但如何達到這一步？這就要看柏拉圖在教育方面有哪些具體的想法。

最初的階段是最重要的。柏拉圖說：「孩子一歲到三歲階段，不可溺愛，因為溺愛會讓孩子脾氣惡劣，難以相處；也不可虐待，虐待會讓孩子自認卑微，形同奴隸。小孩子聽得懂別人說話的時候，周圍所有人都要努力使他變得更好，使他能夠慢慢分辨對與錯、美與醜、敬與不敬、該做的與不該做的。如果小孩不聽從，就要糾正他。就像對待樹苗，長得扭曲變形，必須加以糾正，否則這棵樹將來長不高，無法成材。」

人生的最初三年，是一生中養成好習慣或壞習慣的重要階段，在此期間，如果小孩子每個需要都得到滿足，絕不是一件好事，正如本節標題所說的——讓孩子心想事成，正是害了他。事實上，讓孩子心想事成是最壞的事，這將對他的性格造成長期的傷害。中國人也有類似的說法，如「三歲看老」。

三歲到六歲的小孩需要遊戲，遊戲時需要有適度的賞罰。之後還要透過藝術教育，使孩子的心靈保持和諧的狀態。也不能忽略體育，要讓他身體健康，免得因為體格孱弱而在戰場上顯得懦弱。同時還要讓孩子閱讀文學作品，從中學到許多勸言、故事、古代善人的善行和對他們的頌詞，使孩子充滿熱忱，想要效法先賢。音樂老師要以節奏和旋律使孩子的靈魂變得溫和，因為人的整個生命都需要良好的節奏與和諧。這一切都要照規矩來，使孩子養成正確的觀念與習慣。

柏拉圖甚至強調，整個城邦要像一個家庭，「孩子是一切動物中最難相處的」，因此必須勤加管束，看到孩子行為失檢，每一個市民都有責任加以糾正。孩子離開學校後，城邦要讓他們學習法律，學習統治與被統治，違令者就會受到矯正。這是當時對教育的一般要求，也是柏拉圖特別強調的重點。孩子如果順利度過這一階段，後面就比較容易步入正軌，可以一路成長發展。

柏拉圖的教育規畫可以概括為三個階段：

1. 控制內在的混亂狀態。人剛出生時，靈魂進入身體，身體充滿了感受與激情而陷入一團混亂。此一階段要控制內在的混亂狀態，讓孩子可以設法自我調適。
2. 青少年階段要關注內心世界與外在世界的互動，要讓孩子了解自己的興趣與志向，並從中獲得快樂與榮譽。
3. 然後進入更高層次，讓孩子學習數學，最後學習辯證法。辯證法就是柏拉圖所謂的哲學。透過培養辯證思維能力，使人的認知可以不斷向上提升，直到發現最後的真理。柏拉圖後來創辦一所學院，大門上寫著：不懂幾何學的，請勿入內。幾何學是一種抽象的學問，只有具備抽象的能力，才能擺脫具體的、有形可見的物質世界，慢慢進入思維的領域，去探尋永恆不變的真理。

收穫與啟發

1. 教育十分重要，要學會正確的價值觀。正如柏拉圖的「洞穴比喻」所描繪的，每個人從小都會有一些先入為主的觀念，非常固執的執著於自己的想法。同時，柏拉圖講述的「蓋吉斯的戒指」的故事，說明人禁不起誘惑。如果可以隱形，如果做任何事都不用負責，你還會遵守社會規範嗎？還會行善避惡嗎？因此，人不能沒有教育。
2. 要學會內外兼顧，以及身心平衡。我們心中難免有各種主觀的想法和欲望的衝動，但要關注外在世界的情況，以公平競爭的方式與別人互動，取得自己應有的位置和榮譽。
3. 人與群體要有良性的互動。柏拉圖是古希臘人，古希臘是由城邦構成的社會，個人生命與城邦的存在和發展有密切的關係。所以柏拉圖絕不會只站在個人的角度，以個人主義為出發點，只替自己著想。人不能離開群體。對古希臘人來說，群體就是城邦；對現代人來說，群體就是國家和整個社會。因此，在思考個人教育過程時，不能忽略這個重點。

課後思考

如果你是父母，你會由柏拉圖的建議中選擇哪幾點來教育自己的孩子？

補充說明

柏拉圖為什麼說「讓孩子心想事成，正是害了他」？因為柏拉圖是一位哲學家，他能從完整的角度看待人生問題。以孩子的教育來說，「完整」要考慮兩個維度：一是時間的維度，二是空間的維度。

從時間的維度來看，要考慮孩子完整的一生，所以首先要界定人生的目的何在。有了明確的目標，才知道當前的教育該如何著手，以便達成最後的目的。因此，不能只關注當前的學習成績。

從空間的維度來看，要考慮一個人完整的生命結構，包括身、心、靈三個層次。靈的層次很重要，它決定人生的意義和價值何在。孩子小時候不容易理解什麼是靈的層次，所以柏拉圖從身到心提出許多訓練方法，目的就是希望孩子能不斷向上提升。

談到教育青少年，我長期以來有一個簡單的看法，即只要培養孩子自信、負責、敬意三點就夠了。

1. 自信

對自己要有自信。透過讀書考試建立自信只是一種方法。現代人已經認識到人有「多元智能」，發展任何方面都可以實現自我肯定，建立自信，不必過於強調考試升學這一方面。

2. 負責

與別人來往要負責，說的話要做到，做的事要負責。養成負責的態度，可以在社會上與別人良性互動，建立良好的人際關係。

3. 敬意

對於祖先和神明要有敬意。人生信仰、宗教信仰都屬於敬意的範疇。人活在世界上，一定要知道：有值得敬畏的規矩和原則存在，有值得效法的聖賢存在，以及有某些超越的力量存在。

如果孩子在青少年階段學會自信、負責、敬意，對自己、對別人以及對生命的最高層次都能保持適當的態度，那麼他的一生就不會有太大的問題。

5-5 夢幻的理想國

柏拉圖透過對人性和人類社會的觀察，認識到人一定需要教育和政治。談到柏拉圖對政治的看法，幾乎所有人都知道他的《對話錄》中最重要的一篇稱做《理想國》，有時也翻譯為《共和國》。其實譯為「理想國」比較適合，因為後代真的建立了「共和國」這樣的國家，而柏拉圖的理想國與後代的實際發展是兩回事，他的理想國純粹是一種構想。所以，本節的主題即為：夢幻的理想國。

自從柏拉圖提出「理想國」之後，後代一直有作家在想像人類的理想生活是什麼情況。人不能靠自己獨自生活，一定要靠群體合作，組成像國家這樣的組織。什麼樣的國家制度最為妥當？老子曾提出「小國寡民」的構想（《老子・第八十章》），篇幅雖然很短，不過可以將其與「理想國」對照參考。從整個西方政治思想史看來，柏拉圖的觀點有重要的參考價值。

本節要介紹以下三點：

第一，柏拉圖對現實政治的觀察。

第二，柏拉圖寫《理想國》時有何構想？

第三，柏拉圖評論過五種政體。

（一）柏拉圖對現實政治的觀察

柏拉圖對現實政治有何觀察？先介紹一下柏拉圖的情況。柏拉圖是雅典人，年輕時恰逢雅典在伯羅奔尼薩戰爭（the Peloponnesian War, 431-404 B.C.）中落敗，整個雅典陷入沒落的處境。柏拉圖因為家世背景的關係，與雅典兩大政治勢力——貴族派和民主派都有很好的親戚關係。他早期希望從事政治活動，以便對城邦有所貢獻；但他很快就對政治失望。他認為政治需要集結黨派而不能單憑個人的努力，但一旦形成黨派，正義就無法完全實現，也就是陷入「黨同伐異」的處境。他還強調，一個人如果要為正義而奮鬥就要保持緘默，否則很容易受到傷害。

柏拉圖年輕時，雅典經歷過寡頭制和民主制。所謂寡頭制，就是由有錢人組成執政集團，為少數人的利益而罔顧正義。後來又改為民主制，由群眾做主，但是柏拉圖的老師蘇格拉底就是在這一時期被人誣告而判處死刑。就像今天常說的「群眾的年齡只有十三歲」，民主政治很容易演變成暴民政治。所以，對於現實的政治狀況，柏拉圖基本上是非常失望的。

（二）柏拉圖寫《理想國》時有何構想？

柏拉圖的《理想國》這本書廣為人知，它的主要內容是什麼？柏拉圖認為，當時的政治人物就像廚師一樣，他們建造港口、軍械庫，製造各種商品，就像是給百姓提供甜食，卻忽略了百姓的真正福祉；他們並不關心善，只求得到表面的強大與富裕。柏拉圖認為：政治組織是基於人與人的互相需要，每個人的天賦和才幹都不相同，各有所長，所以需要有專業的分工以提高效率。

理想的城邦應該分成三個階級：第一是統治者，第二是衛士，第三是一般市民。

當時的雅典是一個城邦，所以柏拉圖的「理想國」是一個像「小國寡民」那樣的結構。他認為最理想的城邦是五千零四十人。這些人口對於一個城邦來說實在太少了，甚至比不上一個鄉村。為什麼需要五千零四十人呢？因為五千零四十可以被三除盡，以便將城邦分成上述三個階級。

為了讓一般人更容易接受，他還以神話做為背景。他說：「當初神造人的時候，用了金、銀以及銅和鐵。用金造成的是統治者，用銀造成的是衛士，用銅和鐵造成的則是一般市民。三種成分的人有各自的職務與工作，不可混淆。」這聽起來好像是宿命論，難道人出生時有什麼樣的家庭背景，就應該擔任什麼樣的工作嗎？柏拉圖在這裡留有一定的緩衝餘地，他說：「這三種成分的人所生的子女可以有不同的品種。」那怎麼知道誰的子女是什麼品種呢？這就要靠長期的教育。

能夠透過層層教育的選拔而達到最高層次的（能學習哲學辯證法）就是統治階級。柏拉圖還強調：「如果哲學家不能成為君王，那就只有設法使君王成為哲學家。」這種說法有機會實現嗎？答案是沒有。因為哲學家是不可能成為君王的。在羅馬時代，君王成為哲學家倒是有一個例子，就是著名的羅馬皇帝奧雷流士（Marcus Aurelius, 121-180）。不過他也承認，他做君王表現平平，做哲學家也表現一般。所以，柏拉圖的理想還是無法達成。

柏拉圖四十歲以後，三度前往西西里島上一個叫敘拉古的城邦，希望能培養出一位哲學家君王，或者讓君王成為哲學家，結果以失敗收場。柏拉圖認為：統治者需要哲學，需要愛智慧，要有明智的能力；衛士階級需要勇氣，要以名譽為重；至於一般的市民，就應該安分的過日子。

有人將柏拉圖與「共產主義」聯想在一起，柏拉圖確實談過這個題材，但他這種想法僅限於衛士階級。衛士就是負責保家衛國的軍人，他們必須共產、共妻、共子。因為人一旦有自己的家庭就會有私產，一有私產就很難全心全意為國家和城邦服務，這是柏拉圖的想法。所以，當談到柏拉圖的共產思想時，應該有所了解。

對以上三種不同的階級，各有什麼要求呢？這裡就要提到古希臘時代非常有名的四大德行，一般稱之為「四樞德」（四種關鍵的德行）：第一種是明智，第二種是勇敢，第三種是節制，第四種是正義。

1. 明智（Prudence）

在翻譯「明智」時要特別注意，盡量不要將其譯為「智慧」。在希臘文中，「哲學」就是「愛智慧」，智慧是 sophia。而「明智」的希臘文是 phronesis，英文翻譯為 prudence，意為機智、明智，指一個人在處事方面可以做出正確的判斷，比別人反應更快、更好，能夠分清本末輕重，做出適當的選擇。理想的統治者需要明智，能夠透過愛好智慧，了解人生真正的目的何在，知道智慧與德行要如何配合。

2. 勇敢（Courage）

顯然是衛士階級所需要的，衛士要保家衛國，當然需要勇敢。

3. 節制（Temperance）

適用於所有的人，尤其是一般市民，不可過度放縱欲望。

4. 正義（Justice）

對於上述三個階級，每個階級的人都做好自己的分內事，大家各安其位，各盡其責，使整個城邦變成一個完整而有機的生命。

單從人數是五千零四十人來看，我們就知道這樣的理想國在現實世界上只是一個幻想。但柏拉圖提出「每個人都可以適材適所，在自己的固定位置上善度一生，並進行自我的修練」，這一點仍有一定的參考價值。

（三）柏拉圖評論五種政體

最後介紹柏拉圖對於政治結構和政體類型的看法，他對當時存在的五種政體做出比較和判斷，包括貴族政體、名譽政體、寡頭政體、民主政體以及暴君政體。

1. 貴族政體（Aristocracy）

首先，柏拉圖認為最理想的是貴族政體，但他所謂的「貴族」與血統或門第無關，而是指知識上、道德上的傑出人物。知識與道德不可分，「知德合一」是他這個學派的基本觀點。所以，統治者應在知與德方面均有傑出表現。換言之，貴族政體是一種精英政治，是理想的國家形態，城邦與個人皆由智慧統治。

2. 名譽政體（Timocracy）

第二種是名譽政體，由衛士階級統治，主導的原則不再是明智，而是名譽。重視名譽的人自我期許較高，他們會嚴格要求自己，渴望自我提升，抱負與野心受到最高的推崇。這就是我們常說的「為了名而不要利」。

3. 寡頭政體（Oligarchy）

第三種是寡頭政體，又稱「富人政體」（Plutocracy）或「有錢人的政體」，以財富為主。當時的人以為，有錢人已經很有錢了，應該不至於再去牟利吧！事實上，金錢很容易帶來糾紛，由此滋生各種罪惡。

4. 民主政體（Democracy）

第四種是民主政體，就是一般所謂的雅典民主政體。它以自由與平等為原則，但是缺少穩定性，失去明確的價值感。柏拉圖的老師蘇格拉底受到誣告，經過合法的程序被判處死刑，這使得柏拉圖對於民主政體非常反感。

5. 暴君政體（Tyranny）

最差的是暴君政體，由無知而充滿欲望的獨裁者統治，既殘酷又野蠻。

簡單來說：第一種貴族政體，由智慧在統治；第二種名譽政體，由名譽在統治；第三種寡頭政體，由財富在統治；第四種民主政體，由群眾在統治；第五種暴君政體，由獨裁者在統治。這五種政體在分法上有其優劣、上下的順序。以上這些就是柏拉圖對於政治的看法。

收穫與啟發

1. 政治是管理眾人之事，但是首先需要管理好自己，至少依法律而生活。
2. 希臘時代強調四樞德——明智、勇敢、節制、正義。對於今天的社會，這些品德也是每個人都需要的，只是重點未必相同。
3. 個人與國家的關係值得再做深入的思考。

今天不可能再回到「小國寡民」的情況，那麼理想的國家以及理想的個人處境應該如何？柏拉圖的思想經過一千八百多年之後，啟發了英國哲學家湯瑪斯·摩爾（St. Thomas More, 1478-1535），他寫成《烏托邦》（*Utopia*）一書，提出要設法消滅私有制、等級制，使財產公有、社會平等，從而實現人人品德高尚，人人擁有幸福的生活。但是對於今日世界來說，這種想法顯然不切實際。

課後思考

如果讓你選擇，你能否將柏拉圖的五種政體整合為一種最完美的政體？你認為一個人在這樣的政體中應該有什麼樣的角色？

第六章

柏拉圖

發現而非發明真理

6-1 藝術是騙人的嗎？

本章的主題是：柏拉圖發現而非發明真理。其中涉及的是比較深刻的問題，包括：藝術是什麼？靈魂是不死的嗎？柏拉圖是唯心論嗎？對愛與美的追求，以及什麼是幸福的人生？本節的主題是：藝術是騙人的嗎？

這個主題聽起來有點誇張。西方許多從事藝術創作的人很討厭柏拉圖，因為柏拉圖在《理想國》中公開宣稱，對於藝術品要設立檢查制度，審查其是否符合城邦的需要；同時柏拉圖還要將壞的藝術家趕出他的理想國。柏拉圖為何要這樣說？他到底想表達什麼樣的觀念呢？本節要介紹以下三點：

第一，教育不能沒有藝術。

第二，如何分辨藝術家的好壞？

第三，藝術與哲學的關係。

（一）教育不能沒有藝術

在古希臘時代，藝術包括的範圍很廣。在古希臘悲劇競賽中獲獎的人，被稱為桂冠詩人（Poietes）。詩在古希臘文中指廣義的創作，包括悲劇、喜劇、史詩、頌神詩，以及繪畫、雕塑等等。這些創作者、藝術家都可以稱為詩人。

在教育的過程中不能沒有藝術。孩子從小要聽故事，看戲劇表演，學習舞蹈，閱讀古代的經典。各種藝術作品對於教育都是不可或缺的，它們對於一個人的心靈成長是必要的，可見，藝術品的優劣十分重要。到底教育需要什麼樣的藝術品？藝術到底是怎麼一回事？這都需要做進一步的說明。

柏拉圖強調，有些藝術很糟糕，會帶來負面效果。柏拉圖將藝術家分為兩種：

1. 有知識而去模仿。這樣的藝術家與哲學家相差無幾，他們具有知識，真的懂得其中道理，之後再以模仿的方式表現出來。
2. 無知識而去模仿。柏拉圖認為，從史詩作家荷馬開始，大多數藝術家都屬於這一種，他們對於人生根本沒有正確的認知，對於真理沒有真正的理解，卻透過文字、形象、聲音、建築來模仿人生的各種狀況，這樣可能會造成許多問題。

（二）如何辨別藝術家的好壞？

柏拉圖如何批判壞的藝術家？所謂「壞的藝術家」，是指他們創作靠的是靈感而不是知識，這是與好的藝術家最大的差別。有些人天資聰穎、才華洋溢、富有創意，但是未必了解自己到底在表達什麼，他們只靠靈感從事創作，訴諸情感和觀眾的反應，結果會使人遠離真理。

以畫家為例。畫家畫的床只是一張具體的床的一個側面，根本不是床的真實樣貌。真正的床是永恆不變的床的理型，它是這張具體的床的原始模型，是永遠不變的。正是因為有這個原始的模型，天下許許多多的床才能稱為床。而畫家只是選擇了一張具體的床做為模特兒來加以描繪，畫布上呈現出來的床只是一張具體的床的某一個側面，與真實的床已經隔了兩三層了。這樣看來，這張畫豈非虛幻的東西？

柏拉圖喜歡用畫家做例子，認為他們在繪畫時無法呈現原始的真實樣貌，因此，畫家常受到柏拉圖的批評。

在《理想國》中，柏拉圖將所有居民分為十等：第一等是哲學家或真正的藝術家；第二等是守法的統治者，依法律而行；第三等是從事公職的人員和做正當生意的商人；第四等是身體訓練師，古希臘對健美的身體非常重視；第五等是預言家，古代有許多人可以根據靈感的啟示做出預言；第六等是詩人，壞的詩人將被驅逐，因為他們會對城邦和下一代的教育造成壞的影響；第七等是工匠，即製作各種器具的人；第八等是農夫，即善良的百姓；第九等是辯士，即我們介紹過的辯士學派，柏拉圖將他們貶低到第九等；第十等是暴君，他為所欲為，自身的情緒完全不受控制，欲望氾濫。

柏拉圖把詩人排在第六等，顯然是對詩人的貶抑。但柏拉圖將詩人分兩種，一種是知道而去創作，另一種是不知道而去創作。如果你是第一種詩人，那麼你和哲學家並列屬於第一等居民。這樣看來，柏拉圖對詩人還是有比較公平的論斷。

（三）柏拉圖對藝術的正面看法

事實上，柏拉圖很了解藝術的作用，他說：「藝術應該為人生服務。」這句話引起後代的長期討論。許多藝術家喜歡說「為藝術而藝術」，好像藝術是一個獨立的世界，藝術本身有獨立的生命，可以不用考慮任何現實的效果和利益。如果說「藝術為人生服務」，好像藝術的功能就很狹隘了。對於藝術，當然可以仁者見仁，智者見智。

柏拉圖強調說：「美的作品有如微風，帶著清爽的空氣，洋溢於耳目中，使年輕人自動而不知不覺的模仿理型之美，並與它協調無間。長期的模仿會陶鑄一個人的習慣與本性，在他的體態、聲音、思想上皆是如此。」這句話說得很有道理，這表明在教育上絕不能缺少藝術，藝術欣賞是教育的必要內涵之一。

柏拉圖說：「藝術作品也是為了迎接生命中的美與善。」柏拉圖還將哲學家比喻為畫家，他說：「他（哲學家）以城邦和百姓為畫布，以神明為模型，先畫下初步的輪廓，再仔細調整材料，使城邦的基礎愈來愈完美。」

柏拉圖排斥的是容易受到群眾意見擺布的藝術，即只是為了討好群眾而製作的藝術。壞的藝術家如果只想取悅群眾，就會出現很大的問題。柏拉圖為此還特別發明「劇場統治」（theatrocracy）一詞，反對用劇場統治來取代精英統治（aristocracy）。這有點像現在很多年輕人的表現，他們成為追星族，以為電影、電視裡演的就是真實的人生，劇中演員可以做為人生導師。他們忘了真正的統治者應該是德行上和知識上的精英。

藝術家也是教育者，有教化的功能。好的藝術家對於他所創造之物有真正的認識，這種認識與哲學家的知識屬於同一類。〈法律篇〉是柏拉圖最晚也最成熟的作品，柏拉圖在其中特別強調藝術有兩種正面作用：

1. 對年輕人的作用。年輕人可以由藝術引發正確的感受，在理性成熟之前，由正確的事物獲得快樂，每個人最初的教育都需要太陽神阿波羅和繆斯女神的協助。
2. 對老年人的作用。藝術會帶來鬆弛與休息，那是諸神同情人類的勞苦，使人可以在藝術中恢復身心的活力。

收穫與啟發

1. 教育不能沒有藝術，藝術要為人生服務。
2. 要預防壞的藝術，避免情感衝動，以免遠離真理。
3. 要接近好的藝術，由之而行，走向美善的人生。
4. 掌握哲學，是辨別好的藝術、向好的藝術靠近的一個途徑。

課後思考

柏拉圖發明一個詞叫做「劇場統治」，描寫許多人成為追星族，價值觀受到影視明星的左右。你會擔心這種情況嗎？你會因而贊成藝術為人生服務的看法嗎？

補充說明

到底什麼是藝術？藝術是一種模仿。藝術創作的內容並非日常生活之事，而是藝術家將個人觀察的心得，透過感官可及的方式表現出來。藝術就是藝術家以新的形式、新的象徵來展現他的心得，這種心得反映了集體潛意識。

這就好像夜晚一片漆黑，忽然閃電劃過夜空，瞬間照亮了一切，但短暫的光明之後馬上又進入黑暗。藝術家無法忘記光明時看到的真相，他念茲在茲，要把見到的真理或真相模仿出來。他透過某種形式和象徵去模仿，但能達到什麼效果則很難說。

觀眾在欣賞藝術作品時，也要參與到藝術家的創作過程中，要在心中重新呈現當初藝術家所見到的真相，使它重新復活。藝術至此才算是完成它真正的目的。

6-2 靈魂是不死的嗎？

如果想對人生有比較完整的理解，很難避開一個問題：靈魂存在嗎？許多哲學家對此深入思考。

本節要談一談柏拉圖對於靈魂的看法，他的靈魂觀對西方世界有重要的影響。柏拉圖主張靈魂不死，究竟是什麼意思？他對靈魂有沒有進一步的分析？

本節要介紹以下三點：

第一，柏拉圖對靈魂的看法是什麼？

第二，他怎樣證明靈魂不死？

第三，靈魂的內部還可以再做怎樣的區分？

（一）柏拉圖對靈魂的看法

柏拉圖的靈魂觀受到畢達哥拉斯學派的啟發，他也把靈魂當做生命原理，認為靈魂是不死的，身體是靈魂的監獄。因此，人生的目標就是要讓靈魂變得愈來愈純粹，最後回歸神明的家園。

他進一步說：「哲學就是練習死亡。」死亡才能使靈魂從身體這個監獄中獲得解放。柏拉圖看到人間充滿戰爭，都是為了爭奪財富，而財富是人為了照顧有形的身體而努力追求的。為了財富，人變成身體的奴隸，完全顛倒錯亂，因為真正的人是他的靈魂。

（二）柏拉圖如何證明靈魂不死？

從柏拉圖的《對話錄》中，可以找到五種靈魂不死的證明。

1. 基於輪迴的觀念

一切事物都由它的反面所生，活著的靈魂來自於死者的靈魂，死者的靈魂又來自活著的靈魂，這叫做「靈魂的輪迴」。這種輪迴必定是雙向的，由死到生，再由生到死。否則，最後一切靈魂都會抵達同樣的終點而不復存在。

2. 基於柏拉圖強調的「回憶說」

「回憶說」認為「知識就是回憶」。我們出生之前，靈魂在理型的世界中見過一切事物的原始模型，出生時便全都忘記了。我們這一生得到的知識就是對曾經見過的理型的回憶。這種說法旨在保障知識的普遍性，否則人只能靠歸納法，在現實經驗中慢慢搜集材料，知識的有效性到此為止，對於未來沒有把握。如果接受回憶說，自然要承認「靈魂在出生之前就已經存在」。根據相反之物相生的原理，靈魂在死後也將繼續存在。

3. 基於柏拉圖特有的「理型論」（the theory of Ideas）

下一節會專門介紹柏拉圖的「理型論」。柏拉圖認為存在的東西有兩種：一種是理型，即可以被人的理性所掌握的世間萬物的原始模型；另一種是生滅之物，即我們用感官所能覺察的世間萬物，它們一直在不斷變化。理型擁有神性，萬物則不然。靈魂能夠領悟理型，說明靈魂與理型必有相似之處，並且接近神性，靈魂自身必須是單純的而不是組合的，因此也應該是不可分解的。

4. 具有相反特質的理型不能放在一起

靈魂是一種主動的力量，是生命原理。擁有靈魂之物即擁有生命，生命是靈魂之必然伴隨物，因此，靈魂當然不能容納生命之反面，所以靈魂是不死的。

5. 靈魂的惡並沒有使靈魂死亡

任何東西都有它自己的善與惡，善增益及保存它，惡腐化及毀滅它，並且唯有惡能如此。人的身體生病會導致死亡，因此疾病是身體的惡。但一個人做壞事，等於靈魂生病了，靈魂卻能繼續存在。靈魂的惡並沒有使靈魂死亡，這說明靈魂在根本上是不死的。

以上五點能否證明靈魂不死？恐怕每一個人要自己做出判斷。但柏拉圖確實認為靈魂是不死的，這是他對人生的一種信念。否則，如果人一旦死了就什麼都沒有了，那麼該如何理解這一生？人生還有什麼意義可言？

（三）柏拉圖對靈魂內在結構的劃分

柏拉圖認為靈魂不死，並用「三分法」對靈魂做出進一步的劃分。柏拉圖很喜歡「三分法」，這幾乎成為他的公式了。《理想國》中有三個階級，分別對應三種人：愛好智慧的、愛好名譽的與愛好利益的。靈魂的內在結構也與之對應，可以分為三個部分：理性、意氣（或感受）與激情。

柏拉圖發現，靈魂內部存在著衝突。當一種「激情」出現時，我「知道」不應該順從它，同時又覺得「憤怒」。這句話裡有三個詞：一個是激情，一個是知道，一個是憤怒。「激情」就是情緒和欲望的衝動，它不受理性的約束，激情到來時你根本防不勝防。「知道」代表理性。「憤怒」代表意氣，你憤怒是因為覺得它不對。我們常說「不要意氣用事」，意氣相當於一個人的感受或者氣概。從靈魂內在的衝突就會發現，靈魂並不是單純的。

舉個例子來說，我想買一件奢侈品，但是我明明知道不該順從這樣的欲望，於是內心產生對立衝突而覺得憤怒。所以，靈魂可以分為三種不同的元素：一種要我順從欲望，稱為激情；一種禁止我順從欲望，稱為理性；兩者衝突之後，產生緊張與憤怒，稱為意氣（或感受）。

柏拉圖用著名的「御者與雙馬」的比喻來解釋上述觀點。有個人駕駛由兩匹馬拉的車，左邊的馬桀驁難馴，代表人的激情（欲望、放縱、傲慢），專門搗亂而不與御者合作，讓御者很辛苦。右邊的馬是良馬，代表人的意氣或感受，既美且善，愛好名譽，對御者心生尊敬，能夠自我節制。這就像《理想國》中的三種人，理性就是城邦的統治者，意氣就是衛士階級，一般的市民往往是情緒和欲望的反映。

「御者與雙馬」的比喻用三個元素描寫靈魂，這種靈魂三分法頗有創見，對後代心理學有很大的啟發。

收穫與啟發

1. 人的身體有生老病死，如果人生有意義、可以被理解的話，顯然要肯定靈魂的存在；否則人死如燈滅，死後一切統統都結束了，人為什麼要行善避惡？人生問題還有什麼好談的呢！至於靈魂是否會輪迴、如何輪迴，則屬於宗教的範疇，哲學家對此無法解說。
2. 靈魂內部確實存在著矛盾與衝突。我們要問：靈魂哪一部分是不死的？柏拉圖認為應該是知性的部分，即負責理性思考的這一部分。因此人要提升理智的作用，降低身體本能對我們的控制。在柏拉圖之前，孔子早就提出「君子有三戒」（《論語．季氏》）：年輕時不要好色，中年時不要好鬥，老年時不要貪得無厭，告誡人要注意到血氣的變化，減少身體的本能、衝動和欲望對人的控制。將孔子和柏拉圖的說法合而觀之，可知他們都認為人的身體有問題，靈魂也不見得是單純的。
3. 只有探求真理才能走上美好的人生，才能了解人生最珍貴的部分。古希臘人不關心天堂或地獄，他們關心的是人現有的生命。在現實生命中，靈魂是主動的、完整的，可以融合可知之物與自然之物。只有靈魂可以領悟理型，引發和諧而有韻律的活動，亦即引發善的生命。

課後思考

在柏拉圖的《對話錄》中，蘇格拉底曾經對一名俊美的少年說：「如果你的靈魂像你的外貌一樣美麗，那該有多好！」你對這句話有何看法？

補充說明

一個人有外在美和內在美。外在美雖容易判斷，但這種判斷也是相對的。譬如中國人欣賞的美女，外國人未必認可；外國人欣賞的東方美女，中國人往往覺得長得很刻板。當然，也有少數人在任何情況下看起來都符合美的標準。

所以對大多數人來說，只有設法培養內在美，亦即提高修養。每個人都有一個內在的自我，要透過與別人互動，使自己變得更溫和、謙虛和明智。外在美是天生的，會逐漸衰老，最後會消失；而內在美才是要對自己負責的部分。

區分外在和內在並不代表人可以割裂。事實上，人生唯一的路就是從事內在的修練，使內在的自我愈來愈純粹，愈來愈高雅，最後像透明的一樣，使智慧的光芒可以由內而外的閃耀。不管你怎樣看待靈魂，這似乎是唯一可以選擇的路。我們要感謝祖先、父母給了我們身體，但身體再怎樣健壯、美麗，總會慢慢消失。因此，鍛鍊身體的同時，不要忘記修練心靈。

6-3 柏拉圖是唯心論嗎？

本節的主題是：柏拉圖是唯心論嗎？談到西方的哲學家，常用唯心論或唯物論來加以區分，這兩大派別都受到古希臘哲學家巴門尼德的啟發。在唯心論方面，巴門尼德主要啟發了柏拉圖。將某種學說稱為某某論，就代表這種思想最核心的本體，即宇宙萬物最真實的基礎究竟是什麼。因此，對柏拉圖思想更恰當的說法應該是「理型論」。本節的內容包括以下四點：

第一，人類認識的兩種途徑。

第二，理型是指一物的類型、規律或標準。

第三，發現理型，而不是發明理型。

第四，將五種理型按重要程度排序。

（一）人類認識的兩種途徑

柏拉圖認為人類的認識有兩種途徑。

1. 透過感官而獲得

如透過看到、聽到、聞到、接觸到而獲得認知。這類認識充滿變化，因而不可靠。特定的個體隨著時空不斷改變，人根本無法得到真正的認識。

2. 透過理性而獲得

比如街上有許多不同的車，既然都叫「車」，必然具有相似的形式。對於人的認識和理解來說，形式比材質重要。對於「車」這一概念，要設法掌握它的形式，譬如它是哪種類型？有什麼基本規律？有什麼設計好的目的？這樣才能真正理解某一輛個別的車。柏拉圖將這種形式稱為「理型」（eidos, idea）。

（二）理型是指一物的類型、規律或標準

「理型」一詞聽起來很抽象，可以從以下三個方面來理解：

1. 類型，即一樣東西經分類歸納之後所屬的類型。譬如卡車、牛車、馬車、汽車、三輪車，都屬於「車」這一類型，「車」就是理型。又如，張三是男人，李四也是男人，他們兩人都屬於「男人」這一理型。
2. 規律，即一樣東西的自然法則或規律。譬如車的規律是可以在路上跑，跑起來符合物理定律。對於人來說，某人的做事風格有一定的規律，這就是他的理型。
3. 標準，即一樣東西的目的與方向。譬如車的目的是載人到達某個地方。對於人來說，應該以什麼做為理想的標準和目的？這顯然比較抽象。換個角度來說，只有理型是完美的，人的靈魂見過完美的理型。所有個別物體只能分享完美、接近完美，卻不能達到完美。

（三）發現而非發明理型

我們強調將柏拉圖劃歸唯心論未必正確，因為柏拉圖認為：人只能「發現」理型而不能「發明」理型。說「發現」表示理型早就存在，永遠存在，人只是發現它而已；說「發明」則代表某樣東西是我想出來的，是我創造的，它不能離開我而存在。

真正的唯心論往往偏向於「發明」這一邊，某樣東西即使不是我創造的，至少也是我想出來的，不能脫離我的理解能力。柏拉圖說「發現」理型，代表理型不是自己想出來的，而是本來就存在，

因此不能說他是唯心論。

在近代哲學部分，我們會從笛卡兒一路介紹到康德，康德的哲學才是真正的唯心論。康德之後，啟發了德國唯心論一系列的發展，後文將會詳細介紹。

（四）五種理型按重要程度排序

柏拉圖受到巴門尼德的啟發，了解到思想的重要。但更重要的是，他受到蘇格拉底的啟發。蘇格拉底要探索人生的真善美，他上街與別人聊天時，只要聽到勇敢、正義、美、善等價值評價的詞，就會上前請教別人：你所謂的勇敢、正義、美、善是什麼？這也決定了柏拉圖理型論的大致方向，即透過理性，走上真理之路。

柏拉圖將理型分為五類，按重要程度從高到低排列如下：

1. 價值上的理型

第一種是倫理學和美學上的價值理型。譬如什麼是善，什麼是美，什麼是節制、正義、虔誠、勇敢等。這些德行究竟是什麼？如果不了解，又怎能加以實踐？柏拉圖繼承蘇格拉底的理想，希望在人間找到永恆的目標，從而保證人的生命走向善與美的目的。這些目標就是價值的理型。

2. 數學上的理型

譬如 1、2、3、4 這些數字，以及圓形、方形、三角形這些圖形，都屬於數學上的理型。如果沒有這些基本的數字和形狀，我們根本不可能進行抽象的思考。因此，數學理型非常重要。

3. 概括的理型

某些概括的詞可以幫助進行思考和判斷，柏拉圖稱之為概括的理型。譬如，當比較兩物時，說兩物相似、相等、大於、小於，這些詞都是概括的。還有連接詞，如我「和」你，你「或」他，也屬於概括的。柏拉圖認為，前三種理型是比較重要的。

4. 自然物的理型

譬如，我們只能看到一匹匹具體的馬，每匹馬都不一樣，而且一直在變化之中。但透過書本和老師的教導，我們可以掌握馬的理型，了解馬的本質所在。這就屬於自然物的理型。

5. 人工製品的理型

譬如，桌子、椅子都屬於人工製品。工匠心中必須先有桌子的原型，才能造出桌子。我們也要先了解桌子的原型，才能判斷這是桌子而不是椅子。這些都屬於人工製品的理型。一般人會認為自然物和人工製品的理型比較重要，但這些偏偏是柏拉圖不太重視的。

收穫與啟發

1. 人類認識世界有兩種途徑：一種是靠感官知覺，另一種是靠理性認知。柏拉圖認為，靠感覺來認識世界，面對的是許多變化生滅的個體，這些都是不可靠的，感覺會讓人上當。靠人的理性才能把握認識對象的形式，了解一樣東西的本質。只有理性可以掌握真正的知識，理性的對象則是永遠存在的理型。
2. 柏拉圖認為，人是發現而不是發明理型，因此他不是一般所謂的唯心論。
3. 柏拉圖按重要性對五類理型進行排序：第一是價值理型，即倫理學和美學上的理型；第二是數學上的理型；第三是概括的理型。這三種是比較重要的。

課後思考

聽了柏拉圖的理型論，你會不會覺得他的說法太過抽象，與現實人生脫節？他的弟子亞里斯多德就是這麼認為。你有何想法？

6-4　對愛與美的追求

本節主題是：對愛與美的追求。「愛」對每個人來說都很重要，柏拉圖對愛有何看法？關於「愛」有兩句話很有名，都與柏拉圖有關：一句是「愛是神聖的瘋狂」，另一句是「柏拉圖式的戀愛」。

本節要介紹以下三點：

第一，「愛是神聖的瘋狂」是什麼意思？

第二，「柏拉圖式的戀愛」有何重點？

第三，「美」是什麼？

（一）愛是神聖的瘋狂

在古希臘時代，「瘋狂」（mania）有四種類型：

1. 預言

預言的能力來自於太陽神阿波羅。他的光明照見一切，可以讓人了解過去和現在，並預測未來，令人覺得不可思議，故稱之為「預言的瘋狂」。

2. 神聖的儀式

這種瘋狂來自於酒神狄奧尼索斯（Dionysus），好比一個人喝醉酒後，表現出生命中合一的情調。只有在特殊的慶典上，某些負責表演的巫師才能體驗到這種瘋狂。

3. 詩人的創作

古希臘神話中有九位繆斯女神，是阿波羅很好的伴侶。這種瘋狂用來形容詩人寫作時靈感湧現、忽有神來之筆，非一般人能想像。

4. 愛的瘋狂

來自厄洛斯（Eros）與阿芙洛迪特（Aphrodite）。愛是每個人都可以經驗的，柏拉圖說：「愛是神聖的瘋狂。」但是這裡的「愛」有何內涵呢？

（二）柏拉圖式的戀愛

希臘神話中，美之神是阿芙洛迪特，愛之神是厄洛斯。許多人把厄洛斯當做阿芙洛迪特的兒子，但希臘神話中還有另一個不同的版本。在阿芙洛迪特的生日宴會上，一位男性富翁和一位貧困的女性結合，生下了厄洛斯。因此，厄洛斯做為愛神有兩個特色：一方面有豐富的情感，另一方面是情感的對象很缺乏。豐富與缺乏相結合，產生了很強的生命力。西方人認為厄洛斯代表一種生命力，關鍵要看它朝什麼方向發展。柏拉圖認為，這種生命力應該朝一個特別的方向發展，即朝向「理型」。

「柏拉圖式的戀愛」是說，當你愛一個人的時候，不能只愛他的身體，因為人的身體會衰老、生病，最後會結束；你要愛他的理型，亦即愛他的靈魂，後代因而有「靈魂伴侶」的說法。這種愛沒有身體的接觸，卻可以想像對方的完美，並與自己本身的完美相對照，於是內心產生一種互相珍惜的感受。

（三）美是什麼？

任何愛都需要有對象，有人愛利益，有人愛名譽，也有人愛智慧。柏拉圖怎樣將愛美轉到愛智慧，使自己的思想形成為一個完整的系統？

柏拉圖的《對話錄》中，世所公認最美的一篇是〈饗宴篇〉（*The Symposium*），也譯為〈會飲篇〉。蘇格拉底的朋友阿伽通

（Agathon）在悲劇競賽中獲獎，於是邀請十幾位好友到他家中飲酒聊天，主題是討論什麼是愛，什麼是美。大家輪流發言，最後輪到蘇格拉底。蘇格拉底說自己曾請教過一位女祭司狄奧提瑪（Diotima），受她的啟發才知道什麼是美。

前面介紹過巴門尼德受到女神的引導，蘇格拉底是受到女祭司的啟發，可見，古希臘時代有一個優良的傳統，他們認為女人有一種特別的智慧，可以給予男人啟發。蘇格拉底轉述狄奧提瑪有關美的描述，層次由低到高共有七種美：

1. 美的身體

人很容易被美的身體所吸引，翻開時尚雜誌，俊男美女令人眼花撩亂。不過，美的身體有一定的限制，因此許多人都去整形。韓國有一年舉辦一場選美比賽，初選入圍的十位選手中，竟有六位長得一樣。這說明大眾的審美標準差不多，另一方面也表明整形的技術很精湛，根本看不出選手做過整形手術。另外，如果我們去看希臘時代的雕像，無論是頭部、手或腳，就連頭髮和臉頰都讓人覺得喜悅。美的身體只是美的第一層。

2. 身體的美

美的身體是指某一個人的美，隨著時間的流逝可能趨於衰老，它只是個別的美；而身體的美則是普遍的美，它超越了個別的人、個別的身體。但這仍然不夠，因為身體畢竟是有形可見、充滿變化的東西。

3. 靈魂之美

靈魂就是生命原理，我們常說的「內在美」就是指靈魂之美。我們與一個人長期相處，慢慢就會忘記他外在的美醜。隨著年齡增長，老朋友見面會格外親切，他內在的光華也會慢慢呈現。這就抵達了美的第三個層次——靈魂之美。

4. 法律和制度之美

第四個層次就要從個人提升到群體。每個城邦都有自己的傳統，由此形成法律和制度，這些都是集體智慧的結晶。我們可以欣賞群體中的秩序和美感。

5. 知識之美

第五個層次要從個別的城邦提升到全人類，所有人都需要追求可靠的知識，這就是知識或學問之美。

6. 美的海洋

美的海洋是指超越人類的限制，不受時代局限，可以掌握古往今來所有人對美的欣賞，從而進入一片美的海洋。

7. 美的知識

最高的境界是美的知識，即了解美之所以為美。這時會發現，美與真、善其實是合一的，三者是一個整體。

簡單說來，美的上升階梯為：從愛個別的美的身體到一切身體之美；從身體之美到靈魂之美；從靈魂之美到法律和制度之美，它代表群體的秩序與和諧；然後到人類普遍嚮往的知識或學問之美；再到美之海洋；最後抵達美的知識，即了解美之所以為美。

接著，柏拉圖又借蘇格拉底之口說明什麼叫做「美之為美」：「這種美在本性上是永恆長存的，不生不滅，不增不減。它不是這樣看來美，那樣看來醜；不是與此相比為美，與彼相較為醜；也不是對某些人為美，對另一些人為醜；而是普遍的、永恆的美。」這種美已經與真、善合一，所以，愛美就是愛智慧，就是愛那個永恆不變的最可貴的東西。

「柏拉圖式的戀愛」就是哲學家的愛，他不只愛一個人的靈魂，更要進一步愛一個人的理型。

收穫與啟發

1. 柏拉圖所謂「愛是神聖的瘋狂」並非真的瘋狂。愛的力量來自於神明，來自於美之神與愛之神。在愛的力量的驅使下，我們選擇不同的目標，就會顯示出高下不同的人生境界。
2. 任何一種愛都代表自己有所不足，因此我們在愛的時候就要問：什麼可以讓我的內心得到真正的滿足？在愛利、愛名和愛智慧三者中，最好的當然是愛智慧。透過這一途徑，我們可以了解真善美的本身，了解它們的理型，從而使生命得以安頓。
3. 所謂「美的上升階梯」，就是順著一個具體的美的身體，上升到身體之美、靈魂之美、法律傳統之美、知識之美，再到美的海洋，最終抵達美的知識。

課後思考

柏拉圖希望我們從一個具體的美的身體提升到對所有身體之美的欣賞，然後再往上提升到靈魂之美的層次，你覺得這種提升可能嗎？

6-5 幸福人生的條件

本節的主題是：柏拉圖對幸福人生的看法。沒有人不追求幸福，本節要介紹的是古希臘時代對於快樂的一般觀點，並對其加以批評。

本節內容包括以下三點：

第一，古希臘時代對於快樂的看法。

第二，快樂與知識有何關係？

第三，柏拉圖將幸福人生分為哪些層次，有何內容？

（一）古希臘時代對於快樂的看法

柏拉圖創辦學院之後，有一次貼出公告要舉辦一場公開演講，題目是「人生的善」。這個題目很吸引人，許多人都來聽。換成是今天，你如果聽說某位著名哲學家要談談什麼是人生的幸福，肯定也很想去聽一下。結果去的人大失所望，柏拉圖從頭到尾一直在談數學。他認為，如果不懂數學，沒有抽象思維能力，根本無法掌握人生的善，很容易就會把快樂等同於現實的生活需求，追求榮華富貴或物質享受。

古希臘時代對於快樂有何看法？許多人會說，快樂就是對我有利，讓我過得開心愉快，心想事成。但如果沒有仔細分辨，這樣的快樂很容易使人陷入困境。

美國有位女明星想保持苗條的身材，但她很喜歡吃喝，於是每天嘔吐十六次，把吃進去的東西再吐出來，這顯然帶來更大的痛苦和煩惱。後來她的朋友透露這件事，令她非常尷尬。別人以為她靠運動健身來保持身材，事實上卻是靠這種不自然的方法來維持，這樣的快樂很難得到世人的認同。

古希臘時代也有類似的想法，認為快樂就是吃喝玩樂等身體上的享受。柏拉圖提到，地獄中最嚴重的懲罰是讓人用竹簍或有洞的桶去裝水，怎麼裝也裝不滿。人的欲望有個特色：欲望如同滾雪球般愈來愈大，但刺激卻逐漸遞減，最後令人完全無法招架，後果不堪設想。

古希臘神話中有兩個故事都在描寫神如何懲罰。第一個是普羅米修斯（Prometheus）的故事，他從天上盜取火種給人類，使人類可以抵禦寒冷和猛獸，由此觸怒了天神宙斯。宙斯為了懲罰他，將他綁在高加索山上，每天讓老鷹啄食他的肝臟。按理說普羅米修斯「求仁而得仁，又何怨？」但麻煩的是，第二天早上肝臟又長出來，他要繼續忍受老鷹的折磨，他的生命在痛苦中不斷循環。

另一個神話是關於薛西弗斯（Sisyphus），他洩露天神的祕密，告訴河神失蹤女兒的下落，條件是河神要賜給人類水源。薛西弗斯因此得罪了天神，天神懲罰他推石頭上山。但山是斜的，石頭是圓的，石頭一旦被推到山頂，便立刻滾回山腳下。如此日復一日，永無結束之期。這很像現代人的處境，週一到週五上班就好比推石頭上山，週末好不容易喘口氣，但石頭已經滾回山腳下，等著下週繼續推。

這兩種懲罰都代表永無結束之時。如果把快樂建立在身體的本能和欲望之上，恐怕會沒完沒了，永無結束之時。

（二）快樂與知識的關係

任何一種快樂都需要知識。許多人都害怕看醫生，因為治療的過程往往很痛苦。但如果你知道經過這個痛苦之後會有更大的快樂，你就不會逃避眼前的痛苦。同樣的，只有知道眼前某些小的快樂可能會導致大的災難，你才能做出更好的人生安排。因此，快樂需要具備正確的知識，一般來說需要計算苦樂的比例如何，以便讓自己接受小的痛苦，獲得大的快樂。

有人問希臘悲劇作家索福克勒斯：「你現在老了，是否還能享受性愛的快樂呢？」索福克勒斯回答說：「啊，朋友！我慶幸自己擺脫了它，就像奴隸終於逃離了一個野蠻而瘋狂的主人。」

他的回答來自於實際的生活體驗，往往要到一定年齡後才能覺悟，但你不能更早一點覺悟嗎？

柏拉圖認為世界上最不快樂的人是暴君，他雖然大權在握，但朝廷上只有兩種人：一種是諂媚他的，一種是痛恨他的。被這兩種人包圍，又怎麼會快樂？

（三）幸福人生的六個層次

柏拉圖將幸福人生分為六個層次，由低到高依次為：

1. 適度滿足自然的需求

最基本的幸福是適度滿足自然的需求。人總要活下去，且要活得安穩。強調「自然的」需求，是說盡量不要追求「非自然」的東西。簡單說來，就是不要輕易被廣告所吸引。如果只是滿足自然的需要，其實你需要的東西並不多。這樣一來，你很容易就會覺得開心愉快。

2. 快樂而不含痛苦

你可以追求各種快樂，但記得不要有後遺症。如果這個快樂給你帶來痛苦，豈非自討苦吃？中國人常說的「吃飯最好七分飽」，就是這個道理。

3. 擁有知識與能力，可立足於社會

擁有專業知識與能力可以讓你在社會上立足，受到別人的尊重。

4. 明智處世，言行適當

與別人來往時，做到明智處世，對任何事情都有適當的判斷，言行表現得中規中矩、恰到好處，符合人情世故。

5. 妥善安排生活，顯示比例、完整與和諧

第五步達到更高層次，你可以妥善安排自己的生活，合理安排工作與休閒的時間，能兼顧親情、友情和愛情，將身、心、靈各方面都安排得很好，顯示比例、完整與和諧。

6. 知德合一，由內到外表現中庸合宜之道

最高境界是知與德合一。在此又回到柏拉圖的一貫立場，亦即要了解真、善、美的理型，透過愛好智慧使生命不斷發展，不斷擺脫身體的限制而向上提升。

向上提升並不意味著要脫離這個世界。事實上，柏拉圖在雅典創辦學院，他認真教學，希望培養人才，造福城邦和人類；他也與別人互動來往，並舉辦演講會。他強調向上提升，是為了讓一個人正面的生命潛能得到充分發揮，從愛好利益到愛好名譽，再到愛好智慧。智慧是屬靈的，人的靈魂要不斷的發展，最後可以同神明適度結合。這樣一來，你活在這個世界上卻不屬於這個世界，生命可以抵達超凡入聖的境界。這種想法與中國、西方、印度許多聖賢的觀點可謂不謀而合。

收穫與啟發

1. 一般人認為幸福就是追求快樂，享受當下欲望的滿足。這種觀念是盲目的，因為欲望的滿足永無止境，人的欲望會像滾雪球般愈滾愈大，但是刺激遞減，最後可能會使人走火入魔。對於這樣的快樂觀，要有足夠的警惕和自我約束。

2. 任何一種快樂都不能脫離正確的知識。我們要問自己：是否了解某種快樂的後果？如果知道後果不好，我們要適可而止，及時調節自己的欲望。在英文中，「快樂」（happy）和「幸福」（happiness）不易分辨。我們可以這樣理解：快樂是過程，幸福才是目的；快樂針對的是一時一地的情況，幸福則較為長久，是由於德行的修練而顯示出的一種穩定狀態。
3. 柏拉圖認為幸福分為六個層次，我們至少可以從前面三個層次著手：適度滿足自然的需求；快樂而不含痛苦；擁有知識和技能，可以在社會上立足。然後不斷向上提升，最後走向知與德的合一，即領悟了真、善、美的理型，得到最高的幸福。

課後思考

在柏拉圖所談的幸福的六個層次中，你覺得自己可以抵達哪一個層次，或者你覺得自己有信心向哪個更高的目標努力？

補充說明

簡單介紹心理學家馬斯洛（Abraham Maslow, 1908-1970）的五層次需求理論。馬斯洛做為人本主義心理學的代表，他的出發點與別的心理學家有所不同。以往的心理學派過度強調潛意識的陰暗面以及生物性的行為，馬斯洛為了改變這些弊端，於是「取法乎上」，以社會上表現傑出、具有偉大人格的人物做為研究樣本。馬斯洛學說的特色在於強調「自我實現」，即讓自己變得愈來愈像人本來的樣子。

馬斯洛的需求理論受到廣泛的重視，從生存需求、生理需求一直往上，最上層是自我實現。但自我實現的內容再怎麼豐富，都會有其限制，亦即「自我」到底是什麼？對運動員來説，「自我實現」可能意味著在競賽中獲得冠軍，但那只是「身」的層次。對小孩來説，自我實現可能意味著在考試中取得好成績，但那只是「心」的層次。這些自我實現都不夠完整，所以應該區分內在自我有哪些層次，不同層次應配合起來形成完整的結構。

馬斯洛於 1970 年過世，他在過世前一年（即 1969 年）發表一篇新的論文，特別提到「Z 理論」，提出一種新的説法叫做「自我超越」，這才是馬斯洛思想的正確發展方向。如果將注意力始終集中自我身上，那麼有「自我」就有「非我」，該如何解決這種對立？由此可見，馬斯洛的觀點在不斷成長。他提出自我超越，就是希望人不要執著於自我。達到「靈」的層次，就不會再受到「身」和「心」的限制。西方心理學後來出現「超個人心理學」，就不再局限於個人的「身」、「心」這些有形可見的部分。

因此，對於馬斯洛的理論要有完整的認識：

1. 他的出發點非常正面和積極；
2. 在「自我實現」的層次之上，他還構想著提出「自我超越」，可惜他還沒來得及完成著作便去世了。

第七章

亞里斯多德

肯定經驗世界

7-1 吾愛吾師，吾尤愛真理

本章的主題是亞里斯多德肯定經驗世界。本節的主題是亞里斯多德說的一句話：「吾愛吾師，吾尤愛真理。」「吾師」是指亞里斯多德的老師柏拉圖。但亞氏認為自己更愛真理，這是怎麼回事呢？

古希臘最有名的哲學家當數蘇格拉底、柏拉圖與亞里斯多德，尤其是柏拉圖和亞里斯多德，他們分別建構了完整的哲學系統，但這兩個系統顯然不一樣。

我們介紹過文藝復興時代重要畫家拉斐爾的名畫「雅典學院」：在一座學院門口站著兩個人，左邊的人年紀較大，手指天空，那就是柏拉圖；右邊的人比較年輕，手指地面，那就是亞里斯多德。柏拉圖認為我們生活在充滿變化的世界中，變化的東西都不可靠，人生應該向上追求一個充滿原始模型的永恆世界。亞里斯多德不同意老師的看法，他認為人怎麼可以忽略現實的人生？人首先要了解變化到底是怎麼回事，然後才能找到人生真正的目標。

本節的內容有三個重點：

第一，亞里斯多德向柏拉圖學習的過程。

第二，亞里斯多德為何認為柏拉圖的學說有問題？他如何修正柏拉圖的學說？

第三，從此以後西方哲學就形成了二分法，果真如此嗎？

（一）亞里斯多德向柏拉圖學習的過程

柏拉圖和亞里斯多德的背景有相當大的差異。柏拉圖是雅典人，雅典是當時的文化之都。亞里斯多德是斯塔吉拉人，斯塔吉拉位於希臘北部的城邦馬其頓，相較於雅典，這裡屬於鄉下地區。柏拉圖出身貴族，而亞里斯多德只是平凡百姓，不過他的父親曾任馬其頓國王的御醫，這使得亞氏後來有機會成為「帝王師」。

亞里斯多德十七歲時決定去雅典求學，臨行前他到神殿占問：到雅典要學什麼？答案是學習哲學。我們可以設想，如果亞氏向神請教，得到的答案不是哲學，那麼整個西方的哲學史、學術史甚至文化史都要改寫了，因為亞里斯多德的成就非常卓越，影響深遠。

亞里斯多德十七歲進入柏拉圖學院，直到柏拉圖去世才離開，他在學院中研習哲學整整二十年。柏拉圖對這個學生評價極高，給他取了兩個綽號：一個是「閱讀者」，因為他每天都在讀書，幾乎把所有的書都看完了；另一個綽號是「學院的知性」。

「知性」一詞在古希臘時代很重要，知性就是 Nous，代表宇宙中的規律，它的運作與人的理性思維很接近，但它是宇宙的知性。柏拉圖稱亞里斯多德為「學院的知性」，等於是認可亞氏將來可以接他的班。但柏拉圖後來有一點失望，他說：「這匹小馬把母馬的奶吸乾之後，反過來踢我一腳。」他發現亞里斯多德的基本立場與自己有很大差異，這是怎麼回事？

（二）亞里斯多德對柏拉圖學說的修正

亞里斯多德對老師柏拉圖推崇備至，他說：「我的老師用他的言行表現向世人證明了一點：凡是有德行的人必有真正的快樂。」他們兩人在哲學系統的建構上方向不同，但最後殊途同歸。兩人都是想確立人生的最高目標，也都把生命的意義當做愛智者的核心關懷。亞里斯多德把老師的思想學會之後，不是「照著講」，而是「接著講」。「照著講」就是按照老師說的再講一遍，只有傳承而沒有發展，「接著講」則是讓學術可以繼續發展。

柏拉圖的理型論認為，人所見到的個體只不過是分享了一個完美的原始模型而已。亞氏則認為，由原始模型構成的理型世界是老師想像出來的，其實並不存在。他認為除了白的東西，並沒有「白」的本身；除了個別的馬，也沒有「馬」的本身。

不能離開個別的人來思考人性；但反過來，也不能離開人性來理解人是怎麼回事。柏拉圖強調的是如何「理解」，而亞里斯多德強調的則是「存在」，即具體存在的東西是什麼。亞氏認為，人要重新認識感覺的世界，所以他的畫像手指地面，也就是指向人間。

亞氏直言不諱的指出理型論的問題，他說：「一個人算不清楚小的數目，就幻想著再加一倍可能更容易計算吧！如果看不清楚現實的世界，以為建構一個理型的世界就可以說明現實世界，從而使自己更了解現實世界，這是完全不切實際的。」

（三）西方哲學的二分法

西方哲學後來出現了二分法，認為一個人的心若不屬於亞里斯多德，則一定屬於柏拉圖，好像只能在兩者之間做個選擇。如果選擇柏拉圖，代表重視理性和理想，側重於人的心靈，嚮往永恆這一面；如果選擇亞里斯多德，代表重視經驗世界，想要對於變化有所認識，知道這個世界有一個發展的方向，但不能忽略具體的狀況。

亞氏不斷鑽研學問，研究成果極為可觀，在西方學術界可謂「前無古人」。由他創立的學問有：邏輯學、修辭學、倫理學、政治學、藝術學以及形上學；對自然界的認識方面，包括植物學、動物學（當時他已知道五百多種不同的生物），以及氣象學、天文學等。

近代歐洲哲學家馬克思說：「亞里斯多德是古希臘時代最博學的哲學家。」二十世紀存在主義的代表人物海德格，他描寫亞里斯多德的一生只用了三句話：「他出生，他工作，他死亡。」亞氏的博學建立在他勤奮的工作上，無論任何學問，只要他一接觸，就會成為這一領域的專家和代表人物。他是柏拉圖最優秀的學生，是柏拉圖思想的發展者。他的目的是要減少柏拉圖思想的一些缺點。

收穫與啟發

1. 一個人不僅要向老師好好學習，更要站在老師的肩膀上，看得更遠，想得更深，要「接著講」而不只是「照著講」。「照著講」只是重複老師的觀念，「接著講」則要讓學術可以繼續發展下去。我年輕時聽方東美先生說過一句話：「一個老師最大的悲哀是沒有教出勝過自己的學生。」柏拉圖顯然是位好老師，因為他教出了亞里斯多德這樣傑出的學生。
2. 哲學是愛智慧，智慧是完整而根本的，沒有人可以完全壟斷智慧。每個人都有特定的時代和社會背景，有不同的興趣愛好和人生經驗，只要努力探索，就能認識到智慧的某一方面，要有信心和勇氣建構新的系統。
3. 西方哲學的二分法有它的道理。世界上有些人重視經驗的世界，希望從中找出規律，使認識不斷向上提升；另外一些人則偏重理性思維，希望掌握理想的層次。兩者可謂殊途同歸，且不可偏廢，只有合而觀之，才能走上正確的路。對於把柏拉圖和亞里斯多德二分的說法，我們不必過於強調兩人的差異。

課後思考

「吾愛吾師，吾尤愛真理」這句話自然有它的道理，但是首先要確定「真理」是什麼，這並不是一件容易的事。你在學習的過程中有沒有類似的經驗？

補充說明

「真理是什麼」這個問題自古以來很少有人能說清楚。在《聖經・新約》中，耶穌被猶太人出賣，被送到羅馬總督彼拉多面前，耶穌說：「我來到世間，特為給真理做見證。凡屬真理的人就聽我的話。」（《約翰福音》18:37）此時彼拉多問耶穌一個問題：「什麼是真理？」耶穌沒有回答。彼拉多查不出耶穌的罪過，想釋放他。但猶太人不同意，一定要置耶穌於死地，因為他們認為耶穌傳布新的教義，對猶太人構成很大的威脅。這是有關真理的一次事件，可供參考。

其次，對老師應該有怎樣的態度呢？人活在世界上，最難做到的就是恩義兩全。恩就是恩情，義就是道義。在我們年輕、幼稚的階段受到老師的教導，我們不能忘掉這份恩情；但每個人都要對自己的生命負責，應該追求真理，忠於自己的良知，這是在道義上每個人都應該走的正路。恩情和道義該如何協調？應該要有這樣的認識：我當老師，不要認為別人應該對我感恩；我當學生，當然要記得感恩，但是道義才是我們共同的目標。以這樣的態度面對老師和真理，就不會有太明顯的矛盾。

7-2 亞里斯多德是帝王之師

本節的主題是：亞里斯多德是帝王之師。這裡所謂的「帝王」是指古希臘時代最有名的亞歷山大大帝（Alexander the Great, 356-323 B.C.）。亞里斯多德在柏拉圖學院完成學業後，曾有幾年到各地遊歷，然後回到家鄉馬其頓。他的父親是馬其頓國王的御醫，國王聽說亞里斯多德是一位傑出的學者，就請他到王宮擔任太子亞歷山大的老師。

本節的內容包括以下三點：

第一，亞里斯多德教過亞歷山大大帝。

第二，大帝對亞氏的學術研究頗有幫助。

第三，哲學家與政治的關係相當複雜。

（一）亞里斯多德教過亞歷山大大帝

亞里斯多德回到故鄉馬其頓，擔任太子的老師。這位太子當時只有十三歲，他從十三歲到十八歲，接受亞里斯多德的教育有五年之久。這使他眼界大開，心胸廣闊，對於整個世界有了全新的認識。這位太子就是後來的亞歷山大大帝。

大帝承認亞里斯多德是他心靈上的父親，對他非常尊敬。對亞里斯多德來說，這實在是一個哲學家畢生的夢想，因為他的老師柏拉圖曾說過：「要讓一個城邦步入良好的軌道，或者讓哲學家擔任君王，不然就讓君王學習哲學。」亞里斯多德有如此難得的實驗機會，那麼後來亞歷山大大帝的成就如何呢？

事實上，大帝的哲學並沒有學得很好，他畢竟太年輕了，一心想要征服世界。他確實征服了歐、亞、非三洲廣袤的土地，但他三十三歲就英年早逝。不過，他在去世前還是顯示了哲學的智慧。他命令部下把他抬出帳篷，他雙手垂下來，讓士兵們看到：他雖然占領這麼多土地，但死的時候還是要兩手空空的離開世界。

（二）大帝對亞氏的學術研究頗有幫助

大帝對亞里斯多德的學術研究顯然幫助很大。如果僅憑個人單打獨鬥，亞里斯多德怎麼可能研究這麼多學問？從天文到地理，從植物到動物，亞氏對人間的各種學問都加以研究。研究學問需要資金和人力，大帝為亞里斯多德提供大量的資金和上千名奴隸。在大帝遠征時還專門組建一支特遣隊，把世界各地新奇的植物和動物標本送回到亞氏的研究基地。這使得亞氏發展出令人難以想像的學問，創立各種學科，對後代產生深遠的影響。

可惜的是，大帝後來逐漸疏遠了亞里斯多德，主要有兩個原因。一是因為大帝到各地征戰，接觸到不同的民族，他平等的看待希臘人與異族人。亞里斯多德對此有意見，他認為希臘人品行高尚，不能與異族人同等看待。第二是因為亞里斯多德曾把他的侄兒推薦給大帝當侍衛，但這個侄兒後來涉嫌謀反而被處決，師生關係就此變得冰冷。不過，我們還是要感謝亞歷山大大帝的貢獻，正是在他的幫助之下，亞里斯多德才建構了學問的世界。

（三）哲學家與政治的關係

亞里斯多德對政治有自己的看法。他認為，由於自然條件的限定，人生下來就是政治的動物。人的語言文字如果離開社會則一無所用。想像一下，魯賓遜漂流到荒島上，他雖有語言文字的能力，但他要和誰說話呢？他需要表達自己嗎？他需要的只是生存，只是設法活下去而已。

亞氏認為，國家對於個人來說，國家等於形式，個人等於質料。如果沒有國家，個人就成了野蠻的動物。國家應該提供德行方面的教育，以及實踐德行的條件。此外，國家是一個真實的生物，各部分的關係是生物的關係。因此，不能說「國家為了個人而存在」，就像後代《民約論》（又譯為《社會契約論》）的說法；也不能說「個人為了國家而存在」，就像他的老師柏拉圖的想法。

亞氏進一步指出，國家有六種政體類型，三種好的，三種壞的。三種好的政體分別是：一是君主政體，以聖賢為君主，這與柏拉圖說的「由哲學家擔任君王」類似；二是貴族政體，由少數賢者擔任領導；三是平民政體，由大家共同參與，表達意見。

相對的，有三種壞的政體：第一種是專制政體，由暴君來統治，很容易造成腐敗現象；第二種是寡頭政體，由少數有錢人來擔任領導；第三種是愚民政體，由無知的百姓來操縱政治。這樣的分類可供參考，但在世界上很難看到全好或全壞的政治結構。

亞氏對教育也有一定的觀察，他說：「認真想過統治藝術的人都會相信：帝國的命運在於我們對青少年的教育。」青少年是國家未來的棟梁，不重視青少年教育，國家的未來怎麼會有希望？他還說：「放縱自己的欲望是最大的禍害，談論別人的隱私是最大的罪過，不知道自己的過失是最大的病痛。」這些觀點都很有啟發性。

遺憾的是，亞歷山大大帝年僅三十三歲就過世了，之後希臘各地都掀起反抗馬其頓的風潮。希臘各個城邦原本相對獨立，被馬其頓帝國統一之後，大家都失去了自由。亞里斯多德此前在雅典建立了自己的學校，他由於當過大帝的老師，擔心受到牽連，於是離開了雅典。他走的時候說：「我不能讓雅典人第二次危害哲學。」第一次當然是指蘇格拉底的受害事件。可惜他在離開雅典的第二年（西元前 322 年）也過世了。

在中文翻譯方面，亞里斯多德在雅典建立的學派經常被稱為「逍遙學派」（Peripateticism），這個翻譯不太恰當。中文「逍遙」兩個字，會使人聯想到《莊子》的第一篇〈逍遙遊〉，描寫人的心靈抵達瀟灑自在的境界，亞氏的學派顯然不具備這樣的特色。更貼切的翻譯應為「漫步學派」，因為亞里斯多德與學生經常在學院的回廊裡一面散步，一面講學。亞氏的學院比柏拉圖的學院更完備，有各種研究部門，圖書、設備、師資和固定課程等配備都更接近今天的大學。

收穫與啟發

1. 人不能脫離政治，因為人需要過群體生活。亞里斯多德說：「喜愛孤獨的，不是神就是野獸。人天生就是政治的動物。」
2. 人雖然不能脫離政治，但也不要對政治寄望太多。亞里斯多德後來建立自己的學院，專心從事教育工作。他的學院要獻給九位繆斯女神，代表要追求智慧。
3. 愛智慧要靠自己努力修行。在後代，特別是中世紀，談起任何哲學問題，只要說「那位哲學家」或直接說「哲學家說的」，指的都是亞里斯多德，好像他說過的話就是定論了。由此可見亞里斯多德對後代的巨大影響。

課後思考

我們不必也不太可能成為帝王之師，但在日常生活中要進行愛智慧的活動，思考人生問題，閱讀重要經典，找到人生方向。你對這一說法有何意見？

7-3 合乎邏輯的思考

若要肯定經驗世界，首先要有正確的思考方法，這種方法就是邏輯。本節要介紹邏輯是什麼。亞里斯多德為了駁斥各種詭辯的謬論，認真思考了有關邏輯的問題。

古希臘哲學家赫拉克利特首先提出「邏各斯」這一概念，用它代表宇宙中主導一切變化的規律。「邏各斯」後來演變成「邏輯」一詞，並成為一門學問，要研究正確的思考方法，即思維的規則。如果要駁斥別人的詭辯或謬論，首先應確保你自己的思維規則是非常明確的，這樣才能說服別人。

本節要介紹以下三點：

第一，什麼是定義？

第二，什麼是範疇？

第三，亞里斯多德的邏輯在談什麼？

（一）什麼是定義？

我們在與別人談話時會使用許多概念（即名詞），首先要界定你使用的概念是什麼意思，這就是下定義。哲學上有一種說法：定義就是邏輯的一切，邏輯所談的都是定義。

我大學本科讀的是哲學系，有位老師上課時很喜歡問：「你所謂的勇敢是什麼意思？謙虛是什麼意思？美麗或善良是什麼意思？」與別人討論時，只有把每一個詞都定義清楚，討論才會有明確的進展和結論；否則很容易各說各話，最後發現我們談的不是同一件事，又怎能達到溝通的效果？

亞里斯多德所謂的定義是怎麼回事？簡單來說，定義有一個公式：要定義一樣東西，先要把它歸於更大的「類」，然後再找出它與同類之物的「種差」。譬如，如果要定義「人」是什麼，首先要將他歸於更大的類——動物類；然後分辨人與動物的其他「種」之間的差別。「類」代表更大的範疇，「種」的位階要比「類」低一些，同一個「類」裡面可以包含許多不同的「種」，比如動物類可以細分為哺乳類、爬行類、兩棲類等不同的種。亞里斯多德認為，人與其他動物的「種差」在於理性，因此他說「人是有理性的動物」，這就是標準的定義方式。與別人溝通時，使用這種方法可以清楚界定每一樣東西。

對於我們使用的概念，要注意區分它的「意義」和「意象」。意義是客觀的，意象則是主觀的。譬如談到「龍」這一概念，中國人聽到「龍」都很興奮，因為《易經・乾卦》中提到「潛龍勿用」、「見龍在田」、「飛龍在天」，中國人將「龍」當做帝王權威和祥瑞的象徵。外國人聽到「龍」則會想到恐龍（dinosaur）或惡魔化身成的龍（dragon），會覺得很害怕。這些都屬於主觀的意象，都不夠客觀。因此，我們要設法掌握「龍」的意義是什麼。

（二）範疇是什麼？

我們今天經常使用「範疇」這個詞，到底什麼是「範疇」？古希臘人描寫一樣東西時，會思考該如何描寫它才算完備。譬如我說「張三是高大的」，代表張三的個子不會矮小，這樣就把他限制在「高大」這個範圍裡。凡是你說「一樣東西是什麼」，後面的「什麼」都是範疇。

亞里斯多德最重要的貢獻是提出「十大範疇」。「十大範疇」

中有一個很特別，叫做「自立體」。譬如，一個可以獨立存在的人或者一棟可以獨立存在的房子，都是自立體。其他九個範疇都是對自立體的限定。

試舉一例來說明。昨天（時間）在高鐵站（場所），一位（分量或數量）高大的（性質）學生（自立體）背著書包（狀態）站著（位置），看到有人受傷就跑過去幫助別人（動作），受到（被動）老師（關係）的稱讚。

這句話中包含了亞里斯多德的十大範疇。一般的新聞報導往往只關注什麼時間、什麼地點、什麼人、做了什麼事，如果用十大範疇來描寫則會非常完備，幾乎沒有任何遺漏。

（三）亞氏邏輯的三段論法

了解定義和範疇之後，接著要問：亞里斯多德的邏輯到底在說什麼？簡而言之，亞氏邏輯就是「三段論法」，即先有概念，再進行判斷，然後做推論。將兩個詞用「是」或「不是」連接起來，就是判斷。

判斷有四種基本類型，分別舉例說明如下：

1. 全稱肯定：這所學校的學生是用功的。主詞涵蓋這所學校的全部學生。
2. 特稱肯定：這所學校的某些學生是用功的。主詞只涵蓋到部分學生。
3. 全稱否定：這所學校的學生不是用功的。主詞涵蓋全部學生，且全部否定。
4. 特稱否定：這所學校有些學生不是用功的。主詞涵蓋部分學生，僅部分否定。

掌握了基本的判斷，就可以進行推論。「三段論法」是標準的演繹法。所謂「三段」是指大前提、小前提以及結論。譬如，大前提是「凡人皆有死」，小前提是「蘇格拉底是人」，由此可以推出結論「蘇格拉底會死」。也有人質疑大前提「凡人皆有死」是怎麼得來的，這只能根據我們到目前為止所掌握的經驗，所有人都會死，沒有例外。

「三段論」的推論應遵循一定的規則才能推導出正確的結論，否則容易導致謬誤。試舉一例來說明。由大前提「黃牛是吃草的」、小前提「張三是黃牛」，推出結論「張三是吃草的」，這顯然很荒謬。之所以推出荒謬的結論，是因為「黃牛」一詞有歧義，大前提中的「黃牛」是一種動物，而小前提中的「黃牛」則是指盜賣門票賺差價的人。

三段論的規則共有八條，所有邏輯課本上都有介紹，在此不再贅述。我們只需要知道：亞里斯多德是為了與別人討論、追求真理，才發展出邏輯這門學科。直到今天，大學哲學系的學生還在學習這門學科，一般稱為「傳統邏輯」或「形式邏輯」、「亞氏邏輯」。西方在二十世紀又發展出「數理邏輯」或「符號邏輯」，裡面都是符號的演算，一般人看了都會覺得頭痛，只有具備良好數學功底的人才有可能學好。不過，無論邏輯這門學問如何發展，在進行常規思考時，亞里斯多德提出的邏輯規則還是最常用到的。

收穫與啟發

1. 我們要養成習慣，在與別人討論任何問題之前，要先對使用的概念加以定義。如果別人說的話不清楚，就要先請他定義他所使用的概念，這樣雙方才有可能進行有效的溝通和討論，進一步才能得到共同的結論。
2. 我們在思考任何事情時，都要注意是否涵蓋所有相關的範疇。

範疇涵蓋得愈多，對於一件事情的了解就愈完整、愈透澈。範疇有十個，一個是自立體，其他九個是對自立體的描述，也就是對自立體所做出的某種限定。你說它是什麼，它就不是其他的一切。

3. 我們進行推論時可以使用三段論法，從大前提、小前提推到新的結論。

課後思考

你與人溝通時最常使用什麼方法？譬如你聽到別人說「張三很幸福」，你會不會請他先定義「你所謂的幸福是什麼」？

補充說明

一般人的想法可以歸結為兩點：

1. 對同一個名詞，每個人的定義未必相同，譬如每個人對幸福的定義都有所不同；
2. 就算大家接受同一種定義，每個人的態度也未必相同。對於天下人都接受的幸福觀念，我不見得非要跟著認同。

學哲學的目的不僅僅是為了與別人互動，更重要的是為了珍惜自己的生命，使生命不要浪費。我很早就主張「哲學是人生經濟學」，學了哲學之後，思考會更有邏輯，可以用最少的時間達成最大的效果，從而把握自己的人生。

我以前看過一部電影叫「小李飛刀」，他例無虛發，每發必中。人活在世界上也一樣，時間就是我們的生命，無比寶貴。我們經常會因各種狀況而陷入困惑，誰先把問題想清楚、掌握到問題的焦點，誰就能避免不必要的情緒或思想方面的浪費。對人生能更有效的加以使用，即是珍惜自己的生命。

有人說，使用邏輯方法與別人討論可能會引發爭執。其實在與別人討論時，盡量不要感情用事，這樣可以讓你更好的保存自己的能量。學哲學的目的是讓人生變得更有效率，這不是讓人向外去爭取名利權位之類的成果，而是要向內更有效的掌握自己的生命，知道自己要什麼、不要什麼，可以做出明確的選擇。我說的每一句話都是我認為該說的，做的每一件事都是我認為該做的，讓生命走在一條經由自己選擇的、並有很多前人指引的正確之路上。這樣的人生才是值得的。

7-4 著名的四因說

如果要肯定經驗世界，一定要先了解它是怎麼回事。但宇宙萬物如此複雜，又該如何了解？最好的方法就是找出萬物的原因。亞里斯多德把此前兩百多年的古希臘哲學整個綜合起來，並加入他個人的心得與創見，指出萬物的存在有四種原因。這就是西方哲學史上非常著名的「四因說」。

本節要介紹以下三點：

第一，「四因」到底是指哪四因？

第二，透過舉例來說明「四因說」的有效性。

第三，「四因」可以進一步歸納為兩個原因，成為一種特別的理論，可以用來了解我們所見的宇宙萬物。

（一）四因說

1. 質料因（material cause）

從古希臘第一位哲學家泰勒斯開始，就在問萬物的起源是什麼。泰勒斯認為是水，而後有人說是氣、是火、是土，甚至說水、火、土、氣都可以，這些都是在尋找它的「質料」。「四因說」的第一個原因就是質料因。任何東西總要有構成它的材料，古希臘在這方面談得最多。但質料因只是提供了基本的素材而已。

2. 形式因（formal cause）

第二個原因叫做形式因。要如何判斷一樣東西究竟是什麼？關鍵要掌握它的形式。譬如看到一張桌子，不會先判斷它是木頭做的還是鋼材做的，會先辨認它的形式，認出這是一張桌子。畢達哥拉斯學派認為數字、形式或形狀是萬物的起源，甚至認為數字構成了萬物。這樣一來，數字、形狀不僅是形式，也成了一種質料，這種理論不太純粹。

講形式最純粹的就是柏拉圖的「理型論」，他認為存在著宇宙萬物的原始模型。你怎麼知道這是一匹馬？因為你知道馬的原始模型是什麼。這純粹是在講形式。

3. 動力因（efficient cause）

在質料因、形式因之外，一樣東西的存在還需要有動力因。整個宇宙充滿變化，變化是怎樣造成的？在古希臘時代，世人通常會把變化歸結為機械式的原因，如吸引力和排斥力。在原子論中，原子就在彼此間任意碰撞，這代表至少有一種力量存在。後來又加入了人的情緒，如愛和恨。最後，安納薩格拉提出宇宙中有一種「知性」（Nous），它在安排一切的變化。知性是從人的角度來看的，就像人有理性可以思考，會把一切都安排得很妥當。

4. 目的因（final cause）

最後一個是目的因，亞里斯多德認為這是他自己的創見。任何東西的存在一定有一個目的。在認識一樣東西的目的時，有些觀點不太合理，譬如說「蘋果的目的是讓人食用」，這顯然比較誇張。但如果說「我的胃有這種結構，目的是為了讓我可以消化食物」，這就是合理的觀點。身體的每一種感官、器官都有它存在的目的。不僅如此，宇宙萬物也各有它存在的目的，否則它就不可能成為現在這個樣子。

（二）舉例說明四因說

我們從以下四個方面來舉例說明。

1. 人工製品

如果要造一張飯桌，首先要有木材、鋼材或塑膠等做為基本的材料，這就是質料因。然後需要確定它的形式，它是一張飯桌，與書桌有區別，這就是形式因。其實，在這個階段已經知道它最後的目的是用來吃飯的。接著需要一個木匠把木頭加工成飯桌，否則木頭永遠是木頭，不可能自動變成桌子，木匠就是動力因。最後，製造桌子的目的是讓人可以方便、舒適的吃飯，這就是目的因。

所有人工製品無一例外，都會涉及到四個原因——質料、形式、動力和目的。人類所造的一切產品，如房屋、汽車、飛機，無不如此。所以，人工製品的「四因」是最完整的。

2. 自然物

譬如，一棵橡樹是怎麼來的？橡樹最早只是一顆種子，種子裡含有構成它的材料，即質料。比較特別的是，種子裡隱含著內在的形式與目的。橡樹種子最後的目的是成長為一棵完整的橡樹，這也是它潛在的形式。透過外在條件的配合，在陽光、空氣、水和土壤的配合下，橡樹種子獲得成長的動力。這種動力不是人為的，而是自然的。

3. 專業人員

以工程師為例。當一個中學生畢業之後要上大學時，他本人就是質料。不過，他必須先了解自己將來發展的形式和目的——要成為一名工程師。了解了目的，他就會選擇攻讀工程師相關的科系。在學期間，他刻苦用功的培養自己，這是一個動力的過程，不可能有僥倖。

可見，在人的世界中，你要成為某一專業領域的人才，同樣有質料、形式、動力和目的這四因，只不過某些原因有時會混在一起，不像人工製品那樣可以做明確的區分。對年輕人來說，當他知道工程師對社會很有貢獻、待遇也不錯的時候，「知道」就是對形式的掌握。他努力奮鬥的過程就是動力，最後終於成為一名工程師，就是達成了目的。

4. 幸福的人生

人活在世界上都希望追求幸福，但途徑各有不同。一個希望追求幸福的人就是質料。他首先要知道什麼是幸福，這代表先要了解幸福的形式。接著他要修養自己，鍛鍊自己，這一過程就是動力。最後，他終於成為幸福的人，享受幸福的人生，就是達成了目的。

透過上述四個例子，說明「四因說」確實可以有效的說明宇宙萬物的存在，涵蓋了現在和未來的各種情況。不過，用四個原因解釋顯得有些繁瑣，「四因說」可以進一步簡化為兩個原因。

（三）亞里斯多德的形質論

亞里斯多德為此發明一個新詞，叫做形質論（Hylomorphism）。Hylo 就是質料，morphism 中的 morphe 就是形式。任何東西的存在，就以形式和質料這二因最為重要，因為形式往往可以包含動力和目的。

譬如，橡樹種子一定包含著質料，也包含著橡樹的形式，橡樹種子成長的動力與目的都包含在橡樹的形式之中。再比如要成為工程師，當你知道什麼是工程師的形式之後，就知道該用什麼方式才能將自己塑造成工程師，動力和目的也已經包含在工程師的形式裡了。因此，形式因非常重要，而質料因無法被替代，這兩者合起來就構成了形質論。

宇宙萬物的存在都有其質料和形式。質料愈多則形式愈少；反之，質料愈少則形式愈多。質料和形式之間有一種此消彼長的關係。譬如，將一塊木頭造成飯桌後，就不能再造成其他的人工製品了。

質料和形式之間也有連續發展的關係。譬如一棵小橡樹，對於橡樹種子來說是形式，因為橡樹種子就是要得到這樣的形式；但對於大橡樹來說，小橡樹具有很多質料，它還需要更多的形式。

在這裡要記住一個重要的詞——內在目的因。所有自然物都有內在目的因，它都會自己發展，最後長成完整的個體。正是內在目的因使自然物得以發展完成。

收穫與啟發

1. 古希臘哲學家愛好智慧，希望理解萬物是怎麼回事，亞里斯多德將之總結為四個原因，稱為「四因說」。同時，還可以把四因簡化為二因，以質料和形式來說明宇宙萬物。
2. 質料和形式可以在思想中分開討論，但實際上兩者不可分離。沒有任何質料是沒有形式的，也沒有任何形式是完全沒有質料的。譬如木頭也有木頭的形式，只是這種形式比較簡單。形式等於是共同的相（共相），就像所有的馬都屬於馬，你一看便知；質料則是使一物成為個體的因素，譬如每一匹馬的高矮胖瘦都不同。
3. 質料和形式有連續性。譬如一棵橡樹，對種子來說它是形式，對於橡樹做成的床來說，它又成了質料。橡樹在不同角度之下，既可能是形式，也可能是質料。

課後思考

以幸福人生為例，形式因是知道何謂幸福，動力因是進行相關的修養。請你就目前所知的幸福，說明你需要何種修養。

7-5 先有雞還是先有蛋？

如果要肯定經驗世界，必須說明變化是怎麼回事。本節的主題是：先有雞還是先有蛋？

亞里斯多德以「質料」和「形式」這兩種原因說明一樣東西的基本結構；另外，他還用「潛能」和「實現」這兩個詞來說明一樣東西的變化過程。

明白了亞里斯多德的思想後，就不難解答「先有雞還是先有蛋」這個有趣的問題。

本節的內容包括以下三點：

第一，凡是變化都是由潛能走向實現的過程。

第二，潛能走向實現是因為潛能「缺乏」實現，由實現才可以理解潛能。

第三，如何分辨「時間上的先後」與「邏輯上的先後」？

（一）任何變化都是由潛能走向實現

「實現」這個術語以前經常被翻譯為「現實」，但說一個人很「現實」常含有貶抑的意思。「實現」一詞可以當名詞來用，如「自我實現」，用它更容易說明變化是怎麼回事。

自然界的東西都有內在的目的，譬如一棵橡樹種子可以慢慢長成一棵橡樹，這就是從潛能走向實現。種子具有潛能，它慢慢實現，這是一個連續發展的過程。人工製品則需要外在的目的和動力，否則它不會自己變成一張飯桌或書桌。

（二）由潛能走向實現是因為缺乏，由實現才可以理解潛能

為何潛能會走向實現？還需要第三個元素——「缺乏」。這裡所謂的「缺乏」並非一般用法，而是哲學上的術語。「缺乏」就是說潛能本身缺乏實現，它自然會朝著實現去發展，而不是一般所說的「手邊缺錢」或「缺一輛車」之類的用法。

任何一樣東西都有它的「質料」，處於某種「潛能」狀態，都會要求更高層次的「形式」或更高層次的「實現」。同時使用兩組概念，就知道亞里斯多德如何說明變化了。

第一組是「質料」與「形式」，它們側重於一樣東西的靜態結構，任何東西都有質料和形式；另一組是「潛能」與「實現」，它們側重於一樣東西的動態發展，即從潛能走向實現。潛能為何會走向實現？因為它「缺乏」實現。

對於潛能和實現這一組概念，有一種很有趣的應用。譬如我在學校教書，我對一個學生說「你很有潛能」，他聽了一定很高興，覺得自己的未來充滿希望；但如果他懂亞里斯多德的思想，就知道「有潛能」意味著自己離實現還差得很遠。我對第二個學生說「你沒什麼潛能了」，他聽了一定很難過，好像自己沒什麼希望似的；但他錯了，根據亞里斯多德的說法，「沒有潛能」意味著已經實現得差不多，幾乎達到完美。可見，如果掌握了一個基本的思想系統，就可以按照這個系統來使用概念。

更重要的一點是，只有透過實現才能理解潛能。如果離開實現只說潛能，則無法理解這個潛能是怎麼回事。譬如一個小孩剛生出來，你根本無法分辨他的父母是誰，如果到醫院的產房去看，可能幾十個小孩長得都很像，有時不小心牌子掛錯，還會出現隔幾十年之後再度尋親的事情。你如果想了解這個小孩將來可能長成什麼

樣，就要看他父母的容貌。

對於動物也一樣，熊貓和袋鼠剛出生的時候，如果不看牠的父母是誰，也很難分辨牠到底屬於哪一種動物。要透過已經成年的動物才能分清牠們。這就是要透過實現才能理解潛能。

接下來我們就可以回答「先有雞還是先有蛋」這個問題了。如果說「先有雞」，別人會問：雞是怎麼來的？不是蛋孵出來的嗎？。如果說「先有蛋」，那蛋是怎麼來的？不是雞生的嗎？這聽起來像是循環論證，很難有結論。其實沒那麼複雜，答案是先有雞。因為如果不是先有雞的話，你怎麼知道那個蛋是雞蛋呢？雞蛋是潛能，雞才是實現。任何潛能要透過實現才能被理解，這就是亞里斯多德「潛能」與「實現」說法的應用。

（三）時間上的先後與邏輯上的先後

從上面的討論可以推出一組更重要、也更常用的概念，就是「時間上的先後」與「邏輯上的先後」。

譬如對於一個人來說，他先是小孩，然後慢慢長成大人，在時間上是小孩在先，這叫做時間上的先後。「邏輯上的先後」則牽涉到如何「理解」。譬如你如何理解一個小孩？小孩處於潛能狀態，你根本無法分辨他是哪種人，只有透過實現，即他的父母，才能理解這個小孩是誰，將來可能如何發展。

「時間上的先後」與「邏輯上的先後」有時候是完全不同的，有時卻是相同的。譬如對於孩子和大人來說，先有大人才會生出小孩，所以大人在「時間上」先於孩子。並且大人在「邏輯上」也在先，如果沒有大人，你無法理解小孩將來會長成什麼樣。

但是，對於「父母」和「子女」這兩個詞，誰先誰後呢？一般人會認為「父母」在先，但如果沒有「子女」，一對夫妻是不能被稱為「父母」的。因此，「父母」和「子女」這對概念在邏輯上是同時出現的。

時間上的先後是從「存在」的角度來考慮的，邏輯上的先後是從「理解」的角度來考慮的。通常從理解的角度來考慮更為重要。譬如，在《論語．子路》中，有一次孔子前往衛國，冉有為他駕車，孔子說：「這裡人口眾多啊！」冉有說：「人口眾多之後，接著應該做什麼？」孔子說：「讓他們發財。」冉有說：「如果已經發財了，還應該做什麼？」孔子說：「教育他們。」

這裡有三個詞：第一個「人多」，第二個「發財」，第三個「教育」。教育排第三，如果以時間上的先後來看待這三件事，那就麻煩了。什麼叫「發財」？有些人明明很有錢，但他並不認為自己已經發財了。如果說「大家發財之後再來受教育」，許多人恐怕永遠都不會受教育了。因此，孔子強調的是邏輯上的先後，他希望所有人能夠理解：為什麼要人多？目的是為了發財。為什麼要發財？目的是為了受到良好的教育。教育才是最終的目的所在。

收穫與啟發

1. 由亞里斯多德的理論可以肯定變化的世界。我們看到變化的世界，不再覺得是幻覺，不再覺得一切都不可靠，柏拉圖的「理型論」得到相當的修正。我們會發現，一切變化都指向一個方向——由潛能走向實現。
2. 透過「潛能到實現」這一架構，我們知道實現優於潛能。當有目標需要實現時，你就會朝目標努力，培養自己，使自己具備更好的條件。
3. 我們學會分辨「邏輯上的先後」與「時間上的先後」的不同。「邏輯上的先後」說的是如何理解一樣東西，「時間上的先後」純粹是「過去—現在—未來」的直線發展而已。如果缺乏對「邏輯上的先後」的理解，人只能在時間的變化過程中隨波逐流，根本不知道自己要走向何方。

課後思考

有兩句話請你分辨一下，一句是「時勢造英雄」，另一句是「英雄造時勢」。你能不能用今天所學的，說說你對這兩句話的看法，哪一句話時間上在先？哪一句話邏輯上在先？

第八章

亞里斯多德

界定形上學

8-1　哲學家的上帝很特別

本章進一步介紹亞里斯多德關於形上學的看法。本節的主題是：哲學家的上帝很特別。為何要談上帝？因為這是從亞里斯多德的哲學系統中推出來的重要概念，必須先加以了解。這個上帝與宗教的上帝完全無關。

古希臘時代基本上是多神論，做為哲學家則要逐漸收斂，從蘇格拉底到柏拉圖都是如此。他們認為宇宙最後的原理不應該是多元的、分散的，而是應該有一個統一的力量或一個原始的模型，柏拉圖稱之為「理型」，並由此建構「理型論」。

與柏拉圖不同，亞里斯多德強調變化的世界。面對充滿變化的世界，我們要問：變化的力量從何而來？變化有何目的？亞里斯多德由變化出發，推出所謂的「哲學家的上帝」。

本節主要介紹以下三點：

第一，亞里斯多德面對變化的世界，要找到變化的來源與歸宿，他稱之為上帝；

第二，這樣的上帝有何作用和特色？他扮演何種角色？

第三，更重要的是，這樣推出來的上帝與人類有何關係？

（一）亞里斯多德由變化推出上帝

面對充滿變化的世界，亞里斯多德的哲學要解釋變化是怎麼回事。他使用兩組概念。第一組是質料與形式。任何東西的質料愈多，代表形式愈少。當它逐漸發展到趨於完美的階段時，質料逐步減少，而形式則變多了。

另一組概念是從潛能到實現，可以更好的解釋變化的現象。譬如橡樹的種子充滿潛能，它慢慢長成橡樹，變成了實現，原來的潛能就少了。孩子長成大人，也是從潛能慢慢變成實現的過程。

宇宙萬物充滿變化，由低到高構成一個存在的層級。位於較低層級的充滿潛能，幾乎沒有實現；位於較高層級的則是充分的實現，剩很少潛能。位於最高存在層級的是完全的實現，只有形式而沒有質料，這就是亞里斯多德所謂的上帝。

（二）亞里斯多德推出的上帝有何特色

亞里斯多德推出所謂的「上帝」，他描述上帝為「第一個本身不動的推動者」（the first unmoved Mover）。這個詞是亞氏發明的專用術語，一聽到這個詞，就知道亞里斯多德的理論出現了。

如何理解這個術語？可以將它分成三個詞來看：

1. 第一個：表明宇宙萬物的變化從「上帝」而來；沒有他，宇宙萬物根本不會出現，也不會發生任何變化。
2. 本身不動：亞里斯多德的哲學系統中，任何東西只要處於運動和變化之中，就代表不夠完美，因為變化都是從潛能走向實現。所以，上帝做為完全的實現，本身不會再有任何變動。
3. 推動者：「上帝」本身不動，卻能推動萬物，他是以完美的形式和實現來「吸引」萬物歸向他。

上帝「吸引」萬物歸向他，這一點很特別。這代表萬物都不夠完美，它們的發展過程都是從潛能走向實現，逐漸趨於完美。完美的最高境界就是「第一個本身不動的推動者」，要向著他不斷前進，由此提升自己的存在層級。亞里斯多德就是用這個術語來解釋宇宙萬物的變化從哪裡開始，以及最後的目的何在。

這個上帝到底在做什麼？亞氏說：「上帝就是思想之思想。」這話聽起來很玄。上帝是純粹的形式，不可能有任何質料，因此他不可能是物質，而是純粹的精神體，並且是純粹的思想。

不過，上帝與人的思想不同。人的思想一定是想某些外在的東西，譬如我想一個人，這個人不是我。但是上帝必須是唯一的，他的思想不能向外。否則，如果上帝之外還有其他東西，上帝的思想就會構成某種行動，這樣就違反上帝「本身不動」這一特性。所以上帝的思想只能向內。換言之，上帝是思想的主體，也是思想的客體，他就是思想的本身，因此稱之為「思想之思想」。

這樣的上帝有沒有位格呢？所謂「位格」是指像人一樣具有知、情、意能力的主體。上帝既然是純粹的精神體，當然有位格；但他的位格與人不同。若與人相同，上帝就變成像人一樣的神，沒什麼了不起了。上帝有位格，特色就是：他既是思想的主體，也是思想的客體。

（三）亞里斯多德所謂的上帝與人類有何關係？

這樣的上帝不會回報我們對他的愛，這與宗教的上帝完全不同。宗教信徒認為，如果我愛宗教中的神或佛，神或佛也一定會愛我、照顧我。但亞里斯多德的上帝對於人類的愛則完全無動於衷。如果你愛上帝，上帝要回報你，他就有了行動而不夠完美。因此，人類在任何情況下都不能說「我們愛上帝」，上帝對這個世界沒有任何監督管理的願望，也沒有任何可能的行動。因此你無須向他禱告，即使禱告也沒有用。上帝已經是完美的形式和實現，萬物自然要歸向他，而他卻不需要做出任何回應。

這樣的上帝對於宇宙萬物究竟有何意義？我們曾分辨過「時間上的先後」和「邏輯上的先後」。「時間上的先後」是指一樣東西比另一樣東西在時間上先出現，前者是後者的原因；而「邏輯上的先後」是指一樣東西是另一樣東西的理由，只有了解這個理由，才可以理解一樣東西為何會出現。

由此可見，上帝不是世界的原因，而是世界的理由。如果想理解世界為何充滿變化，只有透過上帝這個完美的實現，才能了解存在層級較低的宇宙萬物。萬物都處於從潛能到實現的運動之中，世界充滿變化，但世界本身不能解釋自己的存在，因為一切都在變化，無法在世界中尋找世界存在的理由。因此必須在世界之外，在邏輯上找一個理由，那就是上帝，用他可以對世界做出完美的說明。

收穫與啟發

1. 世界充滿變化，這些變化是可以理解的。宇宙萬物都是從潛能走向實現，由此構成一個存在的層級，位於最高層級的是純粹的實現，也就是完美的形式，亞里斯多德稱之為「上帝」，是「第一個本身不動的推動者」。
2. 萬物發展的目的都是要歸向上帝，上帝是純粹的精神，是「思想之思想」。我們原以為亞里斯多德較為偏重經驗和物質，但是從他的思想體系中，最後還是推出來「思想之思想」才是完美的實現。上帝永遠只能思想他自己。
3. 這樣的上帝有位格，但他與人類不同。你不必向他獻祭和禱告，更不用去愛這個上帝，因為他根本不會回應你。

課後思考

根據亞里斯多德的說法，上帝是世界的理由，而非它的原因。你能不能在生活中找到類似的例子，說甲是乙的理由，而不是乙的原因？

8-2 形上學很玄嗎？

本節的主題是：形上學很玄嗎？「形而上」三個字出於中國的傳統經典《易經》，《易經．繫辭上》提到：「形而上者謂之道，形而下者謂之器。」所謂「形而下者」是指落在形體裡面、有形可見的東西，稱之為器物，譬如一張桌子。「形而上者」則是指無形可見的、桌子背後的原理。如果沒有桌子的原理，如何能造出一張桌子？可見，「形而上」、「形而下」有明顯的區分。中文把哲學中的一門學科翻譯為「形上學」是很有創意的。

本節的主要內容有以下三點：

第一，形上學是什麼？它探討什麼內容？

第二，如何理解形上學？

第三，學了形上學之後，人生會有哪些改變？

（一）什麼是形上學？

形上學是亞里斯多德建構的一門學問。他過世之後留下很多手稿，後代弟子整理一百多年還沒整理完。弟子們發現有一本書放在自然學之後，沒有書名，就給這本書起了個名字，英文是 Meta-physics，中文譯為形上學。其中，meta- 意為在什麼後面，physics 今天指物理學，但是古代並沒有物理、化學、生物學的區分，都統稱為自然學。「自然」是指有形可見、充滿變化的宇宙萬物。因此，Meta-physics 意為「放在自然學後面的一本書」。

形上學研究什麼內容？既然自然學是研究「有形可見、充滿變化」的萬物，那麼形上學就是研究「無形可見、永不變化」的本體。這樣一來就分出兩個世界，一個是有形可見的一切，一個是這一切背後永恆的本體。試想，如果一樣東西沒有背後的本體，怎麼可能一直變化卻還是它本身呢？譬如一朵花最後枯萎了，為何還稱之為花？因此，形上學這門學問應運而生。

這門學問到底有多難？中世紀著名的阿拉伯哲學家阿維塞納（Avicenna, 980-1037）曾說：「亞里斯多德的《形上學》，我讀了四十遍還沒讀懂。」阿拉伯哲學家的重要之處，正是他們將亞里斯多德的許多著作翻譯為拉丁文，使得中世紀的學者可以在此基礎上開展進一步的研究。其實形上學沒有那麼難，接下來我們就會對它做一些基本的介紹。

形上學有多重要呢？被譽為近代哲學之父的笛卡兒說：「形上學是哲學這棵大樹的根，如果沒有這個根，則不可能有後續的發展，樹幹、樹苗、開花、結果都談不上。」形上學的重要性由此可見一斑。

（二）如何理解形上學？

可以用「三層抽象作用」來對形上學做出解釋。第一層是物理抽象，第二層是數學抽象，第三層是形上抽象。

第一層是物理抽象。物理抽象就是把一樣東西個別的物理特性去掉。譬如，當你說「我看到一輛車」，其實天下沒有兩輛一樣的車，但你說這是車，就代表你把這輛車個別的物理特性去掉了。物理抽象是人的理性的本能運作，人的理性天生就具備這種能力。譬如小孩看到畫上有一隻獅子，看起來和貓差不多大，但他到動物園，一眼就能認出那是一隻獅子，這就是物理抽象。如果沒有物理抽象能力，人永遠只能看到個別性、特殊性。

第二層是數學抽象。譬如我買了三顆蘋果，你也買了三顆蘋果，加起來就是六顆蘋果。你看到左邊有三輛車，右邊有三輛車，加起來一共六輛車。什麼是數學抽象？你只看 3+3=6，不要管是蘋果還是車。任何東西只要可以計算，就可以用數字來掌握。此外，我們還可以抽象出圓形、方形、三角形等各種形狀，然後加以運算。這些都屬於數學抽象的運作。

第三層是形上抽象。形上抽象不問這是什麼東西，也不問能否運算，只問這樣東西是否存在。只要是存在，就都是一樣的。譬如桌子存在，太陽、月亮、房屋都存在，它們就都是一樣的。

亞里斯多德在談到形上學時，強調「把存在之物當做存在之物來看」，不要問它是不是蘋果，是不是圓形的東西，只看它是否存在。與存在相對的只有虛無。這樣一來，既然宇宙萬物都是存在，宇宙萬物就是一個整體，它們都是一樣的。

道家的莊子曾說：「萬物與我為一。」（《莊子・齊物論》）意即萬物與我形成一個整體。可見，莊子具有形上思維的能力。「萬物與我為一」並不是說萬物與我真的合一，而是說從「道」來看，萬物與我沒有分別，萬物與我都在一個整體中。

從這裡就可以了解形上學到底是什麼，它就是要追求宇宙萬物最後的、共同的根源。

（三）學了形上學之後，人生會有哪些改變？

亞里斯多德的《形上學》開宗明義指出：「人類天性渴望求知。」每個人生來就有理性，都想知道這個世界是怎麼回事，想了解它背後是否有不變的本體或真相。

接著，亞氏分析三種「知」。第一種是經驗家，看到一個人生了什麼病，他就知道應該給病人吃什麼藥，他只是有經驗的人，卻不知道為什麼吃這種藥有效。第二種是技術家，他除了知道哪種藥對病人有效，還知道為什麼有效，不但知其然，還知其所以然。一般社會上的知識就以這兩種為主。但是還有第三種，亞氏認為最重要的是「為了求知而求知」，即純粹出於好奇，想要了解真相，卻沒有想過利用這些知識來做成什麼事。亞氏稱之為「自由之學」，即自由人的學問。

西方哲學有句名言：「哲學起源於驚奇。」人對變化的世界感到驚訝和好奇，想知道變化的世界是怎麼回事，它背後有否無形可見、永不變化的本體。以此做為求知的目標，這種學問最適合人的理性去掌握，完全沒有任何應用的考慮，純粹是為了讓理性可以充分發揮其作用，使我在愛智慧的路上達到最高的層次。

在亞里斯多德看來，形上學和神學沒有差別。亞氏稱「神」為「第一個本身不動的推動者」，他就是萬物背後那個永恆不變的來源與歸宿，亦即最後的本體。

收穫與啟發

1. 形上學是由亞里斯多德所創立的學問。因為一個美麗的誤會，《形上學》這本書由於放在自然學之後，被後代弟子稱為「放在自然學後面」的那本書，這就是「形上學」（Metaphysics）一詞的來源。這提醒了我們，形上學其實並不複雜，也並不遙遠，形上學是愛智慧的人在求知時一定要設法探討的一個題材。
2. 如何研究形上學？簡而言之，不要把存在的萬物區分為「這是蘋果，那是車，那是人」，而要「把存在之物當做存在之物」來看。這樣來看的話，宇宙萬物就是一樣的，由此才能探問它們共同的來源和歸宿是什麼。

3. 學了形上學之後，會以客觀的心態來探求萬物的根源，而不再問「我學這些有什麼用」。到最後會發現，有很多知識契合於生命的根本需求。西方哲學在我們看來可能是無用之學，但它與追求人生幸福、追求理性的最高滿足有直接的關聯。

課後思考

如果要談形上學的問題，從大的方面來看，宇宙的本體是什麼？萬物的本體是什麼？人性的本體是什麼？從小的方面來看，你知道自我的本質嗎？你知道某位好朋友的本質嗎？這些都是形上學的問題。所以請問：有什麼形上學的問題曾經困擾過你？你對這個問題的看法現在是否有一些改變或調整呢？

8-3 德行是良好的習慣

亞里斯多德的形上學回應了人的理性希望求「真」的要求，每個人都想知道最後的、永恆不變的本體是什麼。人生除了求真之外，還要行善和審美。與善相關的就是倫理學。

前面介紹了拉斐爾的世界名畫「雅典學院」。在學院前，亞里斯多德一隻手指向地面，另一隻手上拿著一本書，那本書就是《倫理學》。亞里斯多德既然強調活在現實世界有它的意義，那麼人就應該學會如何待人接物，如何與別人互動，如何生活，這些都屬於倫理學的範疇。

亞里斯多德的倫理學在西方很有名，被稱為「德行論」，是西方倫理學的一個重要派別。德行論強調人生應該修養德行，但德行到底是怎麼回事？

本節要介紹以下三點：

第一，人都追求幸福，但幸福與德行有何關係？

第二，德行是什麼？亞里斯多德怎樣談德行的修養？

第三，人的知與行到底有何關係？

（一）幸福與德行的關係

人都在追求幸福，但是幸福在何處？如何才能得到幸福？我們要問一個簡單的問題：一個人只要行善就會快樂，還是只要他快樂，這種快樂就稱為善，你認為哪個對？後來確實有些哲學派別認為快樂就是善；但在亞里斯多德看來，行善才會帶來快樂。

如果說「快樂就是善」，這裡所謂「快樂」的標準該如何界定？每個人對快樂都有不同的看法，同一個人在不同的情況對快樂也有不同的看法，這樣豈不是會造成天下大亂嗎？倫理學做為一門學問，是希望提出一些基本的規則，讓社會每一位成員都可以接受，然後朝著共同的目標努力，促成整個社會的安定與和諧。

你可能會問：到底怎樣做才叫「行善」？有德行的人行善一定快樂嗎？這裡的「快樂」又該如何界定？由此可見，這個問題確實非常複雜。

（二）亞里斯多德如何說明「德行論」？

一個小孩從小按照父母的要求和老師的教導行事，他可能做到客觀上的德行，但他不了解為什麼這樣做是對的，也未必有主動選擇善行的意願。譬如在我們的《弟子規》裡面，就有很多灑掃、應對、進退的規定，孩子學了之後可能會有不錯的表現；但如果讓他自由選擇，他不見得會選擇這些客觀上的善。

然而，讓孩子從小養成習慣，會使他形成特殊的氣質，可以把行善當成一種樂趣。亞里斯多德就從這一點出發。他認為德行是適當實踐天賦潛能所發展成的一種氣質。換言之，德行不是天生的，而是後天培養的氣質。

今天說「某人很有氣質」是形容這個人長得斯文，亞氏所謂的「氣質」則是指一個人的內心狀態表現出一種穩定的情況。譬如他遇到老人總是讓座，遇到有人爭奪總是讓給別人。這種氣質是由長期習慣所養成的為人處世的態度。西方人會說「習慣是第二天性」，中國人也說「教育就是變化氣質」，這些都是類似的看法。

因此，德行是一個人在做選擇時所顯示的氣質，使我們能夠根據規則來選擇「相對於我們」的適當行為。簡單來說，德行就是一個人習慣做正確的事。「相對於我們的適當行為」是什麼意思呢？這是說我們在選擇時要做出衡量和判斷。譬如，一般人一餐要吃兩碗飯，運動員恐怕要吃四碗才夠，小孩或病人可能連一碗都吃不了。吃多少才算適當並沒有客觀的標準，需要每個人自己去衡量和判斷，量力而為。因此，德行牽涉到處世的智慧，根據規則做選擇時，不能脫離自己本身的條件。

亞里斯多德的倫理學常被描寫為「合乎中庸之道」，這裡的「中庸」和我們的《中庸》這本書無關。譬如什麼是勇敢？勇敢既不是懦弱，也不是魯莽。懦弱是不及，魯莽是過，過猶不及，兩者都不好。慷慨既不能吝嗇，也不能浪費；溫和既不能完全柔順，也不能過於兇暴；文雅既不能太粗野，也不能太卑屈；謙恭既不能太害羞，也不能太無恥；節制既不能麻痺，也不能放縱。只有處於兩個極端的中間，才能出現上述美德。

有人聽到「中間」就誤以為是「鄉愿」（好好先生），其實不然。亞氏說的「中間」是希望人不斷向上提升，努力做到卓越。關於德行修養，亞氏認為理性扮演重要的角色。要掌握其他明智的人所掌握的規則，根據規則做出適當的選擇，由此養成良好的習慣，形成某種氣質。

（三）亞里斯多德如何分析知與行的關係？

首先，亞里斯多德批評他的祖師爺蘇格拉底。蘇格拉底認為「知識就是德行」。人不了解什麼是孝順，就不可能真正做到孝順，孝順的行為只是偶爾為之，遇到考驗和挑戰則無法堅持；如果知道孝順的重要性，就會堅持到底，非做不可。這就是「知德合一」。

亞里斯多德認為蘇格拉底過於偏重理智，忽略人還有意志的問題，即意志是否堅定，能否抵抗情感和欲望的誘惑。亞里斯多德說：「我們所盼望的不是知道何謂勇敢，而是成為勇敢的人；不是知道何謂正義，而是成為正義的人，知道正義的本質不會因此就成為正義的人。」這說明知與德還是有落差的，因為人還有可以自由選擇的意志。

希臘人都追求傑出，傑出可以從身體和心智等方面表現出來。亞里斯多德在《倫理學》中特別分辨兩種「傑出」：一種是知，一種是行。一般人會偏重「行」的傑出，但是亞里斯多德認為：任何行動都表示還有潛能需要實現，都不夠完美；而一個人有傑出的「知」，代表他可以在自己的「知」裡面得到自我的滿足，慢慢接近神，成為「思想之思想」。亞氏在此表現出哲學家「一以貫之」的態度，思考中保持一貫的原則。他認為，透過理性的「知」，就能夠掌握生命的重要價值所在；行為則是隨後而來的，並非他關注的重點。

可見，亞里斯多德一方面批評蘇格拉底太重視「知」，因為蘇格拉底認為「知」包含了德行在內；但另一方面，亞里斯多德自己在區分傑出的「知」與「行」的時候，最後還是認為「知」可以和理性完全配合，「知」的重要性遠遠超過實際的行動。

收穫與啟發

1. 古希臘時代的大多數人是幸福主義。人活在世界上，追求幸福是合理的；但如何判斷是否幸福，真正的幸福是什麼，這需要哲學家來加以說明。特別需要分辨的是：一件事讓你快樂就是善，還是行善就會讓你快樂？
2. 亞里斯多德強調「中庸」的路線，就是用理性來掌握情緒和欲望，任何選擇都不要過，也不要不及，要找到適中的方式，不斷向上提升，追求卓越，如此才能真正的修練自己。

3. 亞氏認為傑出的「知」與傑出的「行」還是不一樣。亞里斯多德的倫理學並不反對你擁有必要的生活條件，像是維持基本生活所需的金錢、房屋住所等，也不反對你有好的朋友。可見，做為哲學家不能遺世而獨立，而要把這些都放在追求德行的考慮之中。

課後思考

亞里斯多德強調，教育孩子時要讓他養成習慣，形成一種氣質，總是依照規則來選擇適當的行為。你覺得這種說法合理嗎？你有類似的經驗嗎？

8-4 悲劇可以淨化心靈嗎？

介紹亞里斯多德對於真與善的看法之後，本節要介紹他對於美的看法。亞里斯多德有一本著作叫做《詩學》，是西方最早的藝術理論，其中有關悲劇的說法對後代產生極大影響。本節的主題是：悲劇可以淨化心靈嗎？

哲學中有一門學問叫做美學，是專門研究美的。「美學」（aesthetics）與「感覺」（aesthesis）這兩個詞有同樣的字根，表示美不能脫離感覺。有關美學的討論通常不能離開藝術作品，藝術作品就與「詩」有關。「詩」的古希臘文是 poiesis，代表廣義的創作，比我們今天說的「詩詞」範圍要廣。亞里斯多德的《詩學》大部分沒有保存下來，僅保存專門談悲劇的一部分。因此在談到美的時候，便以亞里斯多德的悲劇理論為代表。

本節主要介紹以下三點：

第一，所謂的「悲劇」是什麼？

第二，悲劇可以淨化心靈嗎？

第三，悲劇對後世產生的影響。

（一）悲劇是什麼？

悲劇是藝術的一種。所有藝術都是一種模仿，但模仿不等同於寫實。啟蒙運動時代有些寫實主義畫家畫了葡萄之後，連鳥都去啄那塊畫布。藝術的模仿不是那種寫實。模仿是一種理性的挑選過程，把個體中偶然的、特殊的成分去掉，將其提煉為可能的或應該的最理想的樣子。

比如古希臘時代有一位大畫家宙克西斯（Zeuxis, 約西元前五世紀前後），他要畫希臘美女海倫，海倫的美貌曾引發特洛伊戰爭。為了表現這位絕代美女的風姿，他不是用單一的模特兒，而是用了十幾位漂亮的處女，各取她們身體最美的部位來入畫。

藝術的模仿不是道德的活動，它與行為的善惡無關；它也不是自然的活動，像是生育子女、種子長成大樹之類的。藝術的模仿屬於創作的活動，可以產生和被模仿者不一樣的東西，譬如詩歌、繪畫、雕塑等等。

鑑於亞里斯多德的《詩學》僅留下有關悲劇的理論，我們就透過他的說法來了解一下所謂的希臘悲劇是什麼。悲劇有六個要素，按重要性排序依次為：第一是劇情，即故事情節，到底發生了什麼事情；第二是人物，劇中出現了哪些人物；第三是思想，到底表達了什麼思想；第四是對白，劇中的言語有何特色；第五是配樂，即背景音樂；第六是場景。

譬如，對一部電影來說，最重要的是劇情。劇情是一個完整的動作，不能沒有前因後果。電影開拍時，導演會喊「Action」，Action 就是動作，要求演員將劇情鋪陳出來。看完一部電影後，令人印象最深刻的還是這部電影的劇情。其次是人物，要看演員演得好不好，表演是否到位。美國每年都會評選奧斯卡金像獎，以表彰那些在電影中有傑出表現的演員。第三是思想，要看這部電影透過劇情和人物到底傳達了什麼思想。第四是具體的對白，對白的水準有高低之分，有些比較粗俗，看過就忘了，有些則比較深刻，可以記下來當做格言。最後是背景音樂和場景。今天我們在欣賞電影或戲劇時，還是用這六個元素來評判它的藝術水準。

亞氏認為，悲劇的劇情應排除以下三種情況：

1. 善有善報，惡有惡報。這屬於道德劇，並不是悲劇適宜表現的題材。
2. 善有惡報。一個人做好事，最後下場悲慘，這種情況會讓觀眾覺得可怕和厭惡。
3. 惡有善報。一個人做壞事，最後居然得到善終，這更讓人難以接受。

在真正的悲劇中，主要角色跟我們一樣，都是平凡人，有人性的優點和缺點，他並沒有做什麼特別的事，卻因為命運安排而遭遇可怕的後果。因此，悲劇的主角不是人，而是命運。

（二）悲劇可以淨化心靈

悲劇的作用是引發憐憫與恐懼的心理，再將我們內心的情感加以淨化。悲劇中的人物讓我們感到憐憫，因為他是無辜的，卻有不幸的遭遇；與此同時，我們也會感到恐懼，因為我們也是人，同樣的不幸遭遇也可能發生在我們身上。

譬如欣賞希臘悲劇「伊底帕斯王」（*Oedipus the King*），劇中男主角在毫不知情的情況下，做了古代所能想像的最可怕的事，他殺了父親，娶了母親。觀眾在臺下觀看時都希望不要發生這種事，而伊底帕斯王則完全不知道命運的安排。因此，一方面他是無辜的，另一方面，他做的事情確實是天理和人情都不能容忍的。

觀眾看完後，一方面對他充滿憐憫和同情，如果不能同情他，你就有共謀傷害他的嫌疑；另一方面則充滿恐懼，感覺到命運之手無所不在，隨時有可能伸過來對付自己。

在欣賞悲劇的過程中，觀眾產生憐憫和恐懼的心理，使得整個情緒好像洗了個澡，徹底得到淨化。你與鄰居本來有矛盾，鄰居家門口多放了一雙鞋你都要去吵，垃圾沒丟掉你都要去鬧，看完悲劇你就會想：我們都是人，都有一樣的命運，何必計較這些雞毛蒜皮的小事？我們與別人相處，久而久之就忘了人與人之間原始的親密關係，斤斤計較於一些瑣碎之事。可見，悲劇對於古希臘人的心理確實有相當大的影響和作用。

接著要進一步分析，歷史、詩和哲學這三者的差異。

歷史是把特殊事件當做特殊事件來加以說明。譬如亞歷山大大帝何時打仗，勝負結果如何，歷史就是談這些具體的、個別的事件。什麼是詩或藝術呢？藝術比歷史更真實，因為藝術的對象是事物與事物之間的內在本質。藝術不強調個別事件，它強調的是某種「類型」的表現。譬如有這種性格的人，就可能或必然說出什麼話，做出什麼事。它不是記錄已經發生的事，而是讓人在看到「類型」之後，可以預測將來的發展趨勢。可見，藝術的層次顯然比歷史更為抽象。哲學則是純粹描寫普遍性、追求共相（Universal）的一種學問。

亞里斯多德在著作中提出一個詞，直到今天仍在廣泛使用，叫做「詩的正義」（poetic justice）。詩代表廣義的創作，包括戲劇、小說等。所謂「詩的正義」是說，當你看一部小說，發現結局是善惡終有報應，就會讓你感到心平氣和。

有一位知名學者經常接受記者訪問，但一到晚上八點就讓記者們回去。別人問他這是為什麼，他說每天八點他都要看電視連續劇「包青天」，如果不看，睡覺會做噩夢。人間的許多事情都缺乏公平和正義，但在「包青天」這部戲中，不管你是什麼身分地位，最後都會得到善惡的報應，這就是詩的正義。

悲劇為何會淨化人的心靈？因為悲劇的結局往往出人意料，讓人恍然大悟，真相大白，這時你才知道誰真的為善，誰真的為惡，心靈因而受到極大的震撼。當把內心的憐憫和恐懼全部發洩出來之後，心態得以調整，覺得自己和其他人有共同的命運，都屬於同一類生命，由此達到淨化心靈的效果。

（三）希臘悲劇對後代的影響

希臘悲劇對後代的影響極為深遠。近代英國哲學家懷德海在其代表作《科學與現代世界》中，探討近代科學革命為何會在西方出現。他認為，過去兩千多年來，有三樣東西影響了西方人的心靈，培養出科學所需的實事求是的心態：第一是希臘的悲劇，第二是羅馬的法律，第三是中世紀的信仰。

我們不免奇怪，悲劇、法律和信仰怎麼會與科學革命有關？以悲劇來說，悲劇的主角不是人，而是命運。命運是無情的，不會因為人的意願而改變。經過悲劇的陶冶，悲劇中的命運就變成自然界的物理規律，該下雨就下雨，該放晴就放晴，不會因為人的主觀要求而改變。

西方近代科學革命來自於實事求是的心態，先要有科學精神才會有科學革命，而科學精神的培育離不開希臘的悲劇。由此可見希臘悲劇的重要作用。

收穫與啟發

1. 希臘悲劇有六個要素，即故事情節、人物、思想、對白、音樂和場景。我們今後在欣賞戲劇或電影時，可以根據這些元素來進行品鑑。最重要的是：結局要有急轉直下的遽變，瞬間真相大白，讓人恍然大悟，使我們從中可以得到某種啟發。
2. 欣賞戲劇時，先是產生憐憫與恐懼的情緒，然後將其淨化，使內心的情緒經過洗滌，恢復到正常狀態，從而可以與別人好好相處，重新出發。

3. 希臘悲劇對後世的影響極為深遠，它塑造西方人實事求是的心態，進而引發科學革命。我們也知道了藝術與歷史的不同，以及什麼是「詩的正義」。

課後思考

請你選一部喜歡的電影，對照亞里斯多德悲劇理論中的六個元素，看它是否相應。更重要的是，你看了這部電影之後，覺得自己的情緒有被洗滌的效果嗎？

8-5　人的幸福在於觀想

本節的主題是：人的幸福在於觀想。觀想（theoria）就是靜觀默想，亞里斯多德為何會有這樣的主張呢？

本節要介紹以下三點：

第一，首先要回顧亞里斯多德的哲學，看他是如何從出發點一路發展，最後到達「人生的幸福」這個結論的。

第二，亞里斯多德把幸福當做觀想，到底什麼是觀想？他為何會這樣說？

第三，亞里斯多德的哲學發展到最後還是強調要提升心靈，與他的老師柏拉圖殊途同歸。

（一）對亞里斯多德哲學的回顧

亞里斯多德對後代的影響十分深遠，後文將會一再提及他，主要是因為他肯定這個現存的、我們經驗到的世界。亞氏認為，變化並非虛幻，它可以被說清楚。一切變化都可以歸結為四種原因：質料因、形式因、動力因和目的因。其中最重要的是質料和形式。為此他還專門造了一個詞，叫做「形質論」。任何東西都是由某種質料所構成，但要區分這樣東西是什麼則要看它的形式。馬和牛不同，人造的桌子和床也不一樣。由質料和形式這兩個概念，可以說明宇宙萬物的存在。

談到變化，更實用的一組概念是「潛能」與「實現」。將上述兩組概念合起來，有一個詞特別值得注意，叫做「內在目的因」。

人類所造的器物談不上內在目的因，但是一切有生命的東西，包括植物、動物和人類，都有內在目的因。這意味著生物本身就包含了一個目的，在它實現的過程中，會不斷要求它走向那個內在的目的，這個目的不是外在的。

人活在世界上，請問有沒有內在的目的和外在的目的？往往兼而有之。一個人努力奮鬥，希望取得某種成就，這是外在的目的。另一方面，做為一個人，能否成為一個完整、完美的人？這就牽涉到內在的目的。因此，人生的幸福何在？就在於能夠抵達人之所以為人的形式與實現。這句話含有深意。如果只談人生的幸福，每個人看法都不一樣，同一個人在不同的人生階段也會有不同的看法。亞里斯多德做為哲學家，對幸福做出基本的規定——幸福在於達成一個人所應該達成的最完美的形式和實現。

（二）幸福在於觀想

一個人所應該達成的最完美的形式和實現是什麼？首先要分辨人與動物的差別何在。人是有理性的動物，人與其他動物的差別在於人有理性。因此，人的幸福當然是從人與動物的差別入手，將人的理性發揮到極致。否則，如果只注意到身體方面的滿足，只是吃喝玩樂的話，人與動物就沒有差別了。人的欲望滿足後會有彈性疲乏，刺激遞減，需要更大的刺激才能得到再一次的滿足。如此一來，欲望永無止境，人生哪還有快樂可言？西方有句諺語說得好：「欲望就像海水，你愈喝愈渴。」欲望只能帶來更多的欲望而不能止渴。既然人與動物的差別在於理性，因此人生的幸福只有一條路可走，即走向理性的極致，那就是觀想。

「觀想」一詞的希臘文是 theoria，也就是今天所謂的「理論」（theory）。與之相對的是「實踐」，希臘文為 praxis，英文為

practice。「實踐」代表需要行動，說明你仍有潛能尚未實現，因此不夠完美；「觀想」則代表不需要向外採取行動。亞里斯多德認為，人生的幸福要從這裡著手，人該做的事只有一件，就是從事理性的觀想。

觀想為何如此重要？亞里斯多德在不同場合提出不同的論證，下面將綜合予以說明。

1. 理性是人的最高機能，而理性的觀想又是理性的最高活動。當一個人進行理性思考時，會對周遭的一切沒有任何欲望或情緒反應。這就是觀想，它在內而不在外，對內而不對外。
2. 觀想這種活動比其他任何活動都更持久。如果去慢跑，很快就會疲倦，觀想可以持續幾個小時而不覺得疲勞。沒有想通想不通的問題，它純粹是一種觀賞，可以對身邊的一切具體狀況加以欣賞和了解。
3. 幸福一定包含快樂在內，彰顯人性卓越的最愉快活動，就是哲學。我們不應該奇怪，認知者的生活比學習者的生活更愉快，因為認知者代表已經知道，而學習者代表還不知道，需要繼續學習，這仍然是一種行動。
4. 哲學家比任何人都更為自給自足。他當然需要生活的必需品，也需要適度交一些朋友，但思想家能夠在孤獨中從事自己的研究，愈是思想家就愈能這樣做。後面將看到許多哲學家能夠慎思明辨，仔細的用心思考。自己用心思考和與別人進行討論是不一樣的。只有用心思考，才能使思想達到一定的深度和廣度。
5. 人的幸福應該包括閒暇在內，而任何具體的行動都會帶來壓力。閒暇就是好整以暇，沒有什麼非做不可的事，沒有什麼非要得到的東西，此時心態放鬆，理性可以充分運作。

觀想的對象最好是宇宙萬物形上學的層次。即不要把茶杯當茶杯，而要把它當成存在。這樣一來，這個茶杯就無異於高山、海洋、天空，宇宙萬物都是一個整體。

（三）最後回到提升心靈

亞里斯多德對宗教持何種態度？他的哲學中的上帝與宗教的上帝完全無關，但千萬不要就此以為他對宗教也沒有興趣，他在晚年時也顯示某種宗教關懷。他說：「我們不該聽從某些人的建議，他們說人類只應思索人類的事物，會死的人只應思索會死的東西。相反的，只要有可能，我們應努力探知永生不朽的事物。」

這一說法與他的老師柏拉圖的看法已經相當接近了。柏拉圖曾強調：「人應該盡可能的肖似神明。」古希臘辯士學派的代表普羅塔哥拉曾說：「人是萬物的尺度。」但柏拉圖認為這種說法不對，他說：「神才是萬物的尺度。」

需要強調的是，這些哲學家所說的神與宗教無關。人在愛好智慧、追求真理的過程中，一定會問：這一切最後的基礎是什麼？哲學家就用「神」這個詞來代表這一切最後的基礎。人類有打破砂鍋問到底的能力和願望，但探索到最後還是無以名之，只能用一些符號或說法來勉強對其加以描述。

最後，再回顧一下亞里斯多德的生平，並將他與柏拉圖進行對比。柏拉圖活了八十歲，終生未婚；亞里斯多德則與一般人一樣，結婚生子。柏拉圖參與政治活動是失敗的；亞里斯多德則成為帝王之師，培養出亞歷山大大帝，不過這位大帝後來的表現卻讓他不滿意。柏拉圖創辦了學院，後人稱之為 Academy；亞里斯多德創辦的團體被稱為「漫步學派」，並且留下豐富的著作。

亞里斯多德到最後還是要強調：人應該提升心靈。人活在世界上，要充分發揮人的特色，亦即理性。理性這一特色可以影響我們全部的生活，包括倫理學方面，要用習慣來培養一種氣質，讓自己根據規則來選擇適當的行為，使自己德行卓越。由此可以免除外來的災難與困擾，從而享受幸福的生活。幸福在於理性的觀想。

收穫與啟發

1. 我們可以像亞里斯多德一樣成家立業，在社會上發展，但不能忽略學習的重要，而學習的目的是要讓理性的潛能充分發揮。
2. 我們要追求人生的幸福，努力學習，但學到的觀點要與本身的思想系統相一致。我們一般人不一定有完整的思想系統，但至少要有個出發點，要從「人是有理性的動物」出發，用理性來調節我們的情感和意志。人生觀的可貴不在於誰說的對，而在於你能否形成一個系統，用實際的言行證明自己的觀點有價值。人在不同的年齡階段可能會有不同的人生觀，這也是人的形上學的自然傾向。我們不必勉強自己立刻接受幾位大哲學家的觀點，因為那需要你有個人的心得與體會。
3. 人生最高的幸福在於觀想，只有觀想能讓你進入真正的悠閒。許多事情再怎麼努力也不見得會有結果，像孔子這樣的哲學家，在別人眼中是「知其不可而為之」，明知理想不能實現，他還是要繼續做。亞里斯多德的觀想則不牽涉到現實世界的成敗問題，只牽涉到你自己有沒有適當的處世態度的問題。

課後思考

在聽過眾多希臘哲學家的說法後，尤其是亞里斯多德的總結式觀點，談到思考的極致滿足在於觀想，你會想到哪些哲學問題，並且願意每天花一點時間對它進行思考呢？

Part 3
努力安頓自我

第九章

從犬儒到伊比鳩魯

快樂在於節制

9-1 犬儒的奇特生活

亞里斯多德之後，古希臘有四派哲學對後代產生深遠的影響，分別是：犬儒學派、懷疑學派、伊比鳩魯學派和斯多亞學派。本節的主題是：犬儒的奇特生活。

今天可以用「犬儒」一詞形容一個人說話冷嘲熱諷，對什麼事都不太滿意。古希臘哲學由柏拉圖和亞里斯多德分別建構了兩個完整的系統，在他們之後就很難有大哲學家出現了。不過後續的哲學派別對於後世的影響可能更加廣泛和深刻，犬儒學派就是其中之一。

本節要介紹以下三點：

第一，犬儒學派的來源。

第二，犬儒學派的主張。

第三，犬儒學派對後世的影響。

（一）犬儒學派的來源

「犬儒」指的是以狗為師、向狗學習的人。它與中國的儒家其實沒什麼關係，這裡的「儒」代表「一般學者」。

犬儒學派（the Cynics）由古希臘的安提斯泰尼（Antisthenes, 445-365 B.C.）所創立，他是蘇格拉底的學生。安提斯泰尼對比他小十幾歲的柏拉圖的「理型論」很有意見。柏拉圖認為，所有你見到的東西，在理型世界都有其完美的、原始的模型。安提斯泰尼則諷刺柏拉圖說：「柏拉圖啊，我只看到馬，沒有看到馬的本質。」柏拉圖認為存在一個超越的「馬的理型」，做為永恆的模型或本質。

該學派被稱為犬儒學派，可能與他們經常在一座名叫 Kynosarges 的體育館聚會有關，Kyno 就是狗的意思。當他們看到一個人擁有功名富貴等社會成就時，便冷嘲熱諷，說一些尖酸刻薄的話，於是就用「犬儒」來形容他們的憤世嫉俗和自命清高。

（二）犬儒學派的主張

安提斯泰尼是蘇格拉底的學生，但他只學到蘇格拉底的一半。蘇格拉底的思想兼具兩面，有破有立。「破」就是要破除各種流俗的價值觀，「立」就是要建立他自己的哲學，尋找人生的最高智慧。犬儒學派只學到「破」的一面，卻沒學到「立」的一面。

對蘇格拉底來說，一方面他不會自命清高或嘲諷群眾，另一方面他有自己深刻的信念與原則。蘇格拉底確實特立獨行，只要是信念所在，他會不惜代價去實踐；但他特立獨行的目的不是為了標新立異，而是為了獲得更大的善，即透過親身實踐去掌握真正的智慧。犬儒學派只學到蘇格拉底不受流俗影響這一面，他們看輕世俗的名利權位和物質享受，認為人生的目的要超越於物質欲望之上，但卻忘記特立獨行之外還有更高的目的。

犬儒學派認為人生的德行只有一點，就是節制自己的欲望進行苦修，拋棄一般人所要的各種東西。他們認為只有倫理知識最有價值，「倫理」就是教人如何做人處事，德行本身就足以帶來幸福。因此，他們傾向於貶抑其他知識，藝術、科學都受到排斥。他們安於原始的粗野狀態，認為快樂在於實踐，不需要太多言語或知識，實際去做就好了。這種主張在一個亂世中很容易迎合大眾的需要。

犬儒學派最廣為人知的代表人物是帝歐根尼（Diogenes, 約 412-324 B.C.），他的年代稍晚，與亞里斯多德的年代相仿。帝歐根尼使「犬儒」一詞開始流行，他要向動物學習，宣導原始的生活方式，以此和希臘文明對抗。他認為，所謂的「文明」、「文化」都是虛偽的裝飾品。他還主張共妻、共子、自由戀愛等，並強調人只有節制欲望才能自由。

帝歐根尼自稱為世界公民，要打破人間的各種隔閡藩籬。他還自稱為狗，住在一個木桶裡，用木碗喝水。後來看到一條狗在溪邊直接喝水，於是他乾脆把木碗丟掉，也直接喝水了。他愛表現自己，從不在乎別人的生活方式，並以此自我炫耀，因而贏得很大的名聲。

關於他最有名的故事是：亞歷山大大帝統一希臘各個城邦，建立馬其頓帝國，當他來到雅典時特別去拜訪帝歐根尼，想請這位哲學家給他點開示。他走到帝歐根尼的木桶邊很有禮貌的向他請教，帝歐根尼卻說：「請你走開，不要擋住我的陽光。」這件事令人震撼，帝歐根尼完全不把威名赫赫的亞歷山大大帝當一回事。

（三）犬儒學派對後世的影響

犬儒學派對後代產生深遠的影響。一位犬儒學派的學者曾對羅馬皇帝尼祿（Nero, 37-68）說：「你以死亡威脅我，但你自己不能免於人性的威脅。」意思是說，你的所作所為違反了人性，將會受到內心的譴責。當雅典居民提議舉辦鬥劍比賽時，有位犬儒就說：「請你們先拆除那座獻給同情之神的祭壇。」意思是說，既然要舉辦鬥劍比賽，就不要再祭祀同情之神了。

在羅馬時代，犬儒學派對於人生有實際的啟發，告訴眾人應該如何生活才能自足，並由此凸顯自己的人格特色；但是，它的理論並沒有建構成完整的系統。

西方在十八世紀發生啟蒙運動，對於當時的政治和宗教都大加批判，如盧梭就批判「文明是一切罪惡的來源」。伏爾泰不同意盧梭的觀點，他曾以嘲諷的語氣戲弄盧梭，說他是「帝歐根尼的狗」。當時還有人過度強調原始社會的美好，一些學者就批評說：「你就是帝歐根尼，應該躲在自己的木桶裡不要出來。」可見，犬儒學派的思潮影響深遠，綿延不絕。

收穫與啟發

1. 犬儒學派的創始人學習過蘇格拉底的思想，但只學到「破」的一面。今天我們會用「犬儒」一詞來形容一個人自命清高、憤世嫉俗。
2. 犬儒學派只學到蘇格拉底的一半，強調人生的目的是要超越物質欲望，倫理知識最有價值，因而排斥其他學問。他們認為快樂在於實踐，不需要太多言語或知識。
3. 犬儒學派對後代的影響十分深遠，不過「犬儒」與儒家思想無關，這裡的「儒」代表「一般學者」的意思。不過巧合的是，儒家創始人孔子周遊列國時，曾在鄭國與弟子們走散，眾弟子四處尋找，後來聽人說孔子站在東門下，長得像喪家之狗。於是，狗似乎又和儒家有一點關係。今天我們用「犬儒」一詞形容一個人說話尖酸刻薄，對別人冷嘲熱諷。不過，真正要實踐犬儒學派的主張，願意過簡樸的生活，節制自己的各種欲望，還是很不容易。

課後思考

學會犬儒主義之後，你能否用這一派的眼光反觀自己，看看自己是否缺少特立獨行的個性？不過，若真要特立獨行，必須先知道這樣做的目的是什麼。

9-2 真的可以懷疑一切嗎？

本節的主題是：真的可以懷疑一切嗎？人有理性可以思考，思考的本質就是要問：「是這樣嗎？不是這樣嗎？為什麼是這樣呢？」這就是懷疑的自然表現。懷疑是尋求真理時不可或缺的方法。如果有人以懷疑為目的，認為懷疑是人生的最高原則，進而對一切都加以懷疑的話，就變成懷疑主義（Scepticism）了。

本節要談以下三點：

第一，懷疑主義的出發點是什麼？

第二，懷疑主義有哪些基本主張？

第三，懷疑主義得到什麼結論？

（一）懷疑主義的出發點

懷疑主義的代表人物是古希臘哲學家皮羅（Pyrrho of Elis, 約 360-270 B.C.），他的年代與亞里斯多德接近。皮羅原來是一位畫家，參加過亞歷山大大帝的印度遠征軍，他沒有留下什麼著作，由他的弟子充分闡釋了他的學說。

皮羅能活到九十歲，全賴幾位學生的保護。當他看到馬車迎面而來時，他問：「這聽起來像是馬車的聲音，看起來像是一輛馬車，好像馬朝我衝過來了，但這是真的嗎？」感覺不可靠，那就借助於理性判斷；理性判斷也不可靠，皮羅於是站著不動，陷入懷疑之中。所幸他的學生們學藝不精，沒有真正學到他的精神，於是趕快把他拉開，救了他一命，否則他怎麼可能活到九十歲高齡呢？

皮羅認為一個人要成為哲學家，首先要問三個問題：

1. 萬物究竟是什麼？萬物是如何形成的？
2. 人類與萬物有何關聯？
3. 我們對萬物的態度應該如何？

對於這三個問題，皮羅給出的答案是：

1. 我們對萬物一無所知，我們知道的只是人的意見，任何一種說法都有反面的意見。
2. 對於人類與萬物的關聯，我們沒有任何把握。
3. 我們對萬物要完全存疑，對任何問題都不應說出肯定的話。

皮羅本人說話十分謹慎，每句話前面都要加上「大概」、「也許」之類的詞。他說：「沒有任何東西本身是這樣而不是那樣的，沒有任何東西本身有善惡之分，一切都是人的觀念、習慣、法律造成的。」懷疑主義由此登上希臘哲學的舞臺。

（二）懷疑主義的基本主張

皮羅後代的學生把他的思想整理為以下十點，雖然聽起來差不多，但其中不乏有趣之處：

1. 不同的生物，對同一樣東西會產生不同的印象。譬如人進入森林會覺得很危險，但猴子在森林裡卻很自在。
2. 不同的人，對同一樣東西會有不同的想法。譬如中國人聽到龍會很興奮、很崇拜；西方人聽到龍則會感到很恐懼，因為西方的宗教信仰認為龍是人的死對頭。
3. 同一個人的感官作用彼此不一致。比如咖啡聞起來很香，喝起來卻很苦；臭豆腐聞起來刺鼻，吃起來卻很可口。
4. 一個人的感受隨著不同的狀況而變化。比如清涼的風吹來，會讓你神清氣爽；你感冒時則會覺得寒冷刺骨。

5. 同樣東西隨著觀點或角度不同，會呈現不同的現象。比如筷子放到水裡看起來是彎曲的，遠方的鐵軌看起來是交叉的。
6. 一樣東西要經過媒介（如空氣）才能被我們看到，因此造成了混雜現象。譬如，一片草地中午看起來綠油油的，在夕陽映照下卻變成金黃色。
7. 一樣東西由於品質的變化而使人感覺不同。譬如，將一粒沙放大來看很粗糙，溜過指縫時卻覺得很圓滑。
8. 外物出現的頻率會帶給人不同的印象。譬如，難得一見的彗星會比太陽更令人印象深刻。
9. 不同的生活方式、道德規範、法律、神話、哲學體系，也會帶來不同的看法。
10. 一般而言，萬物都是相對的。

列出上面十點的目的是讓人知道：人的感覺不可靠，人的判斷也不可靠。換言之，皮羅認為：任何東西不能就其本身而被人準確了解；對於各種不同意見，也沒有確定的辦法可選擇；任何事物也不能經由其他事物而被確知。因此我們等於對任何事物都沒有把握。

（三）懷疑主義得出的結論

懷疑主義得出以下三點結論：

1. 任何東西本身沒有真假之分，一切都是人的感覺，感覺本身是不可靠的。所有東西也沒有善惡之分，善惡是由習慣和法律所造成的。
2. 人的一切行動都是選擇的結果，以為這樣做比那樣做更好，其實這是不對的。所有行動都本於信仰，而信仰是虛幻的。
3. 人應該對一切都無所取捨，對一切都不動心，這樣就不會被欲望所困。生與死沒有差別，健康與疾病也相差無幾。如果不得不行動，就要按照或然性（出現的可能性），按照常識、習慣和法律去行動。不過，人的心裡要清楚，不能相信任何客觀的標準。於是，人的生命永遠都在探索之中。這聽起來具有某種批判精神。「一直在探索中」意味著無法得到任何真理，要擱置所有的判斷，這樣會使你變得無動於衷，從而保持靈魂的平靜。

懷疑主義還提出兩點很有意義的批判：

1. 他們批判亞里斯多德的三段論法，認為三段論中的大前提根本就不能成立。譬如在「人是會死的，蘇格拉底是人，所以蘇格拉底會死」這一推論中，大前提「人是會死的」只能由歸納法得到，然而歸納法沒有普遍性。此外，在大前提中已經隱含了結論，所以會變成惡性循環。
2. 他們也批判斯多亞學派的神的觀念。懷疑主義認為，神不是無限的，若是無限則不能運動，不能運動就不具有生命和靈魂，那就不是神了；同時，神也不是有限的，若是有限則不如整體那麼完美，而神必須是完美的。懷疑主義對當時許多重要的學派都加以批判，它本身則永遠在探索之中。

收穫與啟發

1. 懷疑主義的代表人物是皮羅，他活了九十歲高齡，他認為人不可能對任何具體的問題有明確的答案。人活在世界上，感覺不可靠，理智也不可靠，對一切都要存疑。
2. 皮羅的主張由弟子們歸納為至少十點。
3. 懷疑主義的結論是：沒有東西是真的，應該擱置所有的判斷，無所取捨，對任何事都不動心，從而不為欲望所困。這才是人生真正的目的所在。

課後思考

假設有人說「我是懷疑主義者」，你認為這句話成立嗎？他不是已經肯定有一個「我」，也有一種思潮叫做「懷疑主義」了嗎？

補充說明

如果有人說「我是懷疑主義者」，這句話本身是不成立的。不過還是要考慮為什麼要懷疑，我們就這點來做比較完整的分析。

人活在世界上，不可能生下來就是懷疑主義者，這種「懷疑主義」是後天經驗造成的。可能你從小經常上當受騙，所以對人性、對人間一切都覺得懷疑，這來自於個人經驗。另外，你可能聽過許多不同說法，彼此間有矛盾衝突，以致於你聽到任何肯定的論斷都認為不夠明確，你懷疑一切是因為你要求更清楚。但這種「個人經驗」或「要求清楚」的情況，將來也可能改變。既然懷疑是後天經驗造成的，那麼它也一定可以調整，可以改善。

所以當一個人說他懷疑一切時，他真正想表達的是他想保持一種不可知的態度，對所有的一切既不要肯定，也不要否定。不表明立場，就不會受到批評或攻擊，這是比較安全的立場。西方很多受過高等教育的人，對很多問題都保持不可知的態度。你問有外星人存在嗎？他說這不可知，不說有，也不說沒有。你問上帝存在嗎？死後的世界如何？人死之後還有來世嗎？他統統歸於不可知。這種態度固然比較穩妥，但最後就失去了發言權，別人討論、辯論很熱鬧，他只能旁觀。這是懷疑主義最大的委屈。

所以你可以懷疑，但在懷疑時也要知道，你並非生下來就是懷疑主義者，而是由某些後天經驗造成的。將來可能因為其他經驗而使你的觀念徹底調整和改變，要保留空間，不要把話說死。

9-3　享樂主義的根據

本節的主題是：享樂主義的根據。在亞里斯多德之後的四種思潮當中，享樂主義（Hedonism）要比犬儒學派和懷疑學派有更大的影響力。

本節要介紹以下三點：

第一，享樂主義的來源。

第二，享樂主義的主張。

第三，享樂主義推出什麼結論。

（一）享樂主義的來源

享樂主義的創始人是伊比鳩魯，他的年代比亞里斯多德晚四十餘年。伊比鳩魯有什麼重要性？

近代哲學家馬克思的博士論文題目就是《德謨克利特的自然哲學與伊比鳩魯的自然哲學之比較》。伊比鳩魯的思想遠承古希臘時代的唯物論者德謨克利特。

回顧一下，德謨克利特的原子論是古希臘時代具有代表性的唯物論系統，他強調存在之物只有原子和虛空。不同原子在形狀、體積上有所不同，但在性質上沒有任何差別。由於原子在虛空中的活動和碰撞，形成宇宙萬物，連人的靈魂都是由原子構成的。伊比鳩魯學習德謨克利特的原子論，以此為基礎，將其運用到實際生活中，發展出享樂主義。

（二）享樂主義的學說主張

伊比鳩魯認為值得研究的只有三門學問：自然學、邏輯學和倫理學。在古希臘時代，所謂「自然」是指有形可見、充滿變化的萬物。他認為，人只有正確了解事物的真相，才有可能正確的生活。為了得到正確的理解，首先要學習邏輯。邏輯是思維的方法，有明確的定義、範疇與合理的推論方法。用邏輯的方法了解自然界萬物，再用這些知識指導實際的人生，就稱為倫理學。因此，自然學、邏輯學和倫理學這三門學問最重要。

伊比鳩魯認為哲學要解決人生問題，他對此很有信心。他認為身體有病就要看醫生，而心理上有病（痛苦、煩惱）就要學哲學。他強調哲學有三種作用：一，對死亡不必憂慮；二，對神明不必畏懼；三，人生苦短，哲學可以讓你過得快樂。

1. 對死亡不必憂慮

死亡不過是組成人的原子的分散瓦解而已。死亡來到時，我們已經不存在了；我們活著的時候，死亡尚未來到。它們根本沒有可能共存，因此一個人沒有必要害怕死亡。

2. 對神明不必畏懼

許多人害怕死後碰到神明，也不知道死後到底是怎麼回事。伊比鳩魯是唯物論者，但是他並不否認神明的存在，他認為神明是由最精緻的原子組成的。他甚至主張多神論，他說：「神的身體和人的身體一樣，但神是由類似光的透明物質所構成。神明也有男女之分，有男女的欲望。他們說希臘文，住在遙遠的星球上，過著安分而寂靜的日子，永遠不死，絕不會干涉人間發生的一切事情。因此對於神明，我們完全不必畏懼。」

3. 人生苦短，要好好享樂

人死亡後就會瓦解而恢復到原子狀態，所以要把握活著的時候，好好享樂。想要快樂一定要學習哲學。伊比鳩魯說：「年輕人不該猶豫不決，老年人不該感到疲倦，因為關心心靈的健康不怕太早，也不嫌太晚。」學哲學的目的就是要學會享樂主義的理論。

享樂主義認為，人生的快樂與痛苦完全在於當下的感覺，不但包括身體的感覺，還包括透過回憶和預想而得到的某種心理上的感受。伊比鳩魯認為，人活在世界上，沒有超自然的神明力量在左右，神明不會干涉人間之事，因此人可以自由的追求快樂。

他的思想與德謨克利特的不同之處在於：伊比鳩魯認為人有自由，可以追求自己的快樂，而德謨克利特的原子論對人的自由則沒有這般自信。哲學就是要研究怎樣善用人類的天賦特權，透過理性思維和自由選擇，讓自己過得快樂。

（三）享樂主義推出什麼結論？

真正的享樂是什麼，這是更大的問題。真正的享樂在於減少不必要的煩惱和痛苦，這需要經過精準的計算。譬如生病時吃藥覺得很苦，但吃藥後恢復健康就很快樂。吃飯很快樂，但吃多了可能會生病而感到痛苦。所有的快樂都要透過理解，對於前因後果有充分的認識，並計算出效益的大小和持久性。

收穫與啟發

1. 享樂主義又稱為「伊比鳩魯主義」，伊比鳩魯的思想遠承古希臘時代原子論者德謨克利特的自然哲學。他認為萬物是由原子和虛空所構成，由原子構成的人死後便消散了。既然人生短暫，就應該好好享受。

2. 享樂主義特別強調三種學問：自然學、邏輯學和倫理學。要用邏輯的方法了解自然界萬物的情況，之後才能過正確的生活。正確的知才能帶來正確的行，如果毫無所知，又該怎樣選擇行動呢？這個學派不主張為了求知而求知，他們甚至說數學毫無用處，因為數學與人的行為毫無關係。
3. 若要過得快樂，就要懂得怎樣計算。計算的方法，留待下一節再做介紹。

課後思考

人是生物之一，自然會好逸惡勞。但真正的享樂主義不是發揮生物的本能，而是要由理性的角度做自由的選擇，使自己過得快樂。你認為這種想法如何？

9-4 享樂主義的快樂

本節的主題是：享樂主義的快樂。上一節介紹了享樂主義的根據，最後的結論是：享樂主義的快樂並非一般的快樂，它需要做深入細緻的計算。伊比鳩魯主張：道德是產生快樂的活動，快樂是道德的基礎，快樂是唯一的善，痛苦是唯一的惡。他以苦樂來解釋善惡，因此愈有道德的人就愈快樂。

我們要問：到底什麼是快樂？伊比鳩魯的倫理學不是教你應該做什麼事，而是教你如何計算苦樂的效益。

本節內容包括以下三點：

第一，哲學與快樂的關係。

第二，享樂主義的快樂是什麼？

第三，伊比鳩魯的實際生活方式如何？

（一）哲學與快樂的關係

享樂主義認為，哲學與快樂的關係非常直接。伊比鳩魯專門創辦了一所學校，教學生如何享樂。他自己從小學習哲學，對哲學有一定的認識。

伊比鳩魯認為，哲學的任務就是要解釋人的苦難和欲望的波動，幫助世人從追求快樂的錯誤計算中解放出來。他說：「一個聲稱自己尚未準備好研究哲學或研究哲學時機已經過去的人，就像是說自己太年輕或太年老而不適合追求快樂一樣。」找到痛苦的原因後，則很容易對症下藥。

（二）享樂主義的快樂是什麼？

享樂主義所謂的快樂，有以下四點內容：

1. 快樂不是短暫的身體上的快樂，而是要控制情緒和欲望

有時要放棄小的快樂，以免後面有大的痛苦；有時要忍受小的痛苦，追求後面大的快樂。譬如，有些中學生每天喝好幾罐碳酸飲料，年紀輕輕就患了糖尿病；有些人每天吃炸雞，導致膽固醇太高。吃喝的時候固然覺得快樂，但那只是短暫的快樂，後果恐怕不堪設想，所以要學習如何分辨和選擇。真正的快樂一定要考慮一個行為的未來性和效益的持久性，不能只看當下的需求。

2. 心理上的快樂遠勝於身體上的快樂

人的心靈可以回憶過去、想像未來，身體則沒有這樣的功能。身體本身不能做判斷，只有靠理性的判斷才能使身體免於痛苦，使靈魂免於困惑。我在這方面有一些經驗。我在美國念書的四年中，每天讀書十二小時以上，苦不堪言。壓力太大時，我就回憶過去的成功經驗，想像未來的美好前景，以此產生快樂來緩解壓力。

3. 真正的快樂不是積極的滿足欲望，而是消極的減少欲望，過簡單的生活，讓自己免於痛苦和煩惱

享樂主義認為，樸素的生活、溫和的脾氣、節制自己的欲望是達到快樂的捷徑。這可以使一個人看起來很淡泊，不會羨慕或嫉妒別人。這種快樂顯然是修養的結果，而不是一味順著天生的需求去發展。如果把得到快樂當做一個積極追求的目標，就會帶來壓力、煩惱和痛苦。

4. 這種快樂觀雖談不上有崇高的理想，但也不完全是自私自利

伊比鳩魯說：「你對別人行善，要比接受別人的善更愉快。」這就像宗教說的「施比受有福」。不過伊比鳩魯不談是否有福，而是關注怎樣更快樂。我能幫助別人，代表我有充足的資源；如果被人幫助，則代表我缺乏資源，顯然不會快樂。伊比鳩魯還說：「壞人無處容身，因為他們躲在哪裡都不會安寧，良心會暴露他們。」我們也不便追問所謂「良心」是指什麼。享樂主義的目標非常明確，立場很堅定，但某些理論並不是很周延。

（三）伊比鳩魯的實際生活

有些人批評伊比鳩魯放縱欲望，為了享受吃喝的快樂，每天要吐好幾次，這顯然是一種謠傳。他的學生描寫他生活非常有節制，偶爾喝一杯酒，平時喝水就滿足了，在經濟困難的時候只吃豆子維生，平常只要清水、麵包、蔬菜、橄欖就夠了。他甚至對朋友說：「給我一點乳酪，我就能隨時享受盛宴。」這樣簡單的生活顯示出他做為哲學家的特色。

伊比鳩魯還特別推崇友誼。他說：「最快樂的人是那些對周圍的人無所畏懼的人。這種人沒有任何敵人，對每個人都很友善，大家和睦相處，彼此完全信任，享受友誼的溫暖。對於朋友的過世也不會過度哀痛，他的內心平靜，不受干擾。」

收穫與啟發

1. 哲學與快樂關係密切，伊比鳩魯親自付諸實踐，他辦了一所學校，專門教別人如何享樂。
2. 伊比鳩魯所謂的快樂絕非表面上的吃喝玩樂，滿足身體上的各種欲求。他的快樂有四點特色：
   (1) 不是短暫的身體上的快樂；
   (2) 心理上的快樂遠勝於身體上的快樂；
   (3) 快樂不是積極的得到什麼，而是消極的減少欲望，過簡單的生活，讓自己免於痛苦；

(4) 他的快樂觀聽起來並不崇高，但也不是完全自私自利的，他認為行善比受人幫助更快樂。

3. 伊比鳩魯的實際生活非常簡樸，他很容易滿足現有的生活條件。可見，享樂主義的快樂並非字面所見的那樣膚淺。

課後思考

享樂主義的快樂不能離開理性的、精準的計算，但這種計算必須以了解人情世故為前提。每一次行動都要計算精準實在是一件困難的事，你有什麼比較好的辦法嗎？

9-5 享樂主義的快樂清單

本節要繼續介紹享樂主義，因為這個學派引發了許多誤會，而且對現代人的影響仍然很大。一個人要快樂究竟需要哪些東西？伊比鳩魯說：「如果要我去掉品嚐美食的快樂、性的歡愉、聆聽美妙音樂的愉悅、因看見美麗事物而產生的美好情緒，把這些都去掉的話，我實在不能想像善是什麼。」可見，他認為美食、性愛、音樂以及美麗的事物，都可以給人帶來愉悅的情緒。他還說：「愉悅是生活的開始與目標，你要活得快樂，要讓自己開心，讓自己高興。」

本節的主題是享樂主義的快樂清單，包括以下三點：

第一，友誼。

第二，自由。

第三，思想。

（一）友誼

伊比鳩魯特別強調友誼。他創立的學派被後代稱為「花園學派」，這是為什麼呢？他一開始講課，就在雅典市郊買了一間大房子，與志趣相投的朋友聚會共處，他充分實踐與朋友分享這一點。他在遺囑中提到兩件事。

1. 他所有奴隸都可以獲得自由。他本人是享樂主義者，而奴隸也是人，沒有自由該如何享樂呢？他把自己希望的也加在別人身上。
2. 他把自己的房舍和花園贈送給他的朋友和學生，所以後代就稱伊比鳩魯學派為「花園學派」。從這件事中，也可以看出他對朋友的態度。

快樂清單的第一項是朋友。伊比鳩魯說：「缺少朋友進食，是獅子與野狼的生活形態。」吃飯的時候一定要有朋友，孤單的吃飯就像是獅子或野狼這些野獸一樣。重要的不是你所享受的食物，而是同誰一起享受。即使面對山珍海味，如果一起吃飯的人話不投機，你也會毫無胃口；如果是好友聚餐，再簡單的食物也會讓你充滿樂趣。快樂並非來自於食物，而是來自於朋友間的默契。

關於友誼，伊比鳩魯留下的一些話值得我們參考。他說：「在智慧提供給人的幸福之中，至今仍以獲得友誼最重要。友誼使一個人由利己主義走向無私的情感，因為你會做到愛友如己。」後來他把財產贈給弟子們使用，就是最好的驗證。「真正的朋友不會按照世俗的標準來看我們，他們會充滿愛與尊重。」他還強調：「要化解對敵人的恐懼，最好是廣交朋友。對於不能做為朋友的人，至少要避免與他們結怨。如果連這一點也做不到，至少要避免與他們來往，要為了自己的利益而疏遠他們。」換言之，他希望我們廣結善緣，冤家宜解不宜結，這些都是具體而有益的處世態度。

第一屆中研院院士著名學者吳稚暉曾公開說自己是無神論者，他坦言人生只有三件事：吃飯、生孩子、交朋友。吃飯和生孩子屬於食與色，是生物的本能需求，其中當然也有快樂；但是交朋友則是一種特別的能力，只要大家有善意，三教九流之間都可以互動。

其實交朋友沒有那麼容易，需要彼此志同道合才能長久。交朋友的時候一定要先了解自己的人生觀，選擇與自己志趣相似的人來往，所以孔子談到朋友時會說「益者三友，損者三友」（出自《論語・季氏篇》。子曰：「益者三友，損者三友。友直，友諒，友多聞，益矣。友便（ㄆㄢˊ）辟，友善柔，友便（ㄆㄢˊ）佞，損矣。」）。從前的同學、同事成為朋友，後來時過境遷也可能變成敵人。這樣的敵人往往比陌生的敵人更可怕，因為他知道你的弱點，了解你的欲望和需求。

（二）自由

人有自由，才能自主選擇要過什麼樣的生活，要做什麼事。這裡的「自由」牽涉到對欲望的判斷。伊比鳩魯認為欲望有三種：

1. 自然的也是必要的欲望，譬如衣服、食物、住所等；
2. 自然的但不是必要的欲望，像豪宅、盛宴、有僕人伺候等；
3. 既不是自然的也不是必要的欲望，諸如權力、名聲、地位、過多的財富等。

這樣區分之後，就知道應該如何取捨了。我們要把握的當然是第一種 —— 自然的且必要的欲望，這種欲望讓我們能夠活下去，而且活得比較輕鬆；其他的東西則可多可少，可有可無。這樣的自由與快樂密不可分。

（三）思想

伊比鳩魯認為，你有什麼問題或煩惱，只要寫下來或說出來，就可以消除不必要的困擾。比如人最大的恐懼是死亡，或者死後遭到神明的懲罰，但是你透過思想去了解之後，就可以化解這些問題。他強調，人如果用思想去理解四方面的事情，人生就沒什麼煩惱了。「四方面」指的是：死亡、神明、疾病和貧困。

首先，死亡是原子的分解。人的生命來自於原子的組合，死亡只是回到原來的狀態，每個人都是如此，所以不必害怕。其次，神明根本不會在乎人間之事，對於人死後的賞罰也沒有興趣理會。了解這一點，就不會陷入迷信或畏懼神明。對於疾病，既然人有身體，就不可能完全避免疾病，事先可以預防，事後可以醫治，不必有太多煩惱。對於貧困，導致貧困的原因有很多，或是因為遇到亂世，或是因為遇到壞人，或是自己理財失誤、運氣不佳、失業潦倒等等。知道貧困的原因之後，就可以過著安貧樂道的生活。

伊比鳩魯的享樂主義提供給我們的快樂清單就是三點：友誼、自由與思想。最後，你還要學會如何計算苦與樂的效益，保持內心的知足。他認為，一個人不知足則不可能幸福，就算是世界的主宰也不例外。因為他主宰了這個世界，還想主宰別的星球。伊比鳩魯強調：沒有恐懼，也沒有欲望和痛苦，真正的幸福在於心靈的寧靜與和諧。

對現代人來說，這個學派還是很有吸引力的，他們強調一種高尚的審美情操。你可以擁有、享受各種物質資產，但要適度而不要過分。凡是可以讓你達到快樂這個目的，不論是藝術品也好，科學產品也好，你都可以使用，但是你又能適當的約束自己的欲望。以上這些說法基本上可以得到現代人的認同。

收穫與啟發

1. 友誼。要廣結善緣或化敵為友，如果無法做到，則要設法避開敵人，不要與之接觸。
2. 自由。你可以自由選擇過簡樸的生活，以此掌握你的欲望。只有自然而必要的欲望需要適度地予以滿足，其他的都是身外之物，可多可少，可有可無。
3. 思考。要想清楚什麼是死亡、神明、疾病和貧困，這樣就知道要採取什麼樣的態度。伊比鳩魯後來甚至認為隱居最好，可避開共同生活的需求，擺脫政治和商業的牢籠。另一方面，他很珍惜朋友間的友誼，朋友相聚一堂很容易達到一定的快樂水準。

課後思考

你可以接受享樂主義的快樂清單嗎？你會怎樣列出自己的快樂清單，要加上什麼或減少什麼？

補充說明

談到享樂主義的快樂清單，許多人認為除了友誼、自由、思想之外，還要加上親情、感恩、責任、學習、興趣等等。我們要進一步思考，伊比鳩魯為何要這樣分類？

1. 友誼涉及我與別人的關係。人是社會性的動物，不能離開人群，要與別人互動往來；更廣泛來看，親情、感恩、責任等都與友誼類似，屬於我與別人之間的關係。
2. 思想則涉及我與自己的關係。你要想清楚，自己害怕什麼，追求什麼，這時沒有人能幫得上忙。你可以透過學習，廣泛汲取他人的經驗，做為參考。
3. 最核心的一點是「自由」。首先要排除各種外在的干擾，不被外在的力量所控制，然後再轉向內在，自己選擇要過什麼樣的生活，比如本節提到的「自然的與必要的」生活。

談到快樂清單，首先要說明的是，我不是享樂主義者。但是我也有自己的快樂清單，我在這方面受儒家的影響比較深。

1. 要真誠，即孟子所說的「反身而誠，樂莫大焉」。要做到真誠，就不能忘記孟子說的「反身」二字，就是要經常反省自己。真誠絕不是想說什麼就直接說，想做什麼就立刻做；而是常常想自己可能錯了，自己可能哪裡做得不對，哪裡做得不夠好，這才是真誠。

2. 尊重別人。儒家強調不能脫離人間，在與別人互動過程中，不管是朋友還是其他各種關係，都要彼此尊重。
3. 遵守規範。任何社會都有既成的規範，伊比鳩魯也認為沒有必要去違背社會規範，這樣可以有效避免外界的干擾。

對自己要真誠，對別人要尊重，對社會既成的規範要遵守。三點都做到的話，人不太可能不快樂。

第十章

斯多亞學派的高貴理想

從西塞羅到奧雷流士

10-1 向宇宙的規律看齊

本章的主題是斯多亞學派的高貴理想。該學派在西方有很大的影響力，許多西方學者如果沒有明確的宗教信仰，通常都認為自己屬於斯多亞學派。

其思想具有兩點特色：第一，向宇宙的規律看齊；第二，堅守道德的底線。本節的主題是：向宇宙的規律看齊。

古希臘哲學自亞里斯多德之後出現分崩離析的現象，大家紛紛把哲學應用於實際生活，希望解決新時代的挑戰，使個人生命得到安頓。因此，這些哲學的架構都顯得比較狹隘，內容也比較簡單。其中有影響力的是四個學派：犬儒學派、懷疑學派、伊比鳩魯學派以及斯多亞學派。

在四個學派之中，伊比鳩魯學派和斯多亞學派最受重視，兩者之間形成一種有趣的對比。

一般人都喜歡伊比鳩魯學派的享樂主義，它重視個人的享樂而不談對社會的責任，能充分享用科技、藝術和文化產品，有自命風流的意味。

而斯多亞學派受到許多人的尊敬，它重視個人對社會的責任而不談享樂，強調理性、自然和命運，有自命清高的風骨。

西方文化界自啟蒙運動以來，最推崇的就是斯多亞學派。

本節要介紹以下兩點：

第一，斯多亞學派的由來。

第二，斯多亞學派的自然哲學強調向宇宙看齊。

（一）斯多亞學派的由來

斯多亞學派的出現純屬偶然，它的創始人名叫芝諾（Zeno of Citium, 336-264 B.C.），一般稱為西提翁的芝諾或斯多亞學派的芝諾，以區別於埃利亞學派的齊諾。前文介紹過埃利亞學派的齊諾為了幫老師巴門尼德辯護，發明了歸謬法，並拓展辯證法的應用範圍。

斯多亞學派的芝諾本來是一位成功的商人。有一天，他在運送原料途中遭遇海難而借住在朋友家中。這位朋友是雅典的書商，正在讀一本哲學書。芝諾由此開始接觸哲學，他後來還讚美海難是上天善意的安排。

「斯多亞」（Stoa）一詞本來是指芝諾講學的一個大廳，其柱廊上有彩色的繪畫，在希臘文中，「斯多亞」就是「有彩色繪畫的柱廊」。因此，世人便以「斯多亞」做為該學派的名稱。因為該學派的學者在英文中被稱為 the Stoic，所以斯多亞學派中文常被翻譯為「斯多噶學派」。但談到這個學派時，無論英文、法文還是德文，都稱之為 Stoicism（或 Stoicisme, Stoicismus），沒有「噶」的發音，因此譯為「斯多亞學派」更接近原音。

芝諾的個人生活很有特色，他在亂世中講究理性，重視道德，生活簡樸，為人正派。他的形象非常好，許多年輕人常圍在他的身邊請教問題，雅典人把城邦的鑰匙交給他，還替他樹立雕像，表示對他的尊崇；甚至在他活著的時候就為他立了墓碑，表示他將會傳之久遠。他生性害羞，盡量避開人群聚會。他在飲食方面十分節儉，最喜歡的食物是綠無花果、麵包、蜂蜜加一小杯酒。他的大衣非常簡陋。當時流行一句話——「比哲學家芝諾更清心寡欲」，用來形容生活簡樸的人。

芝諾認為，哲學是引導生活的藝術，人生的意義就在於取得自身的和諧以及與自然界的和諧。他要在個人身上實現人類的理想。有一次他居住的城邦遭到洗劫，別人問他有什麼損失，他說：「我沒見到任何人帶走知識或智慧。」可見，他這個人還是很有特色的。

由他創建的斯多亞學派綿延了五百多年，分為前期、中期和晚期。真正大放異彩則是在晚期的羅馬帝國時代，此時出現三位重要的代表人物——塞內卡、愛比克泰德以及羅馬皇帝奧雷流士。

（二）人應該向宇宙看齊

斯多亞學派的自然哲學有何內容？他們認為萬物是一個整體，人應該向宇宙看齊。這種觀點結合了泛神論與唯物論。泛神論肯定萬物是神，萬物中都有神的力量存在；唯物論認為只有從物質的角度才能理解萬物。他們認為：除了我們看到的自然界之外，另外還有邏各斯存在；自然界與邏各斯的關係，就像身體與靈魂的關係一樣，萬物均受邏各斯的支配。從「邏各斯」一詞可以看出赫拉克利特的啟發。這種觀念可用一句話來概括，即「上帝就是世界的意識」。直到今天，還是有許多教派秉持類似的觀點，把神當做世界的意識。

芝諾認為，神即是「上帝」、「邏各斯」、「理性」、「命運」、「宙斯」。他用不同名稱描寫神，以體現神的不同作用：

1. 神就是理性，代表神有理解能力，宇宙萬物沒有任何莫名其妙的東西。
2. 神就是命運，代表神有規則，沒有任何例外。
3. 神就是宙斯，即古希臘神話中管理世界的天神，代表神統治整個世界。

受赫拉克利特的啟發，芝諾認為：宇宙萬物的背後有一個宇宙之火在掌控一切；宇宙大火會週期性的出現，神創造世界之後，宇宙大火又回收了世界，這是一種永無止境的創世與滅世的過程。每一階段世界的所有細節與之前的世界是完全相同的，這是一個永遠重複的過程。

十九世紀德國哲學家尼采依然接受這種觀念，稱之為永恆的輪迴。這種宇宙觀認為，宇宙是命定論系統，一切都是被決定的。按照這種宇宙觀，可以理解宇宙的規律和自然的發展模式。但在這樣的宇宙中，人該如何生活？如何說明人的自由和責任？如何表現個人生命的特色？這是下節要介紹的重點。

收穫與啟發

1. 與伊比鳩魯學派的享樂主義針鋒相對的就是斯多亞學派，最好將之譯為「斯多亞」而不是「斯多噶」。
2. 斯多亞學派由西提翁的芝諾所創立，他在自己的學院中長期講學。他對過去的哲學家有一定的認識，而且其個人生活富有特色，因此他在世的時候就受到了高度的尊重，他以個人的實踐贏得良好的形象。斯多亞學派前後綿延五百多年，在羅馬帝國時代大放異彩，出現三位重要的代表人物。
3. 斯多亞學派的宇宙觀可概括為一句話——向宇宙的規律看齊。宇宙是一個整體，「邏各斯」、「上帝」、「理性」、「命運」、「宙斯」都是同一個意思，都代表自然界的靈魂。他們結合了泛神論與唯物論，形成一個整體的宇宙觀，認為定期會出現宇宙大火。

課後思考

你也許和西方很多知識份子一樣，喜歡伊比鳩魯學派而尊敬斯多亞學派。請你思考一下，喜歡與尊敬這兩種情感是怎麼回事？

你有類似的經驗嗎？對某些人、某個團體或某種學說，你能否分辨自己是喜歡多一些，還是尊敬多一些？

補充說明

斯多亞學派的宇宙觀認為有宇宙大火或邏各斯，這個觀念顯然來自赫拉克利特。赫拉克利特屬於古希臘哲學的開始階段，那時很少有明確的唯物和唯心的分辨。譬如泰勒斯說「萬物的起源是水」，又說「萬物都充滿了神明」，可見當時並沒有對「物質」和「精神」的分辨，他認為宇宙是一個整體，比較傾向於「萬物有靈論」或者泛神論。而說斯多亞學派是唯物論，這是針對德謨克利特的「原子論」來說的，他們認為宇宙萬物是由具有同樣性質的原子所組成。

「泛神論」的英文是 pantheism，其中 pan 就是萬物，theism 就是有神論。泛神論可簡單概括為一句話──萬物就是神，神就是萬物。為什麼會有泛神論這種想法？因為這樣可以迴避一個問題：如果神與萬物不同的話，請問神在哪裡？人的思維很容易落實到有形可見的層面，一定要問神在哪裡。其實，神本身並沒有所謂的「質料」或「潛能」，神不一定非要在某個地方。

泛神論主要表現在文學作品上。許多作家在風和日麗時會覺得萬物真美，春夏秋冬井然有序，自然界表現得非常有規律，不像人的世界這麼複雜。但不要忘記，自然界也可能有災難，當遇到地震、山崩、海嘯、火山爆發這些災難時，你說「萬物是神，神是萬物」，那你何必逃難呢？泛神論的思想在西方哲學界不太受到肯定，因為若把萬物當做神，人也是萬物之一，人也是神了。

斯多亞學派未經深入的思辨，無法接受柏拉圖的理型論或亞里斯多德的上帝觀，他們認為那些說法過於玄想。他們於是接受唯物論，認為一切都是物質，你所見的自然界就是一切，由此構成封閉的系統；同時也接受泛神論，認為萬物就是神，何必另外去找？因此，唯物論和泛神論的結合是很自然的。這樣一來，人就不用思考「神在哪裡」這類問題。當時有很多學派都叫人不要去想這些根本無法得到答案的問題。

其實，柏拉圖和亞里斯多德對這個問題已經進行過深入的思考，他們認為應該有一個最高位階的存在做為出口，像柏拉圖所謂的「理型」或「善本身」，或是亞里斯多德所謂的「第一個本身不動的推動者」。但如果你真要把它落實，就可能變成一種教條。後來的中世紀哲學，就是往教條的方向去發展的。

10-2　堅守道德底線

本節的主題是：堅守道德底線，介紹斯多亞學派如何看待自由與罪惡。在亞里斯多德之後，古希臘城邦政治開始瓦解，隨後進入帝國時代，這段時間稱為希臘化時代。希臘思想開始影響到周邊地區，一路發展到羅馬帝國時代，影響力頗為可觀。

斯多亞學派的宇宙觀結合泛神論與唯物論，認為宇宙是一個整體，上帝是宇宙的意識，這是一種命定論。定期的宇宙大火會讓一切重新開始，按照同樣的細節重新發展一遍。我們要問的是：在這種命定主義裡，人有自由嗎？如果沒有自由，道德又從何談起呢？

本節要介紹以下三點：

第一，人的自由問題。

第二，對善惡的判斷。

第三，世界主義的萌芽。

（一）人的自由問題

如果宇宙是一個命定的系統，一切都按自然法則發展，那麼讓人遵守自然法則便失去了意義，因為人本來就在自然界中，被自然法則所支配。人到底有沒有自由呢？斯多亞學派認為，人沒有外在的自由，但有內在的自由。內在的自由表現為以下三個方面：

1. 發生的一切事情都是神的旨意，人要欣然接受。假設生病了，根本無須抱怨，要把生病當做是神的安排而欣然接受。事實上，這種事不接受也得接受。

2. 主動改變對事件的判斷及態度。斯多亞學派認為，人不能阻止命運帶來的快樂和痛苦，但可以改變自己的判斷，認為快樂並非好事，痛苦並非壞事，從而保持自我滿足的自豪感。
3. 肯定神安排的一切都很好，由此變成一種樂觀主義。因此，人的自由在於主動改變自己內心的態度。

學習斯多亞學派時要注意，他們對同一樣東西會採用許多不同的表述。譬如上帝是宇宙的法則，人的理性與宇宙法則相呼應，類似於天人感應。人要按照理性來生活，就是要按照自然來生活。英文的 nature，既代表自然，也代表本性。人的本性就是理性，懂得這一點，就不會去做法律禁止的事情。

什麼是德行？德行就是依理性而活，也就是依自然而活。我們要分辨斯多亞學派所謂的「自然」和犬儒主義的用法不同。斯多亞學派的「自然」不是指原始的本能，而是指「依理性而活」。人的本性就是理性，理性可以了解宇宙的秩序與自然的原理，進而肯定這一切都在人的靈魂之中。因此，人應該為了自身的目的去行動，而不是因為希望、恐懼或外在的動機而去行動。這樣一來，就把自由從外在轉向內在，變成自己理性的理解和覺悟。

（二）對善惡的判斷

斯多亞學派認為，按照理性（人的本性）做出選擇，履行一切適當的責任就是善。行為本身無關乎善惡，善惡在於動機，在於人的意念或意向。在人的意志中缺乏正確的秩序就是惡，亦即人的意向沒有得到理性的引導。

斯多亞學派對於善惡的判斷觀點比較特別，且這種觀點從早期到晚期在逐漸改變。早期觀點認為，世上只有善和惡兩種人。美德或德行是一個整體，各種美德相伴而生，若有德行便不可能有任何惡行，若非全善，即是全惡，沒有中間階段。斯多亞學派有時也被稱做「嚴格主義」，因為太過嚴格，對於德行沒有中間漸進的過程。

對於這種觀念可以這樣理解，譬如有兩個人前往臺北，一個人說「我現在距臺北五十公里」，另一個人說「我比較近，距臺北只有五公里」，但他們都還沒有到臺北，目標都未達成，並非接近就代表更好。斯多亞學派的說法旨在強調人格的完整性，因為古代對於人格的了解比較單純。現代心理學對人格的看法則比較複雜，最誇張的說法是，一個人竟然有二十六種不同的人格。

從斯多亞學派開始，人格在歷史上第一次成為判斷一個人生命價值的決定性原則。一個人征服世界等於是要征服自己的情感、衝動和欲望，從而不受外界干擾。有智慧的人會根據合理的原因為國家或朋友受苦受難，甚至犧牲生命。他們對於善惡的基本觀念就是「若非全有，即是全無」，西方有一句廣為人知的話「All or nothing」，就是從這裡衍生出來的。這顯然是相當極端的觀點。

（三）世界主義的萌芽

斯多亞學派認為宇宙是統一的整體，來自同一個神，由同一定律所支配，從而形成一個完整的結構。人類雖有民族、地區、觀念上的不同，但人的理性都是一樣的，因此人類屬於同一類，真正的愛智者應該成為世界公民。從這裡就衍生出世界主義，它的原意是把宇宙看做一個整體，英文是 cosmopolitanism，cosmo 就是宇宙，-politanism 就是要把宇宙當做一個城邦、一個國家。因此，斯多亞學派在道德上的要求較為特別。一方面，人是自己的主宰，要追求內心的平靜。德行就是皈依於一種普遍主宰的力量，人的德行從屬於自然界的規律，也就是神的規律。另一方面，世間所有人都跟你一樣，應該形成世界一家的觀念，這稱為世界主義。

收穫與啟發

1. 要把人的自由理解為：自由就是有意識的情願去做必須做的事，一切都在必然性的控制之下，一切都是命運的安排。命運與上帝或普遍的理性是一樣的，因此人的自由完全是內在的自由。透過理性的了解，改變自己對事件的判斷及態度，把任何事件都當做神的旨意欣然接受。以此而論，人還是自由的。
2. 早期斯多亞學派對於善惡的判斷非常嚴格，甚至走向極端，他們認為一個人或是善人或是惡人，沒有中間階段。一個正在修練的人尚未達到善的程度，他還是惡人。一旦進入善的世界，就進入了一個特殊領域，一切言行表現全都合乎善的要求。這與現實生活顯然頗有差距。斯多亞學派的後代學者逐步修正這種觀點，進一步強調修德的重要性。
3. 斯多亞學派表現出一種世界主義。儘管世人在生活地區、所屬國家、風俗習慣、宗教信仰方面各不相同，但人的理性是相同的。我們都是人類，應該組成共同的國家；我們都是世界公民，應該發展世界主義。這種觀念顯示一定的高貴性，令人嚮往。

許多西方學者如果在政治上或宗教上沒有明確的個人信仰，通常會欣賞斯多亞學派的觀點，進而在言行上有類似的表現，雖不能至，心嚮往之。我們很難想像，一個封閉的系統最後能演變出對人格尊嚴的肯定。

課後思考

你是否使用過斯多亞學派的方法？當遇到一件事的時候，心想既然已經發生了，無可奈何，不如改變對這件事的態度而安心接受，最後發現一切都有它的道理。就像斯多亞學派的創始人芝諾因為遭遇海難而學習哲學，建立了斯多亞學派，最後把這一切說成是神的安排。

補充說明

有關自由的問題非常複雜，將來會一再出現。到目前為止，所謂的「自由」簡單說來有三種。

第一種，只要你身體健康，就有自由行動的可能。你可以跑來跑去做很多事，譬如念書、上班。

第二種，只要你心智正常、能思考，你就有自由。對於每天發生的事，你可以被動的接受它；同時你可以思考，了解事情的前因後果，知道那件事對自己的影響，自己在其中扮演了什麼角色。一般認為，身體健康、可以自由行動是外在的自由；心智正常、可以針對每天發生的事進行自由思考，這雖有被動性，但至少是一種內在的自由。

第三種也是一種內在的自由，即亞里斯多德所謂的「人生最高的幸福是觀想」。觀想要按照自己的知識水準，它基本上不需要有任何行動，不是為了使潛能得到實現，也不是為了應對日常生活的被動反應，它沒有明確的外在目的。針對我過去的經歷、針對別人的遭遇或者針對整個自然界，都可以從事觀想。觀想本身不帶來行動，也沒有情緒上的反應，這可以說是自由的極致。

外在的行動自由與內在的心理自由都是人的本能，只有達到觀想的程度，才能顯示有理性的生命的最高境界。自由是一個複雜的題材，很多哲學家都有自己的看法，在後續的章節遇到相關問題時會再做進一步的說明。

10-3 入世精神的典型

斯多亞學派前後綿延了五百多年，我們要在中間穿插介紹一位羅馬哲學家西塞羅（Marcus Tullius Cicero, 106-43 B.C.）。本節主題是入世精神的典型。西元前 146 年，羅馬在軍事上征服了希臘，但在文化上，希臘反而對羅馬產生了廣泛的影響。正是西塞羅將希臘哲學以通俗易懂的方式介紹給羅馬人。

本節將介紹以下三點：

第一，西塞羅尋找人生之路。

第二，西塞羅的哲學立場是折衷主義。

第三，西塞羅對後代的影響。

（一）西塞羅尋找人生之路

西塞羅年輕時曾到過雅典附近的德爾菲神殿，他向神請教：「我怎樣才能獲得最大的名聲？」得到的回答是：「你要以自己的本性，而不要以輿論做為生活的指南。」神是在提醒西塞羅，要想獲得最大的名聲，一定要順著自己的本性加以發揮，而不要整天注意別人對他的評論。

西塞羅確實做到了。他年輕時廣泛學習各種哲學，後來了解到希臘人在演講術方面成就非凡，於是向一位當時著名的希臘學者學習演講。這位希臘學者不懂羅馬時代的主要語言拉丁文，就要求西塞羅用希臘文進行演講。西塞羅才華橫溢，他用希臘文做的演講博得周圍聽眾的一致讚美。這位老師沉默幾分鐘之後才說：「西塞羅，我佩服你，也讚美你，但我憐憫希臘，因為演講與口才是希臘僅存的光榮，這些光榮現在卻被你轉移到羅馬名下了。」

西塞羅的演講術在當時堪稱一流，據說凱撒（Gaius Julius Caesar, 100-44 B.C.）聽到他的演講也感動得全身顫抖。那時正處於羅馬帝國的形成階段，羅馬帝國正式建立於西元前 31 年，西塞羅在此之前已過世了，但西塞羅的一生都與羅馬的政治密切相關。

西塞羅一生大部分時間都在從政，在此之前他一直研習哲學，到了晚年，他又回到哲學的懷抱。西塞羅的從政經歷令人刮目相看，他正處於羅馬帝國建立之前的「前三雄」階段。

在羅馬帝國建立之前，有所謂的「前三雄」和「後三雄」。「前三雄」是指：龐培（Gnaeus Pompey, 106-48 B.C.）、凱撒以及克拉蘇（Marcus Licinius Crassus, 約 115-53 B.C.）。「後三雄」是指：安東尼（Mark Antony, 約 83-30 B.C.）、屋大維（Gaius Octavius Augustus, 63-14 B.C.）以及雷必達（Marcus Aemilius Ray Lepidus, 約 89-13 B.C.）。這些人都擁有財富、權力或軍隊，可惜西塞羅支持的龐培最後敗於凱撒，所以西塞羅的下場並不理想。

西塞羅在西元前 66 年被選為首席執政官，並因而被推舉為國家之父。很難想像一位哲學家、修辭學家、辯論家能達到如此高的政治地位。在後來的政治鬥爭中，他被放逐而流亡海外。在他流亡期間，羅馬的元老院為他穿起喪服，在沒有通過他回國的決議之前，不敢討論其他任何議案。可見，他受到當時社會的廣泛尊重。

（二）西塞羅的哲學立場是折衷主義

所謂的「折衷主義」有點像中國古代的雜家，吸收各家各派思想的精華，但它本身缺乏原創性。西塞羅承認自己學習的是蘇格拉底與柏拉圖，他對柏拉圖《對話錄》推崇備至，他說：「如果愛神邱比特可以寫作的話，他的作品應該就像柏拉圖所寫的一樣。」

其實，西塞羅對於古希臘各個學派都有研究，但他沒有建構出自己的系統。他承認自己的作品是複製品，但他的特長在於，可以把希臘思想巧妙而充分的介紹給羅馬人。他的哲學有以下三點特色：

1. 他的作品是標準的哲普作品，適合普及大眾，一般人都聽得懂

我年輕時閱讀方東美先生的著作，他引用西塞羅的一句話來鼓勵大家學好哲學：「哲學，人生的導師，至善的良友，罪惡的勁敵，如果沒有你，人生又值得什麼！」有了哲學的指導與陪伴，人生就有了明確的方向——要設法行善避惡，人由此可以展現其特有的價值。

2. 他的思想對一般人來說是非常高檔的心靈雞湯

他認為人的道德意識是與生俱來的，每個人天生具有內在的道德觀念，它一方面出於人性，另一方面也由普遍的公意（大家的意見）所決定。這就是說，道德一方面有人性的依據（可惜他對人性未做充分的說明），另一方面道德也表現在社會上，展現於法律和風俗習慣中。他的倫理學強調，一個人有德行就能獲得幸福，但對於外在資產也不必排斥，這有點像亞里斯多德的漫步學派的說法。他也認為，智者應該免於情緒與欲望的困擾，這些都是希臘哲學家發展出來的觀點。

3. 他認為民間宗教混淆不清，需要加以淨化

他要去除粗劣的迷信以及各種有關神明惡行的描述，只保存兩點：神明是眷顧人的、人的靈魂是不死的。掌握這兩點，宗教就能與一般人的生活需求相結合，也能助人逐步提升道德水準。

此外，他還強調「人類之愛」的理想。他引述柏拉圖的一封書信：「理性鼓勵眾人擴大心胸，從親友之愛推廣而形成社會之情，要與同胞結合，再與人類結合。理性提醒世人，人活著不只是為了自己，同時也要為國家、為人類，所以留給自己一小部分資產就夠了。」這種從理性出發推廣為人類主義的思想，顯然與斯多亞學派的觀點相吻合。可見，西塞羅確實表現折衷主義的特色。

綜上所述，西塞羅是典型的羅馬哲學家，他的思想屬於折衷主義，即把他認為最好的、最適合大眾的哲學思想整合起來，但缺乏完整的系統和原創的見解。同時，他年輕時學過演講術，能充分表達自己的思想。他一生的大部分時間都花在從政上，對羅馬的百姓有一定貢獻。

（三）西塞羅對後代的影響

西塞羅真正的影響力表現在文藝復興之後，高潮出現在啟蒙運動之中。啟蒙運動的學者大力推崇西塞羅。法國百科全書派的主編狄德羅（Denis Diderot, 1713-1784）說：「西塞羅確實是羅馬哲學家第一人。」《論法的精神》的作者孟德斯鳩（Montesquieu, 1689-1755）說：「西塞羅是羅馬人之中能把哲學從學者手中抽離出來，並解決其外語障礙的第一人。」這是說他能把希臘文順利轉換成拉丁文來表達。英國哲學家休謨甚至說：「西塞羅的聲望現在如日中天，亞里斯多德反而全面式微了。」

另一位啟蒙運動的代表人物伏爾泰寫過一部《拯救羅馬》的劇本，他曾自己上臺扮演西塞羅，觀眾認為他簡直把西塞羅演活了。《羅馬帝國衰亡史》的作者歷史學家吉朋（Edward Gibbon, 1737-1794）讀遍了西塞羅的書信與演說集，最後說：「我從中感受到語言之美，呼吸到一種精神的自由，從他的訓示中體會到公共意識與個人意識的分野。」

西塞羅所處的年代，哲學已從希臘時代過渡到希臘化時代，並逐步進入到羅馬時代。

課後思考

假如你是西塞羅，從前面介紹過的哲學家當中，你會選擇哪三位哲學家，把他們的主要觀點整合為個人生活的參考，並可以向別人介紹？

補充說明

「折衷主義」在哲學上一向是個批評的字眼，他們綜合別人的思想，將其中的精華加以整合，這就好像一盆插花，裡面什麼花都有，顏色搭配合宜，但只能放在特定場合進行觀賞；也像個園林，裡面有假山和各種植物，但那不是真正的山，也不是自然生長的植物。我們在學習中要廣泛擷取各家的優秀思想，但最終還是要發展出一套一以貫之的哲學。

我也常用「化隱為顯」這個詞，哲學就是要把一個人「隱然」接受的觀念變成「顯然」的，使它呈現出來，呈現的過程需要有一貫的系統，否則不會產生創見。我們要感謝前代哲學家，正是由於他們提出原創的思想，才使後代像西塞羅等人能夠予以折衷。西塞羅更像是一座橋梁，只是發揮了聯繫的作用。

10-4 西塞羅《論義務》的四種德行

西塞羅是羅馬時代典型的哲學家，他的思想屬於折衷主義，即把他認為最好的東西統整在一起，而不在乎自己的思想是否構成完整的系統，是否具有創造性。

他對後代影響最深的著作是《論義務》，書中闡述一個人在什麼職位上應該盡什麼責任，人應該如何生活才能盡好個人義務。有的地方將此書譯為《義務論》，但「義務論」是倫理學中一種有關義務的特定主張，容易造成混淆，因此最好翻譯成《論義務》。

《論義務》裡提到四種德行，這可追溯到古希臘時代柏拉圖的思想。柏拉圖談到四種關鍵的德行——明智、勇敢、節制、正義，稱為「四樞德」，其順序不能隨意改變。柏拉圖將城邦中的人分為三種：一是管理城邦的統治階級，他們需要的是明智；二是保家衛國的衛士階級，他們需要的是勇敢；三是一般百姓，他們有各種欲望和情緒的衝動，需要加以節制。明智、勇敢、節制分別對應於古希臘時代的三個階級，確定了各階級的理想。排在最後的「正義」是指，每個階級按照各自的責任和能力，努力安排好自己的生活。因此，正義是普遍的要求，每個人都要有一定的分寸。

西塞羅不僅改變了柏拉圖「四樞德」的排列順序，而且還更換了其中一個詞。按照《論義務》中的順序，以下分別加以說明：

第一，明智。

第二，正義。

第三，雄心。

第四，節制。

（一）明智

明智是什麼？我們一再強調，不要將「明智」一詞翻譯為智慧。在希臘文和拉丁文中，「明智」和「智慧」是不同的詞。「智慧」就是 sophia，因此哲學（philosophia）就是愛智慧。「明智」代表一個人懂得如何使用聰明才智，如何為人處事。智慧是屬靈的，所以人只能愛好智慧，慢慢接近智慧，卻不能完全擁有智慧；而明智是人可以獲得的能力，一個人可以充分運用他的能力，知道如何取捨。

在西塞羅看來，四種德行中排第一的當然是明智，就是要了解真理，同時要把真理與實際生活聯繫起來。了解真理分兩方面：一方面要了解神與人的關係，另一方面還要了解人與人的關係。

羅馬時代是多神論，神與人的關係很密切。在電影中經常出現這樣的畫面，羅馬將軍在作戰之前，會在帳篷裡拿出幾個木刻或石塑的神像默默禱告，似乎神總在扮演著某些功能，可以使人得到保佑和祝福。除了神與人的關係之外，還要了解世俗事務的知識。再進一步，就是要對社會引導出的義務加以了解。義務是人在世界上最重要的。所謂「明智」，就是對義務有基本的、正確的認識。

（二）正義

西塞羅認為，正義是最值得尊敬的。人光有明智還不夠，如果沒有正義，明智反而可能對社會有害。這就與中國人常說的「要德才兼備」類似，如果一個人有才無德，他的「才」反而可能給社會造成災難。

西塞羅認為，「德」在正義方面表現得最為具體。人性有兩個特色：一個是愛自己，一個是愛別人。組成一個國家之後，就要設法維持人群之間的聯繫，分配給每一個人應得之物，同時要確保對約定的承諾。換言之，一個社會應該讓每個人都各取所「值」，你值多少就分給你多少；同時你與別人有任何約定，都要遵守承諾。這些觀念在現代社會中已被普遍接受。人與人相處要有適當的關係；一個人付出多少代價，就應該有多少收穫；做出任何約定之後，就要設法履約：這些都是正義最根本的內涵。

正義有兩個具體的任務：

1. 不要使任何人傷害別人，不但你自己不要傷害別人，也不要讓別人傷害別人。
2. 要區分公私財產，公有財產由公共使用，私有財產由個人支配。這都是社會生活所需的觀念。

西塞羅進一步補充說，「正義」應該加上「慷慨」。所謂的「慷慨」包括三點。

1. 不用非正義的方式從事慷慨的行為。等於是慷他人之慨，把別人的財物拿來幫助自己的朋友。
2. 慷慨的行為不能超過自己的財富能力。譬如我只有一萬塊錢，為了表現慷慨而捐出兩萬塊錢，最後自己也吃不消。
3. 慷慨的對象應該是有善意、可以回報我的人。這類似於孔子所說的「以德報德」。如果缺乏慷慨，正義就會變成抽象的概念。

西塞羅還強調，正義的基礎是誠信。如果沒有誠信，正義就變成「言而無信」，從而無法實踐。他認為，正義是最光彩、最耀眼的德行；如果沒有正義，明智也不會產生什麼效果。西塞羅說：「正義是一切德行的女王。」

在談到正義時，他肯定一個人可以擁有私有財產，這樣才能表現出一個人在政治上和社會上的地位和價值。

（三）雄心

古希臘時代強調勇敢，主要針對的是保家衛國的衛士；西塞羅則強調雄心，說明人應該有大的氣魄和胸襟，其中包括勇氣和耐心。人要有雄心去保衛社會，以除惡為目標，但要以正義為基礎；不求個人的權力與名聲，只希望維繫道德；不管在順境或逆境，都要保持平和的心境。

有雄心者表現三點特色：

1. 參與公共事務，不能像一般百姓只注意個人生活需求；
2. 致力於研究學問，才能看得更遠，有更高的理想；
3. 可以努力追求財富，在國家或親友有需要的時候，可以大方分享，否則如何表現自己的雄心壯志？

中國古代的范蠡在幫助越王句踐成功復國後離開政壇，改名陶朱公，做生意賺錢，三度散盡千金幫助家人、親戚、朋友和窮困之人，他可以做為有雄心者的一個例證。所以人應該志向高遠，努力使自己成為國家、社會的棟梁之才。西塞羅一生的大多數時間都用來從政，並有相當傑出的表現，他親自實踐了「雄心」這一德行。

（四）節制

節制就是言行適當。人可以多才多藝，但若要投入社會，還是要有專業。西塞羅認為人在選擇從事何種工作時，要考慮以下四點：

1. 要考慮普遍的人性。按照理性的原則去思考，使工作符合人性的要求。
2. 要考慮個人特有的天賦。分析自己在哪方面有更大的才華，可以達到更高的職業成就。
3. 要配合環境、機遇和條件。人不能離開社會和政治，因此要審時度勢，在適當的時機做適當的事。

4. 要符合個人的意願。個人做出選擇後就要承擔後續的責任。

綜合上述四點，就是西塞羅所說的節制。

收穫與啟發

1. 明智有兩個重點：一、要注意到神與人的關係，這屬於信仰的範疇；二、要注意到人與人的關係，這屬於人間的範疇。一個人明智的話，對於人生根本的信仰會有一定的立場，對於現實世界也會有明確的認識。
2. 談到正義時，要注意到慷慨與誠信這兩個條件。
3. 談到雄心時，可用一句名言來概括：「計利當計天下利，求名應求萬世名」，這是一種非常開闊的境界。西塞羅是一位政治家，對於名利當然不會排斥。
4. 節制就是一個人在選擇自己的人生道路時，要有通盤的考慮，一旦選擇之後就要承擔後續的責任。

《論義務》一書對後代產生深遠的影響。馬基維利在《君王論》一書中多次引述西塞羅的《論義務》，認為君王應該慷慨、仁慈以及嚴肅。英國哲學家洛克在《政府二論》中參考了西塞羅的觀點，認為政府應該保護私產。《國富論》的作者亞當・斯密曾談到如何才是合宜。康德的《倫理學》也從《論義務》中得到諸多啟發。彌爾在《論自由》一書中，主張政府要減少干預個人，這同樣來自於西塞羅的啟發。

課後思考

根據西塞羅所說的節制，你在選擇目前所從事的工作時，是否也考慮過這四點：合乎理性、配合天賦、參考機緣及個人意願？

10-5 勇敢面對命運

從本節開始，要依次介紹斯多亞學派晚期的三位有代表性的羅馬哲學家，他們的年代都在公元之後。第一位是塞內卡（Seneca, 3 B.C.-65 A.D.），他是一位朝臣；第二位是愛比克泰德，他是羅馬皇帝侍衛的奴隸，後來被解放了；第三位是羅馬皇帝奧雷流士。本節先介紹塞內卡，主題是勇敢面對命運。

本節內容包括以下三點：

第一，塞內卡一生的複雜遭遇。

第二，塞內卡在哲學上的進展。

第三，塞內卡如何面對挫折？

（一）塞內卡一生的複雜遭遇

一個人如果享受過富貴榮華，後來又遭受委屈而被要求自殺，他對人生的體驗應該比一般人要深刻得多。塞內卡也是一位帝王之師，他曾擔任羅馬皇帝尼祿的私人教師十五年，但尼祿皇帝是一位著名的暴君。

西元 64 年羅馬城發生大火，起因一直沒有定論，塞內卡被人冤枉，說他陰謀推翻尼祿皇帝，尼祿皇帝於是裁決讓他自殺。塞內卡說：「在謀殺自己的母親與兄弟之後，僅剩的就是謀殺自己的老師了。」他以這樣的話來寬慰自己，但他的朋友們忍不住失聲痛哭。他勸阻這些朋友說：「你們讀的哲學到哪裡去了？對抗災禍的決心又到哪裡去了？」塞內卡特別推崇蘇格拉底，說蘇格拉底直到生命的終點，仍維持著一貫的態度，處在命運女神的威迫之下，卻依舊泰然自若。

塞內卡充分顯示出斯多亞學派的平靜與自制，可以承受任何打擊。他說：「我的生命是屬於哲學的，至少這是我對它的義務。」他的另一句話也能代表斯多亞學派的立場，他說：「我們無力改變萬物的秩序，我們的靈魂必須將自己安置於自己的法則中，我們無法改善，最好就是忍受。」

（二）塞內卡在哲學上的進展

斯多亞學派的創始人芝諾對於道德的看法是嚴格的二分法——或是全善或是全惡，沒有中間階段。塞內卡的觀點則趨於緩和，他認為人的道德始終處於一種掙扎的狀態，所以盡量不要再按以前的方法思考人的道德問題。人可以慢慢進德修業，包括三個階段：第一種人，他離開了許多罪惡，但還剩一些；第二種人，他養成了毅力，可以拒絕一般的罪惡，但有時難免再犯；第三種人，他已經不再犯任何罪惡，但還是缺乏信心，對自己的智慧沒有充分的把握，他已經慢慢接近智慧與完美的德行。塞內卡將進德分為三個階段，這讓每一個人都有希望，可以慢慢努力，這修正了早期斯多亞學派的嚴格主義。

另一方面，他認為不論稱為上帝、邏各斯、宙斯還是理性，上帝不再是完全「唯物論」的，它應該是超越物質的。與此同時，他把原來斯多亞學派形上學的一元論（或稱唯物論或泛神論），逐漸改為二元論的傾向，認為人有心也有物，有靈也有身，可以慢慢修練自己。他說：「身體是加於靈魂的負擔與苦刑，靈魂在重壓之下陷於桎梏。」不用太過於排斥有形的資產，可是外在的資產並不會帶來真正的幸福，那只是命運之神的虛幻禮物。由於塞內卡年輕時便擁有豐富的資產，所以他對於世俗的產業並不排斥。

他曾連用幾段話來闡述人生到底什麼是重要的。他說：「人生有什麼事是重要的？不是名利權位，而是要觀看心中的宇宙，克服惡劣的行為。很多人曾經控制土地與人民，但是很少人曾經控制自己。人生有什麼事是重要的？提升心靈不要受機運所左右，不要離開屬神之物。人生有什麼事是重要的？要心存喜悅，忍受災難。人生有什麼事是重要的？人的自由不在於羅馬公民權，而在於自然的權利，逃避自我的奴役才是自由的，一個人最悲慘的奴役是做自己的奴隸。」這些話聽起來讓人覺得相當振奮。

（三）塞內卡如何面對挫折？

一個人遭遇挫折時該怎麼辦？塞內卡談到三個最明顯的挫折：一是憤怒，二是震驚，三是憂慮。

1. 憤怒

要怎樣對待憤怒？當你先相信了某些狀況，後來發現事實與你想像的完全不同，自己的看法被扭曲和顛覆的時候，你就會感到憤怒，就好像別人突然違背了契約一樣。這時候唯有改變觀念，才能改變憤怒的傾向。哲學就是要幫助人與現實相協調，使人調整自己的期望，與現實的不完美相妥協，由此可使憤怒逐步減輕，直至完全化解。

2. 震驚

這一點特別值得注意。古希臘時代的天神宙斯到羅馬時代改名為朱庇特（Jupiter）。朱庇特的長女就是命運女神，她一手持羊角，一手持方向舵，負責掌管命運。羊角代表給人恩寵的權力，命運女神可以任意施人以恩寵；方向舵代表她能隨意改變人的命運，她先賜給你禮物，然後讓你陷於災難。塞內卡的一句話讓人聽了心驚膽戰，即「沒有什麼事是命運女神不敢做的」。塞內卡說：「人是一點輕微的搖晃就會碎裂的容器。造物者並未創造出任何永恆的東西。」沒人保證你能活過今晚，活過這個小時。我們生活在注定會死亡的萬物之中，所以根本不必震驚，發生任何事都不必驚訝。

3. 憂慮

塞內卡認為人活在世界上不必太過憂慮。他說：「請不要再阻止哲學家擁有金錢，沒人說擁有智慧就應該貧窮。」有智慧的人不會失去任何東西，他擁有自身所擁有的一切。一個人心靈的平靜並不仰賴於命運，除非內心保持平靜，否則任何地方都是嘈雜之地。你覺得自己目前的情況不夠理想該怎麼辦？憂慮無用。

他特別提到，如果要保持創造的原動力，就要常問自己：「就只能這樣嗎？就只能這樣嗎？」所謂「智慧」，就是分辨什麼是可以改變的，什麼是必須接受的。對於必須接受的，就安靜接受吧；對可以改變的，就認真努力加以改善。人還是自由的，可以自願的、自發的接受必然的事情。這是斯多亞學派的一貫主張。

當時羅馬有一位貴族失去了兒子，三年後仍沉浸在哀傷中無法自拔。塞內卡說了一句至今仍被廣為傳誦的名言，他說：「何必為了生命的某一部分哭泣？全部生命的本身就是值得讓人哭泣的。」

收穫與啟發

1. 羅馬哲學重視實踐，主張入世，希望人活在世界上，能夠修養德行，並由此獲得幸福。塞內卡曾經擔任皇帝的老師十五年，後來被冤枉而自殺。他對人生的觀察與體驗顯然比一般人更為深刻。
2. 塞內卡開始修正早期斯多亞學派的嚴格二分法——德行若非全有、即是全無，其實這並非二分法而是一元論，因為沒有其他對照的可能。塞內卡慢慢加以協調，他認為德行應該有修養的階段，從不理想慢慢修養到理想，讓所有人都有提升的機會。

3. 他分析了憤怒、震驚與憂慮等感受，提出如何對待挫折的觀念，幫助眾人化解人生的困難。

啟蒙時代的思想家對於塞內卡非常的推崇，譬如《百科全書》的主編狄德羅就這樣說：「讀了塞內卡的作品之後，我是否跟還沒有讀它之前不一樣？肯定是的，絕對是的。」這句話有點像是北宋學者程頤（1033-1107）的說法：「一個人讀了《論語》之後，如果像讀《論語》之前一樣，完全沒有改變，他就是沒有讀過《論語》。」

課後思考

塞內卡說：「沒有什麼事是命運女神不敢做的。」人活在世界上，隨時都要有這樣的心理準備，任何事情的發生都很難預測。你能否從個人的經驗裡，回想起你遭遇過的令你震驚的突發事件，事情過後你有哪些體會？

補充說明

關於命運，可以做三點思考：

1. 面對命運的不幸遭遇，該如何判斷？

如果這件事屬於意料之外、情理之中，就可以接受。這合乎孟子所說的「莫非命也，順受其正」（《孟子．盡心上》），即沒有一樣遭遇不是命運，順著情理去接受它正當的部分。既然這件事情在別人身上、在古人身上可能發生，那麼發生在我身上就不必太難過，這屬於情理之中，可以接受。當然，孟子說的「順受其正」還是要你堅持走在正路上。

2. 如何回應這樣的命運？

有些人想到，「接受不可改變的，努力改變可改變的，這是內在的自由」，這是很好的觀點。我們可以進一步思考。譬如對孔子來說，有人描寫他是「知其不可而為之者也」（《論語．憲問》）。孔子明知理想不能實現，他還是照樣努力奮鬥，因為他的內心有對自我的要求，他認為自己可以盡力改變一些現狀，所以要「知其不可而為之」。而莊子屬於道家，他是「知其不可奈何而安之若命」（《莊子．人間世》），即安心接受不可改變的。

3. 注意結果

「結果好，一切都好」（Ende gut, alles gut.）是一句德國諺語。不管碰到什麼遭遇，也許令你難以接受或非常難堪，但如果因此而覺悟，知道未來該何去何從，則未嘗不是一件好事。

第十一章

希臘哲學沒有畫下完美句點

11-1 還是修養自己吧

本章的主題是希臘哲學沒有畫下完美句點。在西方哲學史上，通常會把希臘與羅馬放在一起，這是因為羅馬哲學缺乏特色，只是讓希臘哲學，尤其是斯多亞學派繼續發展。此後上場的是長達一千三百多年的中世紀哲學。

斯多亞學派後期三位有代表性的羅馬哲學家與政治都有密切關係，塞內卡是尼祿皇帝的老師與顧問，愛比克泰德則是尼祿皇帝一名侍衛的奴隸，他出身卑微，後被解放為自由人，住在羅馬。後來他在其他地方建立了自己的學派，學生把他的思想印成小冊子，叫做《倫理學袖珍》（*Enchiridion*）。本節要介紹愛比克泰德（Epictetus, 50-138）《倫理學袖珍》一書的重點，包括以下三點：

第一，修德的責任。

第二，哲學的教導。

第三，意志的訓練。

（一）修德的責任

斯多亞學派的傳統是一元論思想，結合了泛神論與唯物論，它用不同名稱描寫神，旨在說明神的不同功能。凡是與純粹物質不一樣的東西都可以稱做神，包括宙斯、邏各斯、知性、人的理性、意志、良心，都屬於這一範疇。簡而言之，神就是世界的意識。

人最明顯的特色是理性，這正是神賦予人類的特色，每個人都分享著神的這一部分。理性就是理智、意志或良心，斯多亞學派對這三個詞也未做明確區分。理智代表合理的思考，意志代表正確的抉擇，良心代表人的本性對內心的要求，三者合稱理性。理性是人區別於其他動物最寶貴的特色，如果失去這一部分就不再是人了；其他的一切都是外在的，可多可少，可有可無。人的言行要配合自己心中的神，亦即要配合理性，才能獲得幸福。

愛比克泰德說：「人的本性是什麼？是咬人、踢人、把別人關起來、殺人？都不是。應該是行善、與人合作以及祝福他人。」他看的是人性中比較陽光的一面。同時，他認為所有人都有初步的道德直觀。他的說法非常淺顯，但言之有理。他說：「想想看，當你毫無私心的讚美時，你讚美誰呢？你讚美義人，還是不義的人？謙虛的人，還是傲慢的人？溫良的人，還是放縱的人？只要不是完全邪惡的人，總能憑藉人所共有的善念，看出某些事情的善惡。」這些說法與我們所說的良心大同小異。人只要真誠，就會發現我與別人之間有許多共同之處，應該與別人好好相處，努力行善避惡。

（二）哲學的教導

哲學的教導，就是把我們與生俱來的善惡觀念應用在個別情況中。他認為教育有兩個重點：一方面，要學習把天生的、原始的善念應用在個別情況中，以求符合人性；另一方面，要學習分辨能力範圍之內與能力範圍之外的事。有些事屬於能力範圍之外的事，像健康長壽、榮華富貴、不受皇帝責罰、免於災禍與死亡，這些事你無法全部掌握；因此要把發生在自己和親友身上的一切事件都當做神的旨意而安心接受。這是標準的斯多亞學派的思想。而能力範圍之內的事，就是自己對於事件的判斷和個人意志。因此，教育就是要讓自己進行真實的判斷，以實現正確的意志。

愛比克泰德認為哲學的教育可以讓人了解進德的三個階段：

1. 要接受告誡。命令自己的欲望遵從正確的理性，擺脫病態的情緒，獲得靈魂的平靜。
2. 要接受訓練。每天檢查良心，避開壞朋友與犯罪的機會，保持警覺，恪盡職責，逐漸與別人成為真正的兄弟姊妹以及世界主義的公民。這有點像我們常說的「功過格」，每天檢查功過，久而久之，德行自然精進。
3. 要做正確的道德判斷。這樣一來，我們即使在睡眠、喝醉酒或憂鬱時，也不會表現出不檢點的態度。

上述說法對年輕人大有裨益。他特別提醒年輕人應該要修飾整潔，從喜歡自然之美到體會道德之美，要培養儉樸的德行。他並不反對財富，因為財富可以讓人行善。

愛比克泰德強調尊敬神是一件好事，但首先要知道神是什麼。他說，對於神可以有五種不同的態度：第一種人直接說神不存在；第二種人說神雖然存在，但沒有先見之明；第三種人說神雖然存在，也有先見之明，但他只管天界的大事，不管人間的瑣事；第四種人說神管天界與人間，但他只是泛泛的管，不太注意個別的事；第五種人，就像荷馬筆下的希臘神話英雄奧德修斯（Odysseus，伊塔卡國王，參加特洛伊戰爭後，花了十年才返回家鄉）以及蘇格拉底，他們都不約而同的說：「我的一舉一動都逃不出神的耳目。」愛比克泰德顯然認為第五種才是正確的態度。他認為神明不但存在，並且用秩序與正義統治一切，我們要安心服從他們，自願接受一切事件。這也是斯多亞學派的一貫立場。

（三）意志的訓練

愛比克泰德認為，善惡的本質在於意志，意志可以克服自身，此外沒有東西可以克服它。要用主動的意志去克服罪惡，要主動願意去行善，因為所有的毀滅都是由內而生，而救援也是由內而生的。所有的罪惡都涉及邪惡的意志，所以要克制和修正邪惡的意志，這是每個人能力範圍之內的事。你為什麼還不救助自己呢？這種救助輕易無比，你無須求助任何人，也不必去侮辱或控訴任何人。你只須與自己談話，就會輕易被說服，沒有人比你更能說服你自己。他的《倫理學袖珍》有很多地方就像是與自己的心靈在溫和的交談。

經過以上三步驟，最後的結論是：上帝是人類之父，人類生來就是兄弟，難道你忘了你是誰？你所統治的人又是誰？大家都是親戚，天生都是兄弟，都是宙斯的子孫。最後他提出一句口號：「世界一家，博愛人類。」

這本《倫理學袖珍》可謂是一份高檔的心靈雞湯，除了講述一些鼓勵人的小故事之外，它還可以讓人沉思冥想，付諸實踐。他沒有特別強調背後的邏輯、自然哲學以及有關神明的看法，因為他認為自斯多亞學派創立以來，對這些觀念已有充分的說明。

一家瑞士療養院專門收容神經衰弱症和心理失衡症的病人，院長在病人入院時，一定會送給他們一本《倫理學袖珍》的德文翻譯本，後來證明這本書對所有病人都有明顯的幫助。

英國近代效益主義哲學家邊沁（Jeremy Bentham, 1748-1832）說：「有一次我去外地迷了路，並且餓了，就坐下來休息了兩個小時，隨手從口袋中掏出愛比克泰德的《倫理學袖珍》一書，把它當做晚餐。」

這本書對西方學者來說確實很有參考價值。人不能僅憑主觀的幻想，還要具體實踐以下三方面：要了解修德的責任全在自己，要經過哲學的教導才知道該如何去做，最後還要進行意志的訓練，因為那是一個人行善避惡的關鍵所在。

課後思考

針對愛比克泰德所說的進德的三個階段——第一接受告誡，第二接受訓練，第三做正確的判斷，你能否根據自己的經驗來說明三者中最難做到的是哪一點？

補充說明

1. 接受告誡為何困難？

因為現代人生活節奏太快，人心往往浮躁，所以接受告誡不容易。接受告誡最好從年幼開始，孩子通常比較容易接受老師、父母的告誡。成年之後，要經常問自己：我是否已經準備好接受別人善意的告誡？良師益友的重要性就在於此。

2. 接受訓練為何困難？

因為要長期去做才會有效果。大家可以學習袁了凡（1533-1606）的做法，他在《了凡四訓》中提到用「功過格」修養自己，每晚睡前檢討一下今天有哪些功，犯了哪些過，並逐條記錄下來。經過一段時間便發現，功愈來愈多，過愈來愈少了。王陽明等學者提倡「在事上磨練」，即在具體的事情上、工作上磨練自己，而不要刻意訓練德行，透過參加訓練班來提高德行是不可能的。

3. 做正確的判斷為何困難？

因為一切條件都在變化之中，並且無法掌握到一個客觀的標準，需要自己去衡量。任何判斷都牽涉到這是什麼事，跟我有什麼關係，跟其他人又有什麼關係。對每件事都做出正確的判斷非常不容易。

11-2 唯一的帝王哲學家

本節要介紹西方歷史上唯一的帝王哲學家——羅馬皇帝奧雷流士（Marcus Aurelius, 121-180）。他從西元 161 年繼位到 180 年去世，在位時間長達二十年。柏拉圖曾有一個願望：或者讓哲學家擔任君王，或者讓君王學習哲學，才能把一個城邦治理好。柏拉圖本人試圖親自栽培這樣的君王，結果以失敗收場。亞里斯多德有機會栽培亞歷山大大帝，但這個君王對哲學沒有太大興趣。真正具有哲學家和帝王雙重身分的只有奧雷流士。

奧雷流士是羅馬時代斯多亞學派的三位代表之一。斯多亞學派在整個西方哲學史上的成就並不是最高的，它不是一個體系完整、具有創見的學派。本節要介紹以下三點：

第一，奧雷流士的表現如何？

第二，他如何發展斯多亞學派的學說？

第三，他對人的修養有什麼看法？

（一）奧雷流士的表現

電影「神鬼戰士」（*Gladiator*）一開場描寫的是羅馬軍隊與蠻族作戰，有一位穿白袍的老皇帝親臨現場，他就是奧雷流士。在電影中，奧雷流士被自己的兒子所殺，歷史的實際情況並無確證。

奧雷流士承認自己空有帝王哲學家之名，但是皇帝和哲學家兩方面都沒有做好，可見他非常真誠。做為皇帝，他必須維護羅馬帝國的發展，因此在宗教上不可能採取寬容的態度，他對剛剛上場的天主教徒繼續實施迫害。但做為哲學家，他所屬的斯多亞學派主張天下一家，人類是一家人，大家都是兄弟姊妹。這樣一來，皇帝和哲學家兩個身分自然就有了矛盾。

我年輕時學習奧雷流士的思想，對他的一句話印象深刻：「不要滿不在乎的過日子，好像你可以活一千年似的。」我將這句話牢記在心，從此努力把握時間，刻苦學習。

（二）奧雷流士如何發展斯多亞學派的學說？

奧雷流士如何發展斯多亞學派的學說？從以下三方面來說明：

1. 依然遵循斯多亞學派的一元論，認為上帝是宇宙的靈魂

上帝和宇宙是一個整體，這是泛神論；宇宙是物質，這是唯物論。奧雷流士說：「凡是與我和諧的，也都與你和諧。」「你」是指宇宙萬物。萬物在你之中，萬物也回歸於你。這種一元論的思想很容易就演變為對世間萬物普遍的愛。

2. 做為羅馬皇帝，奧雷流士認為好公民必須奉行國家的禮儀

羅馬帝國是多神教，因此他自然會對新出現的天主教（屬於一神教）進行打壓和迫害，以免對國家的宗教領域產生危害。被他迫害的基督徒中有一位很有名，叫做殉道者猶斯定（Justin Martyr, 110-166），在介紹中世紀哲學的章節會簡單介紹他的思想。

3. 試圖突破斯多亞學派的唯物論立場

唯物論的思想比較狹隘，在奧雷流士之前的塞內卡和愛比克泰德就已經指出，不能只從物質的角度來看。奧雷流士認為人由三個部分構成：身體、靈魂（仍具有物質性）以及知性。人的知性來自宇宙的知性，是上帝的分支之一，它是上帝賜給每個人做為嚮導的精靈。如果違背這個精靈的命令，就等於違背理性的命令，那麼你的言行表現不僅不合理性，也是對神大不敬。不道德就是對神不虔誠。要與諸神同行，就要真心誠意接受神的指令，亦即服從神賜給每一個人的理性，因為理性讓人有能力免於腐化。這些都是斯多亞學派的一貫主張。

（三）奧雷流士對人的修養的看法

關於人的修養，他提到三個重點：

1. 要同情人的軟弱之處

他說：「別人冒犯你的話，你要去想他冒犯你的動機是什麼？是善還是惡？如果動機是惡，你也不用感到驚訝或憤怒，反而要替他惋惜。」這就是說，與別人相處時，別人得罪了你，你要看他的動機是什麼，而不要只看自己的損失是什麼。如果知道他確實有難言之隱，你就比較容易諒解他；如果他完全出於惡意，那就替他惋惜吧，因為他走偏了路。

2. 要發揮人的優越之處

他說：「人最可貴的地方是能夠愛那些甚至是犯錯的人，只要你了解人人都是兄弟，犯罪出於無知而非出於故意。」這類似於蘇格拉底的說法。奧雷流士說：「再過一段時間，每一個人的生命都會結束。你從結果的一致性可以往前推，前面許多事情都可以包容，可以原諒。最主要的是沒有人能夠傷害我們，我們內在的自我並沒有因為有人傷害就變得比以前更糟。」

3. 人應該主動行善

他說了一段話非常精準：「眼睛不是為了要看見嗎？雙腳不是為了要走路嗎？這正是它們存在的目的，所以你要實現它們的作用。因此，人生的目的在於行善。行善或者為大眾謀福利，就實現了人的功能，成為真正的自己。」他的結論是要博愛眾人，追隨上帝。這與塞內卡，尤其是與愛比克泰德的觀點非常接近。

啟蒙運動的學者孟德斯鳩受到奧雷流士的很大啟發，他說：「奧雷流士的《沉思錄》（*Meditations*）是偉大的古典作品，我幾乎要把奧雷流士奉為聖人了。」

西方啟蒙運動時代，對希臘和羅馬初期哲學家的推崇隨處可見，這是因為啟蒙運動的學者要設法擺脫中世紀一千三百多年過於明確的宗教立場，而回到比較原始的以人為本的立場。因此，他們對於古希臘和羅馬初期哲學家的推崇就不足為奇了。

收穫與啟發

1. 西方哲學史上只有一位真正的帝王哲學家，就是羅馬皇帝奧雷流士。但他承認自己帝王沒做好，哲學家也沒做好。他的代表作是用希臘文寫的《沉思錄》。他的確是難得的統治者，經常用斯多亞學派的思想進行自我反省。神明眷顧每個人，人與神明有親密的關係。在神明之下，有合理的宇宙秩序。人應該按照自己理性的指示去追隨神明。人有博愛眾人的責任，要同情人的軟弱。這些說法都是對人生非常有益的名言金句。
2. 他發展了斯多亞學派的學說。他接受一元論，這種一元論偏向泛神論，上帝與宇宙合而為一，上帝成為宇宙的靈魂。他也接受多神教，對於剛剛興起的天主教繼續迫害。同時，他試圖突破此派的唯物論立場。他認為，人除了身體與物質性的靈魂之外還有知性，知性更能凸顯一個人的主要特色。他的修養觀提醒我們：要同情人的軟弱，發揮人的優越，同時要主動行善。

課後思考

你是否願意嘗試奧雷流士的方法，當別人冒犯你時，先不考慮自己的損失，而要考慮對方的動機？如果對方的動機是好的，就不要怪他，可以與他溝通，消除誤會。如果他的動機是壞的，就要考慮他是否有難言之隱，或者替他感到惋惜。

補充說明

1. 要做換位思考。這就像外國人常說的「假如我是你」（If I were you）。換位思考需要有高度的同理心，真正從別人的角度來看問題。對方不一定會把他的動機直接告訴你，這時你要自己去設想。
2. 設法以直抱怨。對於別人的冒犯，不能一味的逃避、退讓，以直報怨合乎法治的精神。以直報怨與以德報怨不一樣，個人可以偶爾實踐一兩次「以德報怨」，但它不能成為普遍的原則；否則必須說清楚它背後的根據。譬如《老子》中就出現「報怨以德」的說法，這時你就要清楚了解道家的哲學系統是什麼。
3. 司法審判也需要考慮一個人的動機。奧雷流士的方法就是，當別人冒犯你，你要考慮他的動機是什麼：動機是好的則不要怪他，可以透過溝通來化解誤會；動機是壞的，就要看他是否有難言之隱，要不然就替他覺得惋惜。

11-3 當猶太教遇上希臘哲學

本節要介紹兩大傳統的碰撞，主題是當猶太教遇上希臘哲學。這兩大傳統非常重要，猶太教後來衍生出基督宗教，而希臘哲學一路發展則構成整個西方文明的基礎。我們可以簡單的用水分子 H_2O 來說明整個人類的文明：第一個 H 代表希臘（Hellas）；第二個 H 代表希伯來（Hebrew），就是猶太人；O 代表東方（Oriental）。想要了解西方文明，無法繞過前面兩個 H。

羅馬帝國建立之後分為十個行省，猶太省為其中之一，其人口約占羅馬帝國總人口的十分之一。全體猶太人都信仰猶太教。猶太教源遠流長，已經流傳超過兩千年。當猶太教遇到希臘哲學時會碰撞出怎樣的火花？

宗教也希望以合理的方式說明自己的教義，使兩種文明可以逐漸協調和溝通。希臘化猶太哲學的首席代表人物是斐羅（Philo, 25 B. C.-40 A.D.），他的年代完全涵蓋了耶穌一生短短的三十三年。

當時希臘哲學對猶太人的影響，主要體現在北非的亞歷山大城（Alexandria），這座城市是由亞歷山大大帝修建的。斐羅是亞歷山大城的猶太人派駐羅馬的大使，他對於各種文化的衝突與影響有直接的了解，也能做出深刻的反省。

本節要介紹斐羅思想的三個重點：

第一，他要設法協調希臘哲學和猶太教，說明猶太教的神是怎麼回事。

第二，他要找到神和世界的中介，說明神與世界的關係如何。

第三，他要融合宗教與哲學，說明人生的目的何在。

（一）猶太教的神與希臘哲學的初步協調

在宗教上有所謂「三大一神教」的說法。「三大一神教」是指：第一是猶太教；第二是基督宗教，包括「一教三系」，即天主教、東正教和基督教（新教）；第三是伊斯蘭教。這三大宗教是非常明確的「一神教」，它們的來源都是猶太教。

對猶太人來說，他們的《聖經》就是今日《聖經．舊約》的前五篇，稱為《摩西五經》。這是摩西率領猶太人出埃及時所流傳下來的，是猶太人的主要經典。斐羅很有信心的認為，摩西曾經啟發了兩位希臘哲學家——柏拉圖與亞里斯多德。但這一說法並沒有歷史根據。

猶太教的上帝非常特別，他是唯一的，完全超越人間所有的一切，是絕對的、無限的、完美的、不可思議的；但上帝也有位格。這裡所說的「位格」，與後面基督宗教的「三位一體」毫無關係。「上帝有位格」代表上帝像人一樣，能夠認知，有情感，有意願。用再多的詞都無法準確描述上帝，總之他超越一切，甚至超越柏拉圖所說的最高的「善的理型」，也超越亞里斯多德所說的「第一個本身不動的推動者」。猶太教的上帝在人類歷史舞臺上高調登場。斐羅第一步要做的是與希臘哲學進行溝通，他認為猶太教的上帝是最高的，其他的神都有一定的限度。

（二）猶太教的神與萬物之間的中介

上帝與萬物如何聯繫是一個很大的問題。上帝是完美的、唯一的，萬物是多樣的、有限的。如果上帝直接創造萬物，則無限的上帝和有限的世界就產生了某種關係，這會使上帝本身受到干擾和影響。斐羅從希臘哲學中學到如何找到神與萬物之間的中介。

最有資格做為中介的只有兩個：一個是邏各斯，另一個是知性。邏各斯是由赫拉克利特提出來的；知性則是安納薩格拉提出來的，他曾經讓蘇格拉底驚豔後又轉而失望。無論邏各斯還是知性，都表現出一種理性安排的特色。它們不是上帝，而是一個中介的存在。邏各斯被使用的次數更多，因為它一方面代表理性，一方面又代表人的言語，理性是言語的根源；所以邏各斯就成為上帝創造世界的工具。

斐羅認為，上帝藉著邏各斯來創造世界，這是漸進的過程，好像一種流衍出來的過程。流出是比喻，好像光線由一個中心發射，隨著距離愈來愈遠，會由明亮而逐漸黯淡。

簡而言之，上帝是絕對超越的，你只能稱他為存在。在《聖經．舊約》當中，摩西帶領猶太人出埃及，摩西在西奈山中遇到上帝顯靈，他問上帝的名字，上帝回答：I am who I am.（我是自有永有者）。英文用「現在式」表示「永恆的現在」，既沒有過去，也沒有未來，永遠是自有永有的。無論怎樣努力，人的理性只能認知上帝是存在的，但無法認知上帝的本性。要想認識上帝的本性只能依靠猶太教的啟示。所以必須要有邏各斯介於上帝與萬物之間，上帝藉著邏各斯創造了世界。

斐羅的觀點對於新柏拉圖主義的普羅提諾的思想很有啟發，對於後來的基督宗教也有很大的啟發。

（三）人生目的

斐羅認為，人生的目的是再度與上帝合而為一，因此人要修養品德，盡可能肖似上帝。要從感性與身體的枷鎖中解放自己，甚至也要從理性中拯救自己。只有靠神的恩典，才可使人上升到忘我入神的狀態，這稱為密契境界（mystic）。一般將 mystic 翻譯為「神祕」，但中文的「神祕」一詞給人一種不夠光明磊落的印象；所以最好翻譯為「密契」，代表密接契合，形容與神合而為一的境界。

由此可見，斐羅希望把猶太教與希臘哲學進行有機的融合。我們要注意兩點：

1. 斐羅的思想與後來的基督宗教不同，沒有「三位一體」的概念，也不認同上帝降生為人。
2. 斐羅借鑑柏拉圖的思想，後面的新柏拉圖主義也借鑑斐羅的許多想法，斐羅相當於為新柏拉圖主義開闢了坦途。

收穫與啟發

1. 斐羅是猶太人哲學家，他了解古希臘哲學，希望把自己的宗教傳統與希臘哲學加以融合，來說明自己的傳統有一定的可信度。他首先強調希臘哲學曾受到猶太教的啟發，事實是他的學說大量借鑑古希臘哲學的研究成果。猶太教的上帝是唯一的、超越的、純粹的、完美的存在。無限的上帝和有限的世界萬物不可能有直接的聯繫，否則會對上帝的超越性產生干擾，因此需要一個中介。
2. 這個中介需要具備兩個方面的功能：一方面要上承唯一的上帝，另一方面要開啟萬物。斐羅借用希臘哲學家常用的「邏各斯」做為中介物，從「一」到「多」的過程，就像光線由明到暗的過程。
3. 斐羅認為，人生的目的是與神合一。西方各大宗教認為，密契境界代表人生最高的幸福；不能僅靠理性認知和德行修養，而必需要靠某種特殊的恩典或機緣，才能讓一個人達到密契境界。他的說法雖然有拼湊的痕跡，但對於後續的新柏拉圖主義和中世紀的宗教哲學都具有啟發性。

課後思考

假設萬物有同一個來源，那麼從這個「一」如何演變或化生為萬物之「多」，你能想像出幾種可能的說法？

補充說明

關於這個問題，許多人認為宇宙起源於一個大爆炸；也有人從生物學的角度，認為一切都來自於一個單細胞，後面是不斷演化的過程。如果將目光放在有形可見的世界，可先做如下分類：1. 日月星辰；2. 山河大地；3. 花草樹木；4. 鳥獸蟲魚；5. 人類。大爆炸可以解釋全部的五個方面，而生物學只能解釋花草樹木、鳥獸蟲魚和人類。

不過，我們還是可以問：為什麼會有大爆炸？在大爆炸之前是什麼？如果宇宙真的起源於大爆炸，那麼人生的意義何在？人生有什麼目的？我們先不管大爆炸是否能被科學家證實，真的從大爆炸出發的話，你還是不能回答人生意義的問題。人有理性，非思考不可，所以一定會面對這樣的問題。

在人類文化的最早期，各民族都有神話，因為人需要理解、需要解釋。哲學發展後，這種解釋有了基本的模式：宇宙萬物充滿生滅變化，它本身不能保證自己的存在，因此需要有一個來源、一個力量使它存在。亞里斯多德是古希臘哲學的集大成者，他十分重視充滿變化的經驗世界，但到最後還是要推出理論上非有不可的設定，亦即要有「第一個本身不動的推動者」。

該如何理解「第一個推動者」？我講一段自己的經驗。我女兒上幼稚園時，有一天聽老師講到《聖經》的故事說「人是上帝造的」，她回家後問我：「如果人是上帝造的，那上帝是誰造的？」連一個孩子都會提出這樣的問題，更何況是大人？當時我對她說：「這個問題太複雜，你長大才會懂。」

後來我教大學生的時候，也有學生提出同樣的問題，我如此回答：「假設上帝是X所造，那X才是上帝。」「那X是誰造的？」「假設X是Y所造，那Y才是上帝。」你如果不願意這樣無窮的向後追溯，就必須找到一個萬物的來源，它創造萬物，但其本身不是被造的。亞里斯多德的上帝就是如此，他推動萬物，但他本身是不動的。

有人說自己是無神論，不願意聽到太多有關神的事情，難道愛智慧就是談神或上帝嗎？不是的，但愛智慧必須問到最根本的問題。你設定一個名詞，這個名詞所代表的內容沒人說得清楚，哲學家只能說那是最高的「善理型」，那是「第一個本身不動的推動者」；宗教家給他各種名稱，稱他為上帝、梵、阿拉或涅槃。這些只是一個名詞，但這個名詞有指涉的對象。人不是自找麻煩，而是必須設定一個「一」做為一切的來源。

像老子這樣的智者，他在《老子・第四十二章》說：「道生一，一生二，二生三，三生萬物。」這句話大家耳熟能詳，說明中國人已經習慣根據老子這句話來理解宇宙萬物從「一」到「多」到底是怎樣的過程。中間加上「二」和「三」可以緩和「一」和「多」之間直接接觸所造成的複雜情況。老子的「一」、「二」、「三」在第四十二章說得很清楚，不難理解。他所說的「一」是指元氣，「二」是指陰氣和陽氣，「三」是指陰氣、陽氣以及和氣，陰氣和陽氣以某種比例調和在一起，就構成了世間萬物。

所以，當聽到哲學家談到神或上帝，不必太驚訝，他們認為宇宙萬物要有一個源頭，這個源頭本身是「自本自根」的（這四個字是莊子用來描寫「道」的），西方認為它是「自因」的（自己是自己的原因），這是人類思維達到最高層次時必須要面對的。

即使像康德這樣的大哲學家也要設法論證上帝，他說：「上帝不可知，但是上帝又非存在不可。」他為何這麼說？後來尼采說「上帝死了」，如果上帝不存在，他又何必在意上帝是否死了呢？尼采認為西方一千多年來把上帝做為價值觀的基礎，但許多信徒的陽奉陰違使這種信仰流於表面形式。

所以，看到西方哲學家談到上帝或神，你可以將之想像成老子談到「道」、孔子談到「天」一樣的情況。我們要尊重他們的信仰，參考他們的觀點，冷靜分析其合理性。

11-4 如何協調上下二界？

本節的主題是：如何協調上下二界，介紹古希臘哲學的壓軸人物，著名的新柏拉圖主義（Neo-Platonism）的代表人物普羅提諾（Plotinus, 204-269），從他之後就要進入中世紀哲學的階段了。

柏拉圖的哲學體系完備，後代有很多人追隨他，以他的思想做為基本立場，稱為柏拉圖主義者。有些學者設法解決柏拉圖哲學中的問題，使其可以繼續發展，稱為新柏拉圖主義者。

柏拉圖思想中有上下二界的區分。「下界」是指我們看到的經驗世界，它是感官的對象，一切都在變動之中，都不可靠。人類若想獲得可靠的知識，一定要肯定有一個「上界」存在，柏拉圖稱之為「理型界」。柏拉圖認為，人所看到的一切在理型界都有完美的模型，所以人應該向上提升自己的心靈，以得到真正的智慧。但是這樣一來，如何說明經驗世界呢？柏拉圖的學生亞里斯多德便翻轉老師的學說，用各種方式來說明變化不是虛幻的，變化也有其原理。

但不管怎樣，柏拉圖的思想仍具有鮮明的特色，其精神價值特別明顯。人要向上提升，追求高尚的生活方式，慢慢接近神明的境界。柏拉圖的思想傳諸後世，到普羅提諾就形成「新柏拉圖主義」。普羅提諾的重點就是要協調上下二界，使其恢復到一元論。因為一旦陷入二元論，則很難解釋二元之間的關係如何。

本節要介紹以下三點：

第一，普羅提諾的背景。

第二，普羅提諾的觀點。

第三，普羅提諾的思想對人生的啟發。

（一）普羅提諾的背景

普羅提諾生於埃及，曾在埃及北方最大的城市——亞歷山大城遊學。他二十八歲時遇到良師薩卡斯（Ammonius Saccas, 175-242）。薩卡斯是當時最有名望的哲學家，可惜沒有留下任何著作。普羅提諾此前一直尋尋覓覓，希望有人指點迷津，最後終於遇到薩卡斯，他知道自己要找的人非他莫屬。

普羅提諾後來參加羅馬對抗波斯的遠征軍，四十歲時到羅馬創立了學派，吸引眾多達官顯貴，連當時的羅馬皇帝和皇后都來聽課。他曾建議皇帝建造一座城叫做柏拉圖市，希望實現柏拉圖的理想國；皇帝一時衝動答應了，但後來反悔，因此計畫未能實現。

普羅提諾的授課有兩點特色：在哲學史上，他是第一位在課堂上歡迎大家提問討論的，因此課堂氣氛生動活潑；另一方面，他是首位允許婦女進入課堂的，這在當時傳為美談。他在羅馬的時候，常有人向他請教問題，他的身分儼然就是精神導師。他還收養孤兒，親自照料，充分顯示仁慈和敦厚。他交友廣泛，從不樹敵。他雖苦修度日，但性格卻非常溫和。

他的學生波斐利（Porphyry, 232-304）幫他整理著作，將其分為六卷九章。這位學生說：「我們老師似乎對於有形可見的身體不感興趣。」有一次，學生找人要為普羅提諾畫一幅肖像，普羅提諾說：「我們已經有了大自然用來包裝我們的這樣一幅剪影，難道還不夠嗎？你認為花費力氣給後代留下一幅剪影的剪影做為觀看的東西，這值得嗎？」可見他不太在意外在的形象。

波斐利說他在普氏門下學習的六年裡，普羅提諾有四次神人合一的忘我經驗。普羅提諾臨終之際，對一位醫生朋友說出遺言：「我在等候你，不久我內在的神性成分就要前去與宇宙之神結合了。」

（二）普羅提諾的觀點

普羅提諾的學說被稱做「流衍論」（Emanationism），有時也譯為「流出論」，好像水太多而流出。但「流出」一詞過於通俗，最好還是翻譯成「流生論」或「流衍論」。

普氏的學說構成一個系統，位於最高階的是「太一」（the One）。將大寫的 the One 翻譯為「太一」非常巧妙，代表「最高的一」。他說：「上帝就是太一，超越一切思想與存在，不可描述，不可理解，排除了一切敘述與認知，只能勉強形容它是超越的存在。」存在、本質、生命這些詞皆不足以描述太一。太一是萬物真正的根源，它必須與萬物完全不同，但在邏輯上要先於萬物。太一是單純的、唯一的、不可分的，你不能說它是這個，不是那個。譬如，你可以說「上帝就是善的本身」，而不能說「上帝是善的」。你一說上帝是善的，就把他當做可以與人對照的東西，因為你也會說某些人是善的；但上帝是絕對超越的。太一永遠存在，沒有過去，也沒有未來。

普羅提諾之所以用「流衍論」來說明太一如何生成萬物，是因為他反對兩種思想。

1. 他反對有神論的創造說，即神在創造時採取某種行動使萬物出現。神若有創造的行動，則代表神不是完美的，還需要實現創造的潛能。神不可能有任何自由的行動，因為行動會損傷他的恆常不變性。
2. 他反對泛神論，泛神論認為萬物等於神，神等於萬物。

因此，普羅提諾說，上帝本身是「滿而溢」的，他圓滿而流衍出萬物。流衍的具體過程體現了普氏哲學的個人特色，它缺乏科學上的理性論證，我們不必深究。

流衍的過程分為四個階段：

1. 完整而圓滿的太一流衍出知性。知性表明有能知與所知的二元對立。上節曾談到猶太人斐羅將邏各斯或知性當做神與萬物的中介，普氏也採用類似的手法。
2. 知性再流衍出世界魂。世界魂有高層、低層兩面，以它做為橋梁，上與知性相通，下與自然界相聯繫。
3. 世界魂再衍生出個人靈魂。個人靈魂也有兩面，高的與知性界有關，低的與身體有關。
4. 靈魂的下一層是物質的世界。

他用各種比喻來說明流衍的過程。流衍就像光的放射，太陽光射出後會漸次變弱變暗，但太陽本身沒有減損。流衍又像照鏡子一樣，鏡中所映現的是複製品，但是原件沒有任何損傷。他還以河水為喻，河水滿了就會溢流出去。流衍不是「無中生有」的自由創造，那是基督宗教的說法；也不是混同太一與萬物的泛神論。太一流衍出萬物是必然的，不涉及自由選擇的問題。

這種說法的根據是：完美程度較低的東西必然源自完美程度較高的東西。從太一到知性，到世界魂，再到個人靈魂以及物質世界，普氏認為流衍論解決了柏拉圖上下二界的分離狀態，使其恢復為一個完整的系統。

（三）普羅提諾思想對人生的啟發

普羅提諾認為人生的目的就是要回歸太一，要擺脫塵世的束縛和身體感官的欲望，讓自己的靈魂不斷淨化，變得愈來愈純粹，然後再往上提升。

他說回歸有三條途徑：第一是音樂，第二是愛，第三是哲學。

1. 所謂「音樂」就是要超越感性的聲調，藉著節奏與旋律，達到可理解的和諧，亦即心靈之美。

2. 要從對形體美的沉思，提升到對無形美的沉思，使人有回歸太一的願望。

3. 要經由哲學向上提升，愛好智慧可以幫助人回到美的根源。

然而，哲學的思考過程仍有主客對立，有能知與所知的對立，所以最後還要借助密契經驗，才能抵達忘我入神、神魂超拔、與上帝合一的境界。可見回歸是一個歷程，而不是頓悟。要經由音樂的啟發，經由愛的衝動以及哲學的探討，加上道德的實踐，最後才能實現與太一的合一。

在此要補充說明一點，他所謂的「與太一合一」，並不會使個人的生命與太一完全混同，其中還是有某種差異的。「差異」二字對後來的宗教影響很深。

普羅提諾在個人修練方面有深刻的體驗，所以他說的一些話很有參考價值。他說：「眼睛如果沒有變得像太陽，它就看不見太陽；心靈也是如此，本身如果不美就看不見美。」他強調，人處於神與獸之間，有時傾向這一邊，有時傾向另一邊。有些人日漸變得神聖，有些人慢慢淪為禽獸，而大多數人處於中間。他的結論是：哲學是向著太一的昇華過程。哲學就是愛智慧，愛智慧走到這一步，顯然要做重新的思考。

收穫與啟發

1. 普羅提諾用來聯繫「一」與「多」的模式稱做流衍論。
2. 普羅提諾認為，流衍論化解了柏拉圖哲學的二元傾向。不過，流衍論表面上把柏拉圖的思想變成一元的系統，但中間的流衍過程完全不可理解。
3. 人生的目的是回歸太一，但人與太一之間永遠保持某種差異性。

課後思考

畢達哥拉斯建議照顧靈魂的方法是研究數學、欣賞音樂與沉思冥想，現在普羅提諾建議回歸太一的方法是音樂、愛與哲學，這兩位哲學家都提到了音樂。請問：你是否曾在某一首音樂中得到忘我入神的體驗，感覺到自己的生命與宇宙萬物合而為一？

補充說明

藝術可簡單分為時間的藝術與空間的藝術，音樂顯然屬於前者，它隨著時間的過程而展現出旋律。欣賞音樂時，一般能達到兩種層次：第一層，回到自己的心靈，收斂注意力使之回到自身，使自我由分散的變成整合的，感覺到生命好像很豐富，但它又是整合的；第二層，體會到與周圍環境很融洽，周圍的環境不一定是指大自然，也可能是你小小的書房或客廳，你覺得一切都很安好。當你回到自己心靈時，會覺得心裡平靜而愉悅，許多平常干擾你的事都被丟在一邊；當你與周圍環境融洽時，平常看不順眼、感覺不和諧的事物統統被超越了。

較難達到的是第三層，即超越自我和周圍的環境，進入忘我入神的境界，這就是所謂的「密契經驗」。音樂不太可能成為進入最高境界的唯一管道，因為音樂畢竟是由人所創作和演奏的，有特定的欣賞方法。然而真正的音樂有時根本不需要聲音，像老子說的「大音希聲」（最大的聲音幾乎沒有響聲），莊子則稱之為「天籟」。

每次提到審美感受時，我總會想到阿拉伯詩人紀伯倫說的一句話：「美──就是你見到它，甘願為之獻身，甘願不向它索取。」換言之，美本身就是最好的回報。

11-5 希臘哲學影響深遠

希臘哲學接近尾聲，本節將對整個希臘哲學的結束階段做一點評，並介紹希臘哲學對後代的影響。在亞里斯多德之後，希臘哲學主要的趨勢是走向實踐哲學，把哲學具體落實於人生，告訴大眾如何才能獲得幸福的生活。這種思潮最後顯示為三點特色，也可以說明希臘哲學為何需要交棒：

第一，強烈的主觀主義。

第二，缺乏創造性。

第三，哲學讓位給宗教。

（一）強烈的主觀主義

從亞里斯多德以後，希臘哲學的各個學派不再有為求知而求知的興趣，失去哲學最重要的好奇心。這種好奇本應是全面而根本的好奇，因為智慧是完整而根本的理解。哲學由追求真理的探索，轉而成為了個人趨吉避凶、求樂避苦的方法，藉此代替俗化的宗教，給人以實際的建議。哲學家不再遙望星辰，探索宇宙的奧祕；而是由宇宙轉向人生，設法內觀自身，解開人生的迷惑。這種趨勢容易導致懷疑主義。在希臘化時代，懷疑主義曾相當盛行。

如果強調個人主觀的需求，就容易忽略客觀真理和共同的道德標準，只計較個人的利害，要宇宙圍繞個人來轉。伊比鳩魯學派不談義務與責任，只求自然的感覺和個人的享樂，它雖然也強調節制，但畢竟是以個人的感覺做為判斷標準。斯多亞學派強調理性和高貴的德行表現，用義務或責任來抑制自然的衝動，但最後也執著於一個簡單的觀念——神是宇宙的靈魂。懷疑主義鑑於人難以獲得真正的知識，就斷言知識不可靠。普羅提諾的新柏拉圖主義要使靈魂進入密契經驗，陷於神魂超拔的恍惚狀態，認為這樣才能窺見哲學的堂奧。這些都是強烈的主觀主義的表現。

（二）缺乏創造性

當時的哲學只談三個重點：

1. 要想過幸福的生活，首先要知道萬物是怎麼回事，亦即要了解萬物的規律，這就是自然哲學。
2. 為了了解萬物，需要有認知的方法，邏輯就是思維的方法，可以說明人如何認識客觀的自然界，找出其中的規律。
3. 將獲得的知識再落實在生活層面，就是倫理學。

所以，當時哲學受到重視的就只有這三門學問：邏輯、自然哲學與倫理學，但都是把過去已經出現的思想重新調配一下。譬如伊比鳩魯學派採用的是德謨克利特的「原子論」，斯多亞學派在自然哲學方面採用了赫拉克利特的「宇宙大火」與「邏各斯」的說法，而新柏拉圖主義是由柏拉圖的思想發展而來。這些學派自身缺乏創造性，對哲學的貢獻較為有限。

（三）哲學讓位給宗教

古希臘哲學最大的成就是柏拉圖與亞里斯多德兩人建構的系統，其核心都在於形上學。我們複習一下。

首先要研究自然哲學，所謂「自然」就是有形可見、充滿變化的一切。亞里斯多德有一本書放在《自然學》之後，被稱為Metaphysics，也就是《形上學》。形上學研究的是無形可見、永不變化的本體世界，所以柏拉圖才會提出「理型論」，亞里斯多德才會提出「完美的實現與形式」、「第一個本身不動的推動者」。

亞里斯多德之後，所謂的「上帝」、「本體」、「第一個不動的推動者」或「真善美的理型」都被擺在一邊，世人覺得這些理論或觀念似乎沒有什麼實際作用，於是就把「善的理型」或「第一個本身不動的推動者」的位置空出來了。若沒有新的說法來填補這一空白，世人就只會追求現實欲望的滿足。

在宗教方面，羅馬時代的神非常世俗化，缺乏超越性，已變成功能性甚至功利性的神。每個神都有各自的作用與功能，做任何事情都要祈禱相應的神。功利神則更為俗化，目的只有一個，就是幫助人解決眼前的問題和困難。任何神只要能幫我們解決困難，我們都去祭祀它。

對於羅馬的多神教，可用一句簡單的話來概括：這麼多的宗教與神明，百姓以為那些都是真的，哲學家以為那些都是假的，而政治人物以為那些都是有用的。政治人物對真假的興趣不大，只要有用就好，他們利用宗教來鞏固統治，穩定社會。因為有神的存在，又有各種宗教慶典、迎神賽會，社會動盪不安的可能性大為降低，百姓也可以暫時得到心靈上的慰藉或麻醉。

哲學讓位給宗教之後，每個人都在尋求人生的解脫，希望得到某種超越的力量來支援自己。眾人看到羅馬帝國日益腐敗，漸趨衰亡，認識到現實世界的一切都不可靠，那要如何修行才能得到來世的拯救呢？

羅馬時代的哲學大多是比較高檔的心靈雞湯，是可以普及大眾的醒世格言，但普遍缺乏完整的系統。這時，基督宗教強勢登場。眾多基督徒實踐他們的信仰，以自己的生命做為見證，肯定他們所相信的來世是人生唯一的希望。自此進入中世紀哲學的階段。

希臘哲學對後世的影響十分深遠。長達一千三百多年的中世紀雖然以宗教做為基礎，但是，人畢竟是有理性的，而希臘哲學又有非常完整而豐富的資源，所以宗教也要設法與希臘哲學相互協調。

在中世紀的開始階段，柏拉圖哲學和新柏拉圖主義占據主導地位，他們的學說被基督徒消化吸收，經修改調整後再加以推廣。經院哲學出現後，亞里斯多德的哲學重新上場，因為亞氏的理性思維能力讓人覺得他是不二之選。整個中世紀，前半段受到柏拉圖的影響，後半段受到亞里斯多德的影響。從文藝復興開始，柏拉圖的思想重新煥發活力，當時的學者將古希臘與羅馬初期哲學家的思想加以恢復推廣，成為文藝復興運動的主軸。

一種哲學要成為完整的系統，至少要包括三個方面：第一是邏輯與知識論，它告訴你如何認識萬物的存在，能認識到什麼程度；第二是形上學，其中包括本體論，要探討人性的本體、萬物的本體以及做為一切來源與歸宿的上帝的本體；第三是以本體論做為基礎，應用在實際生活上，包括倫理學、美學等等。後代的西方哲學家都是根據個人的能力與興趣，研究這三個領域中的某一方面，最後建構成系統而成為哲學家的。

收穫與啟發

1. 柏拉圖與亞里斯多德先後左右了中世紀哲學的主流思想。
2. 哲學不可忽略形上學的層次，那是人類理性愛智慧的至高要求。

課後思考

讀完古希臘與羅馬的哲學，請你思考一下，人是否可能只接受某些倫理學的觀點，而完全不談形上學呢？你現在可以區分倫理學與名言金句的差別嗎？

Part 4

協調人神關係

第十二章

中世紀哲學參照宗教的啟示

12-1 如何看待中世紀哲學？

探討西方文化時，聽到「中世紀」三字，難免覺得陌生和疑慮。

我們覺得中世紀陌生，是因為很少有人談到中世紀的情況。在長達一千三百多年的中世紀裡，好像沒出現過什麼著名的科學家；文學家似乎只有薄伽丘、但丁等人，也都是接近文藝復興才出現的。中世紀當然有哲學家，但他們往往具有神學家的身分。

我們對中世紀覺得疑慮，是因為西方人自己都把中世紀稱做「黑暗時代」。啟蒙運動時期，著名歷史學家吉朋在他的代表作《羅馬帝國衰亡史》中聲稱，他要描寫的是野蠻與宗教的勝利過程。把野蠻與宗教並列，可見西方人對中世紀沒什麼好感。

本章主題是中世紀哲學參照宗教的啟示，本節主題是如何看待中世紀哲學。談到中世紀哲學，首先會想到基督宗教。不論是否喜歡中世紀哲學，不論是否贊成主導這個時期的基督宗教，它終究是西方的一段客觀歷史。如果沒有中世紀哲學，那麼前面的希臘哲學與後面的近代哲學之間就會出現斷裂，西方哲學恐怕就不是今天這種情況了。所以，我們可以批評它、超越它，但還是要認識它。

基督宗教起源於猶太教的傳統，可以各用三句話來描述它們：

猶太教相信：1. 上帝創造人類；2. 人類犯了罪，背離了上帝；3. 上帝答應將來會派彌賽亞來拯救人類。很多猶太人直到今天還在等待救世主彌賽亞的來臨。

基督宗教相信：1. 耶穌就是救世主彌賽亞，也稱做基督，他是神的兒子；2. 耶穌替人類贖罪，死了之後又復活；3. 凡是相信耶穌是基督的就稱為基督徒，他們的宗教就稱為基督宗教，演變到後來成為普世宗教。

中世紀哲學有兩點特色：1. 時間最長，占整個西方哲學兩千六百多年的一半（一千三百多年）；2. 創見最少，因為由宗教主導，肯定敬畏上帝是智慧的開始。哲學是愛智慧，但中世紀的人相信只有在《聖經》裡才能找到真正的智慧，信仰無異於智慧的體現。因此，哲學成為神學的女僕，以它的辯證思維能力為宗教服務。

不過，不妨換個角度來看。一方面，如果沒有中世紀哲學，西方人恐怕只能繼續發展伊比鳩魯學派和斯多亞學派；另一方面，中世紀哲學確實把古希臘哲學家柏拉圖與亞里斯多德的思想做了充分的應用和發揮。

本節的內容包括以下三點：

第一，基督宗教維持社會穩定，保存文化命脈。

第二，基督宗教提供新的架構，塑造西方心靈。

第三，基督宗教喚醒社會大眾，面對人生奧祕。

（一）維持社會穩定，保存文化命脈

羅馬帝國幅員遼闊，在西元 375 年之後逐漸分裂為西羅馬帝國與東羅馬帝國。一百年後，西羅馬帝國於西元 476 年滅亡，這使得今日的歐洲地區在政治上與文化上陷入真空狀態。在這種情況下，宗教的教會成為維持社會秩序的唯一機構，承擔了政府的許多職能，成為知識與藝術唯一的支持者與保存者。宗教的神職人員成為唯一的識字階級，教宗則成為最高的神聖權威，可以任命或否決各地區的王侯。

可見，並不是基督宗教造成這種真空狀態，而是基督宗教在真空狀態裡承擔起它的歷史責任，維持社會穩定，保存文化的命脈。

（二）提供新的架構，塑造西方心靈

基督宗教是怎樣塑造西方人心靈的？其中有三個重點：

1. 它肯定存在一個至上神。他是萬物的來源與人類歷史的主宰，由此確立「一神論」的信仰系統。
2. 它相信人類已經墮落，需要耶穌的救援與贖罪。這種觀念強化了古希臘時代柏拉圖哲學的二元論——精神與物質、理型世界與現象世界的二元對立，使善惡兩極更加對立。
3. 由於上帝介入人類的歷史，使整個歷史產生一種動力感。猶太教認為自己是上帝的選民，基督宗教認為耶穌就是拯救世人的彌賽亞。以前的歷史只看過去，從此以後可以面對未來。基督宗教提出「末世論」，開始設想歷史的終結。

（三）喚醒社會大眾，面對人生奧祕

從古希臘時代到羅馬初期，只有哲學家會特別注意個人內省的生活，藉此尋找更高的生活品質。基督宗教特別關注個人責任、犯罪意識與脫離俗世之後的情況，這引起所有人對內心生活的注意。而個人責任、犯罪意識與脫離俗世這三點，正好針對人的痛苦、罪惡與死亡這三大奧祕。基督宗教對於這些問題都有明確的看法，可以安頓當時一般人的心靈。

不可否認的是，基督宗教忽視對自然界的研究，對人與人之間的適當關係也未做深入探討，當然會引發各種批判。尤其是它對教育資源的壟斷，使一般人無法肯定理性的作用、無法拓展理性的思考，從而使整個文化停滯不前。中世紀長達一千三百多年，在哲學上沒有太多創見，只是將古希臘哲學成果加以應用和推廣，哲學系統的建構也只為了配合基督宗教發展的需要。哲學成為神學的女

僕，缺少獨立地位。這就是中世紀被稱做「黑暗時代」的重要原因。

基督宗教具有「一教三系」的結構：在西元前後出現的稱為「天主教」（Catholic）或「羅馬天主教」；1054 年分裂出東方的教會，他們自居正統，中文翻譯為「東正教」（Orthodox）；1517 年在馬丁・路德宗教改革之後，才出現中文翻譯所謂的「基督教」（Protestant）。「一教三系」所有信徒都稱為基督徒，他們都相信耶穌就是基督（救世主），都相信同一本《聖經》與同一位上帝。

收穫與啟發

1. 中世紀是亂世，西羅馬帝國在西元 476 年滅亡，使今日的歐洲地區陷入混亂，各地蠻族都擁有相對獨立的空間。此時不能忽略基督宗教的教化作用，它以信仰的力量對蠻族進行精神上的改造，從而維持社會穩定，在一定程度上也保存了文化的命脈。
2. 基督宗教提供新的架構，塑造西方的心靈。它讓西方人相信：存在一個至上神，他創造並掌管萬物；人類已經墮落，需要經過拯救才能提升。這加強了柏拉圖上下二元論的架構。因此，柏拉圖和蘇格拉底在西方常被稱為「預先存在的基督徒」，即在基督宗教出現之前，他們就有一些類似基督徒的觀念。另外，對於歷史的體驗已經從「只看過去，對現在的處境茫然」，轉向「面對未來，強調歷史有目的」。
3. 基督宗教喚醒了一般大眾，強調每個人的靈魂都是獨特的，應該重視內省的生活，注意內在生活的價值。

課後思考

許多人都認為中世紀是「黑暗時代」，請問：你認為怎樣的時代不黑暗呢？

12-2 神關人什麼事？

美國是目前世界上最強大的國家，美金也是目前最強勢的貨幣。我們注意到，任何面額的美金背面都印了一句話——我們相信上帝（In God We Trust）。在如此世俗的、日常使用的錢幣後面，為什麼要印上一句「我們相信上帝」呢？

一般人聽到尼采說「上帝死了」，都會覺得有些興奮，好像終於打倒了某種可怕的權威。尼采確實說過這樣的話，但目前基督宗教（天主教、東正教和基督教）的信徒加起來超過二十五億，其他宗教的信徒也為數眾多，為什麼還有這麼多人信仰宗教呢？

本節的主題是神關人什麼事，要介紹以下三點：

第一，如果沒有神或不談神，人生會是什麼情況？

第二，為什麼探討人生的意義會談到神的問題？

第三，如果有神的話，一定要信仰某一種宗教嗎？

（一）如果沒有神或不談神，人生的情況會如何？

先梳理一下與神有關的語詞，它們涉及到不同形態的信仰。「神」這個字的希臘文是 theos，後來所有與神相關的術語都是從這個字演變而來的，可簡單分為三組：第一組是「有神論」（Theism），第二組是「無神論」（Atheism），第三組是「非神論」（Non-Theism）。「無神論」是針對「有神論」的那個「神」採取否定的立場；「非神論」則不在乎到底有神還是無神，它關心的是信徒自己內在的覺悟，譬如佛教或某些印度的教派。

除了「無神論」和「非神論」，其他與神有關的詞大都屬於「有神論」系統。常見的至少有六個詞：

1. 一神論（Monotheism）：一神論信仰唯一的神。今天有所謂的三大「一神教」，包括猶太教、基督宗教和伊斯蘭教，都屬於一神論。
2. 多神論（Polytheism）：多神論最為常見，他們相信自然界裡有很多神，還有許多與人類生活有關的神明。
3. 尊一神論（Henotheism）：以印度教為代表，他們相信有三大主神：梵天（Brahma）、毘濕奴（Vishnu）與濕婆（Shiva），三者輪流擔任主神，所以稱為尊一神論。
4. 泛神論（Pantheism）：泛神論主張萬物就是神，神就是萬物。一般說來，文學家（如詩人、詞客）很容易就有這種傾向，肯定萬物就是神。
5. 萬有在神論（Panentheism）：它主張萬有在神，神在萬有。用「在」來代替「是」，與泛神論有一定的差別，這是比較後期的發展。
6. 自然神論（Deism）：近代西方哲學家大多屬於自然神論，他們相信神創造世界之後就放手不管，讓世界按照一定的動力和規律自行發展。

如果把所有與神相關的概念統統去掉，不但完全無法談論宗教，而且人類文化的其他方面，像神話、文學、藝術、歷史、哲學等等，恐怕也要去掉一大半。其實，「神」只是一個名詞而已，它所指涉的對象可以用不同的名字來稱述。只要有一個詞既不是指自然界，也不是指人類，那麼該詞所指的通常就是與神有關的「超越的力量」。譬如儒家所說的「天」、老子所說的「道」、印度教所說的「梵」等等，都有類似的指涉。

由此可見，神對人的影響顯而易見。如果沒有神，人生的意義難以闡明。因為在自然界與人類構成的封閉系統中，一切都在變化，一切都會結束，塵歸塵，土歸土。如果不談神，人生很難得到充分的理解，只能就人的「身」、「心」兩方面來看，而無法涉及「靈」的層次；同時，怎樣給祖先定位也是個問題。

如果說自己是「無神論」，就要先界定你所謂的「神」是指什麼。我們所謂的「神」既不是自然界也不是人類，而是這兩者的來源與歸宿。從哲學的角度來看，它提供了一個解釋的原則。若要理解充滿變化的一切，就必須考慮有這樣一種存在。

（二）為何探討人生的意義會談到神的問題？

為何探討人生的意義會談到神呢？舉例來說，柏拉圖與亞里斯多德都是哲學家，柏拉圖哲學中的最高層次是「理型」，理型世界的最高層次是「善的理型」，相當於真善美的合體。柏拉圖把「善的理型」比做太陽。正是由於太陽的照射，萬物才得以呈現；否則萬物沉浸在黑暗之中，它們的存在不能彰顯，它們的意義也無法被理解。柏拉圖為了理解萬物的存在，特別是為了理解人類生命的意義，於是肯定有一個最高的「善的理型」存在。

亞里斯多德從變化的世界著手，他認為宇宙萬物的存在可以從「形式」與「質料」，或者從「實現」與「潛能」兩個角度來看。因此，必須有一個完美的形式和完全的實現，才能使萬物持續活動，並做為萬物的原因和最後的歸宿，他稱之為「第一個本身不動的推動者」。亞里斯多德要探討自然界背後的本體——形上學，形上學對他而言就是神學。這裡所謂的「神」與宗教無關，它只是做為最後的、理解的原則。如果沒有做為完美的形式與實現的神，宇宙萬物的變化根本無法被理解。

柏拉圖與亞里斯多德是古希臘最重要的哲學家，各自建構了龐大的哲學系統，但他們都認為存在一個超越自然界與人類的最高力量。因此，談到人生的意義，我們強調「意義就是理解的可能性」，你如果想理解人生，一定會涉及到與神相關的觀念。

（三）如果肯定有神存在，一定要信仰某個宗教嗎？

孔子、老子、柏拉圖與亞里斯多德，都屬於哲學家的範疇。他們都肯定：如果這一切不是夢幻的話，自然界與人類一定有一個共同的來源與歸宿。一般把這種想法稱為「自然神學」。換言之，在用理性探求本源的過程中，根據自然界和人類的情況，推出應該有一個最高的力量做為兩者的來源，也可稱之為「主宰」。至於最高的「主宰」與人類有何關係，不同哲學家的立說各有側重。

與「自然神學」相對的是「啟示神學」，這是專門針對中世紀的基督宗教來說的。啟示的主要內容是：猶太人接受神的啟示，成為神的選民，後來耶穌出現成為救世主，創建基督宗教，超越界的力量具體體現在耶穌身上，耶穌是神變成了人，使人類可以向上提升。這一套都屬於啟示神學，需要靠信仰才能了解。中世紀哲學掌握了啟示神學，由此發展出龐大的宗教哲學系統。

哲學家的神與宗教上的神不是一回事，但有類似的作用與效果。

收穫與啟發

1. 如果完全不談神，人生就變成封閉的系統，人生的意義不容易被理解。為什麼美金在背面印上「我們相信上帝」呢？因為《聖經》中記載了耶穌說過的一句話：「你或是信奉上帝，或是信奉金錢，你不能兩個都要。」美國人在印製美金時很可能想到了這句話，它提醒我們：不要以金錢做為人生的主宰。

2. 探討人生意義的問題會涉及到「神」，那是哲學家的神，與宗教沒有必然的關係。它可能是柏拉圖所說的「善的理型」，亞里斯多德所說的「第一個本身不動的推動者」，或是孔子所說的「天」，老子所說的「道」。
3. 即使肯定神的存在，也不一定要信仰某個宗教。我們要區分：用人的理性可理解的「自然神學」，及宗教所特有的「啟示神學」。後文會談到為什麼基督宗教對西方世界影響如此深遠。

課後思考

如果把神界定為「萬物的來源與歸宿」而不涉及任何宗教信仰，你認為這樣的神只是一個名稱或象徵嗎？它對於我們了解人生的意義會有所幫助嗎？

補充說明

神的位格問題讓人困擾，因為「位格」一詞原本用於人類身上。「位格」的拉丁文為 persona，本來是「面具」的意思。人在面對不同對象時，要不斷改變自己的角色，有時是老師，有時是學生，有時是朋友，有時是子女，有時是父母。位格代表具有認知、審美和行動能力的主體，即有知、情、意三種能力。

神為什麼有位格？這是因為人有位格的緣故。我認識的神必須能跟我溝通，否則神就變成完全不可知，那才是最可怕的情況。其實，神本身的存在一定有三個層次：第一是超位格的部分（Super-personal），第二是位格的部分（Personal），第三是非位格的部分（Impersonal）。

首先看自然界，除了人類以外的東西都是非位格的。無論是純粹的物質，還是生命或有意識的生物，都不是有位格的主體。上帝既然造了這一切，所以他一定有非位格的層次。

超位格是指超越人的理性思維之上，不是人所能理解的。所有的宗教或哲學抵達最高的層次，通常都會認定：宇宙萬物的根源有一部分是人可以了解的，但必然有一部分是人永遠無法理解的；或者即使能被人理解，也是經過人的加工而展現出來的，並非它本來的樣子。否則，如果你想像的神與人相差無幾，會帶來種種不必要的困擾。

宗教中談到神、佛或其他名稱，以及老子的道、孔子的天，都屬於同一位階。既然談到這些概念，代表對其有所認識。譬如老子對道有所體認，但他強調人的言語無法表述。既然如此，他為什麼還要說呢？因為我們是人，如果不透過概念和言語來表達，別人就弄不清楚你到底掌握到什麼東西。

如果只從人的角度來描述神，就成了古希臘時代色諾芬尼所批評的「把神當做像人一樣」。其實，神和人絕對是不一樣的。但因為是人在思考神的問題，所以神與人相應的這部分可以被人類以理性的方式表達出來，這樣就不會有什麼特別的矛盾。

哲學家所說的神，要放在哲學的領域裡討論。宗教家透過某種啟示，也許能得到對神的某些特殊見解。你如果不信，則與它完全無關；你如果相信，那麼原來用理性無法透澈說明的部分，現在就可以闡釋清楚了。

不過，哲學既然是愛智慧，因此哲學家始終要有自我約束的能力。如果信仰某種宗教，固然一切問題都有現成的答案，但我們還是要用理性逐漸接近智慧，不要輕易就接受宗教的定論。這就是哲學的可貴之處與特別之處。因此，哲學可以啟發和鼓勵其他學科，繼續發展人類理性的作用，追求更高層次的真理。人在有生之年絕對不可能充分掌握真理本身，更不用說去表達它。

12-3 信仰是因為荒謬

本節的主題是：信仰是因為荒謬。人類有理性，因此習慣用理性進行思考和判斷，對於理性不能理解的說法，就認為是荒謬的。但經過一段時間之後，看法也可能改變，覺得它未必那麼荒謬。基督宗教的信仰在中世紀普遍傳布，它最初就被認為是荒謬的。

本節要介紹以下三點：

第一，基督宗教在羅馬時代初期被認為是荒謬的。

第二，殉教者猶斯定所做的見證。

第三，哪一種荒謬更荒謬？

（一）基督宗教在羅馬時代初期被認為是荒謬的

基督宗教的信仰在羅馬帝國時代初期被認為是荒謬的，為此基督徒飽受迫害。迫害始於西元 49 年，到尼祿皇帝時達到第一個高峰，後面繼續發展，前後一共持續了兩百六十多年。羅馬政府為維持社會安定，為了讓國家的宗教繼續存在和發展，採取高壓手段來遏止他們認為荒謬的信仰。

前文介紹了唯一的哲學家君王奧雷流士，他出於維持國家安定的考慮，同樣採取高壓手段對付基督徒。西元 177 年，一位名叫安提那哥拉（Athenagoras）的基督徒將《為基督徒申辯》一書上呈羅馬皇帝奧雷流士，反駁對基督徒的三項指控：

1. 基督徒被指控為無神論。因為他們不相信羅馬官方的多神。
   事實上，他們不是無神論，他們相信只有唯一的一位神。

2. 基督徒被指控為吃人肉。基督徒望彌撒時，會在聖餐禮分享耶穌的身體與他的血，這是因為耶穌在最後的晚餐中曾拿起餅和酒，說：「這是我的身體，是我的血，你們要食用它來紀念我，讓你們有更強的靈性力量。」在外面打探的人聽到之後，就以為他們要吃人肉。
3. 基督徒被指控為亂倫。因為基督徒結婚時會稱某某兄弟與某某姊妹結婚，外面打探的人聽說兄弟和姊妹結婚，這豈不是亂倫嗎？

這三點顯然都是誤會。基督徒的信仰不是當時一般人所能理解的。當時普遍信仰多神，什麼都能包容，沒有任何限制；基督徒只相信唯一的神，以耶穌這個人做為代表，這聽起來不是很荒謬嗎？更荒謬的還包括：上帝創造世界，讓耶穌來拯救世人，耶穌是人也是神，耶穌的母親是童貞生子。最荒謬的是耶穌死而復活，這顯然有違於人的一般經驗。

（二）殉教者猶斯定所做的見證

當時，猶斯定出來為基督宗教做了見證。有很多書籍或歷史資料都把他的名字翻譯為查士丁，但按照拉丁文發音，應該譯為猶斯定。後世稱他為殉教者猶斯定，他是在奧雷流士皇帝的時代殉教的。

猶斯定最初學習斯多亞學派，發現他們的上帝觀不夠完整，就轉向亞里斯多德的漫步學派；後來求助於畢達哥拉斯學派，但他對於音樂、幾何與天文學都不太精通，於是又轉向柏拉圖主義，了解了理型論；最後皈依天主教成為基督徒，於西元166年在羅馬殉道。

猶斯定原來是哲學家，後來成為基督徒。他透過冷靜的思考，發現基督宗教的特色。他說：「當我著迷於柏拉圖學說時，覺得基督徒所說的是一些無稽之談。但當我發現他們毫不畏懼死亡或其他任何恐怖的迫害時，我逐漸明白，他們不太可能生活在邪惡與欲望之中。一個以吃人肉為樂趣的享樂主義者或縱欲之徒，當死亡剝奪他一切欲望的基礎時，他怎可能含笑表示歡迎呢？他怎麼沒有千方百計想延長自己的現實生命，躲避世俗統治者的檢驗，卻反而把自己的生命交託給死亡呢？」猶斯定看到，很多基督徒並非一般所說的荒謬，他們有堅定的信仰，可以用生命做為見證。

羅馬初期的猶太哲學家斐羅曾這樣描寫基督徒：「他們的自我克制是建立靈魂中其他美德的基礎，他們在白天要操持哲學。」當時基督徒所謂的「哲學生活」有實踐上的意義，就是要實踐苦修與自我棄絕的生活。猶斯定為基督宗教做了見證，他說：「所謂的荒謬或不荒謬，不能只看理論或者理性的思考能不能想得通，還要進一步看它在生活上所造成的改變。」

（三）哪一種荒謬更荒謬？

羅馬時代的宗教有兩大特色：

1. 多神論

他們信奉的神基本上是功能神，每個神都有一定的功能或作用，人有哪方面需求就找特定的神來幫忙。譬如，打仗就祭拜戰神，耕田就祭拜農神。後來進一步演變成功利神，完全以個人的需求為標準，只要對我有利的，我就去祭獻。

2. 羅馬皇帝把自己當做神，接受百姓的祭拜

在迫害基督徒的時期，羅馬皇帝曾下令，所有人民要向皇帝半身像前的祭燈投一把香，以此表示獻祭。當時的基督徒只有四種選擇：躲進墓穴裡藏起來；在壓力下崩潰；花錢買通官員，取得獻祭證書；勇敢的拒絕，因而殉教。

羅馬皇帝自認為神，這豈不是更荒謬嗎？皇帝也是人，就像普通人一樣會遇到人間的悲歡離合、生老病死和各種誘惑。把他們稱為神，完全有悖於一般人對於神的理解。

收穫與啟發

1. 如果信仰的內容不是荒謬的，就可以用理智充分掌握它，這屬於知識範圍而與信仰無關。對於某些荒謬的說法，我們要細心分辨：它是否像早期的基督徒一樣被人誤會？或者它完全超越了理性所能掌握的範圍？我們要問：為什麼還有人相信呢？
2. 殉教者猶斯定在早期的基督徒中享有崇高的地位。他早期研習各種哲學流派，均無法找到滿意的答案；後來他看到基督徒所做的見證，於是皈依天主教，成為基督徒；最後他本人也從容殉教，含笑接受死亡。我們要思考：這種荒謬的信仰真的能解釋或解決人生的重要問題嗎？
3. 當時還有許多更荒謬的情況。羅馬官方宗教的神成為功能神或功利神，一般百姓根據自己的需要，把神當做工具來利用，這樣的宗教哪裡還有宗教情操或自我提升的作用呢？同時，羅馬皇帝還把自己當做神，這是更明顯的荒謬。

課後思考

你有沒有這樣的經驗，從前以為荒謬的事，後來因為自己經驗的增加或是因為閱讀思考，從而了解了那未必是荒謬的？

補充說明

我們要分辨兩種荒謬：

1. 相對的荒謬

人活在世界上，對於物質世界或人類社會形成某種認識或觀念，當將來發現更多事實或真相時，你就會發覺：原以為荒謬的其實未必如此。這些屬於相對的荒謬。

2. 根本的荒謬

我們在進行哲學思考時，要對「根本的荒謬」有所理解，這一點非常重要。譬如當你聽到亞里斯多德說宇宙萬物最根源的力量是「第一個本身不動的推動者」時，你難道不覺得「本身不動」和「推動者」這兩者有矛盾嗎？但是矛盾又能統合在一起，這就是「根本的荒謬」。後面還會遇到許多類似的問題，像神為什麼創造萬物？神是一，萬物是多，兩者不同，但又不能分開。

再看人的存在。人的一生會有許多無奈的遭遇，人有自由就要負責，但是誰能對自己一生所做的事完全負責？因此，痛苦、罪惡、死亡屬於生命中最深層的奧祕，與它們相關的答案往往都屬於「根本的荒謬」。

每個哲學家在他思想的最高點，都會存在一些根本的荒謬，人的理性只能慢慢接近，卻永遠不能完全掌握。譬如孔子「五十而知天命」，他真的知道了嗎？他如果真的知道天命，那他後來「知其不可而為之」是順天命還是逆天命？孟子也說：「天還不想讓天下太平吧，如果天想讓天下太平，當今之世，舍我其誰？」請問：天不是仁愛的嗎？天為什麼不想讓天下太平呢？

「根本的荒謬」與「相對的荒謬」屬於不同層次，兩者有完全不同的性質。「根本的荒謬」並非真正的荒謬，而是人的生命在追求意義的過程中，最後有可能抵達「只可意會，不可言傳」的境界。正如孟子所說，即使修練到「聖」的境界，上面還有「聖而不可知之之謂神」的境界。既然不可知之，你怎麼知道有呢？這些問題都與「根本的荒謬」有關。我們要保留這樣的可能性，在哲學上不斷探討，才不至於愈來愈困惑。

12-4 萬物會復原嗎？

本節的主題是：萬物會復原嗎？即萬物最後能否回到原始的完美狀態？這個問題涉及到中世紀初期第一位教父哲學家奧利金（Origen, 185-254）。他曾經追隨一位老師叫做薩卡斯，他有一位同學就是新柏拉圖主義的代表普羅提諾。巧合的是，普羅提諾創建了古希臘哲學的最後一個學派，奧利金則創建了中世紀教父哲學的第一個學派。

聽到「教父」一詞，可能會想到三個意思：

第一，基督宗教初期有所謂的「教父哲學」。基督宗教中的主教、神父等領袖人物都受過良好的教育，對於希臘哲學也有基本的認識，他們肩負著一項任務，就是設法用哲學來為他們的宗教信仰辯護。

第二，基督宗教有一項傳統儀式，孩子出生後要受洗，這時會請在德行、能力等方面受到肯定的一對夫妻做為孩子的教父和教母，使孩子將來能得到更好的教育和指導。

第三，「教父」是美國好萊塢的電影，一系列三部都非常值得欣賞，電影主要描寫的是黑手黨。反諷的是，這些黑手黨都來自於義大利西西里島，而西西里島的居民全信仰天主教。在每一部結尾時，都會有初生的嬰兒在教堂裡受洗，同時所有的壞人會被教父派去的殺手全部消滅，這幾乎成了固定的模式。

這裡對「教父」的理解要回到原始的情況，即教父哲學。奧利金有一個觀念，他認為萬物最後都會復原，即回到原始的完美狀態，這稱做「萬物復原論」。

本節主要探討三個問題：

第一，上帝本身是圓滿的，他為何要創造這個世界？

第二，上帝是如何創造這個世界的？

第三，萬物復原論是怎麼回事？

（一）上帝為什麼要創造世界？

基督宗教信仰的上帝是從猶太教的上帝傳承而來，他是唯一的、純粹的精神體，從永恆就存在，他是圓滿的，沒有任何缺憾。但是他為什麼要創造世界？簡單來說，因為上帝就是善，他總是在自我溝通與自我擴散之中，不可能沒有活力，所以他創造了世界。這種創造沒有任何目的，因為若有外在目的，代表上帝不夠完美。上帝也不是自由創造世界的，因為自由創造是一種行動，行動表明有潛能需要實現，這也代表上帝不夠完美。

上帝創造世界是一個奧祕難解的謎。他為什麼創造世界？因為他就是善，並且他也是愛。他創造世界與人類之後，讓天使與人類享有神所特有的自由，可惜人類沒有善用這樣的自由，所以後面就出現耶穌降生來拯救人類這一系列的發展。

（二）上帝如何創造世界？

姑且接受「上帝是善」、「上帝是愛」這樣的說法，接著要問：上帝是如何創造這個世界的？從猶太教到基督宗教都相信，上帝是圓滿無缺的，所以他必須從虛無中創造世界。這種觀念在人類思想史上非常罕見，也很難被理解。

在古希臘時代，不管是柏拉圖還是亞里斯多德，都認為原本有一種純粹的物質，它處於完全的混沌中，後來被賦予了形式，於是慢慢出現萬物。但基督宗教認為，如果上帝之外還有混沌的物質，那麼上帝就受到了限制，這不符合宗教的教義。所以，他們相信上帝一定是從虛無中創造世界的。

有人也許會聯想到古代的道家，《老子・第四十章》有一句很簡短的話：「天下萬物生於有，有生於無。」從字面上看，好像可以從「無」中生出「有」；但根據王弼的注解，應該把這句話理解為「有形之物來自於無形之物」。如果只是說「有生於無」，就變成一種很神祕的情況，怎麼可能無中生有呢？

如果說上帝從虛無中創造了世界，隨之而來的問題就是：上帝本來圓滿自足，他創造世界與人類不是自找麻煩嗎？事實上，所有的宗教與哲學都是先接受現實，然後再回溯它的根源。譬如，《老子・第四十二章》提到：「道生一，一生二，二生三，三生萬物。」可見，老子認為「道」生出萬物。但「道」是圓滿的，它「獨立而不改，周行而不殆」，為什麼還要生出萬物？宇宙萬物紛紛芸芸，人類世界錯綜複雜，「道」豈不是自找麻煩？可見，並不是只有基督宗教才需要面對這樣的問題。

關於上帝如何創造世界，基督宗教的說法非常特別，它符合基督宗教的教義，卻完全無法被人的理性所理解。你若不信這個宗教，就會覺得這種說法非常荒謬。

（三）萬物復原論是怎麼回事？

萬物復原論認為，上帝本身是完美的，不知出於什麼原因創造了萬物，萬物最後一定會回到上帝的圓滿裡面。對自然界來說，這種說法問題不大，因為自然界本身就是一種循環過程，只要保持生態平衡就可以了。

但人類不一樣。人有自由，可以選擇為善還是為惡。有很多人執迷不悟，臨死前對於自己所犯的惡行仍然毫無悔改之意。如果好人和壞人最後都復原到完美的上帝裡面，那麼人為何一定要行善避惡呢？即使死後會下地獄或煉獄，但不管是幾十年還是幾百年，那都是有限的一段時間，最後萬物都會復原，回到完美的上帝懷中。這樣一來，正義何在？

六百多年後，愛爾蘭哲學家愛留根納（Eriugena, 810-877）也呼應奧利金的萬物復原論，他被稱為「經院哲學第一人」。他提到：

1. 上帝所造的一切都不是邪惡的，所以魔鬼與惡人的實體或本性依然是善的；
2. 應該受懲罰的是魔鬼與惡人的邪惡意志，他們對萬物過於執著，忽略了意志應該轉向上帝；
3. 就像太陽升起會消除一切陰影，萬物最後也會復歸於上帝。

萬物復原論對人來說始終是個奧祕，但基督徒確實相信有一個從虛無中創造一切的上帝，因此他們必須考慮上帝真的可能讓萬物復原。否則，圓滿的、唯一的、完美的上帝造了人類之後，還要去造地獄和煉獄來懲罰惡人，不是自尋煩惱嗎？而且，完美的上帝怎會如此沒有度量？他難道不能「以德報怨」嗎？對於宗教的奧祕，很難用理性做出充分說明，但它又是基督宗教裡非常核心的觀念。

收穫與啟發

1. 基督宗教相信上帝是無限的、超越的、唯一的、完美的，他從永恆就存在，他創造了世界與人類。他為什麼創造？因為他是善，總要展現他的生命力；也因為他是愛，總要把他的愛付諸實現；所以他創造了這一切。
2. 上帝創造世界的方法是「無中生有」。《舊約．創世紀》一開頭就說：「上帝說有光，就有了光。」後來就把說話當做一種力量，英文就用 the Word 代表三位一體的「子」，也就是耶穌。被造之物在本質上就不是完美的，因為它有生有滅。人類做為萬物之靈，獲得特有的自由。自由使人類可能犯錯，甚至可能故意為惡。人類的惡就是缺少應有的善，或是弄錯了應該追求的目標，愛好萬物超過了愛好神。後面再延伸出死後的審判，以及天堂、地獄等各種說法。

3. 如果說上帝是完美的，是善的，也是愛的，那麼他何苦要自找麻煩，先讓人類存在，人因為有自由而可能犯錯，上帝又讓人陷入地獄的懲罰？進一步要問：地獄在上帝之內還是之外？當然在上帝之外。如此一來，無限的上帝不是受到地獄的限制嗎？所以奧利金等教父哲學家才會強調萬物最後會復原，一切都會回歸到上帝的圓滿之中。

課後思考

如果萬物最後都會復原，人不論善惡，最後都會有圓滿的結果，你覺得這樣合理嗎？這種說法對人生的知與行會有哪些影響？

補充說明

很多人都會質疑萬物復原論的說法，在此我想說明以下四點：

1. 為何要提出萬物復原論？

中世紀初期的教父哲學為何會非常認真的提出「萬物復原論」？因為他們信仰唯一的、完美的上帝，這是一個大前提。上帝無論是出於善還是出於愛，他創造了世界萬物以及人類，人有自由就有可能犯錯，死後就要接受審判而下地獄，這對上帝來說不是自找麻煩嗎？這樣看來，上帝的智慧顯然還不夠。他本來是一個完美的存在，創造人類之後，就要去做公平的裁斷，賞善罰惡，還要造一個地獄出來。上帝是全善的，所以地獄當然在上帝之外。但如此一來，上帝不是把自己限制住了嗎？

為了解決上述困難，奧利金提出萬物復原論，不管人類如何判斷善惡、為善還是為惡，最後一切都要回歸到上帝的懷抱中。換個角度想，如果主張人類以外的萬物最後都會復原，大家還比較容易接受，自然界本來就是一種生態平衡，形成食物鏈，最後一切復歸於平靜。但是人類出來之後就不一樣了。

不論如何質疑萬物復原論，真正要面對的是下述問題：人真的能分辨善惡嗎？善惡真的有適當報應嗎？按照什麼標準去報應呢？

2. 為什麼很多人不能接受萬物復原的觀念？

主要有兩方面的考慮：一方面是「知」，另一方面是「行」。

在「知」方面，如果萬物復原，不管好人還是壞人，最後都會回到最原始的狀態，那麼區分善惡還有意義嗎？既然區分善惡，就應該善惡有報，這樣的區分才能被人理解。

在「行」方面，如果萬物復原，那又何必行善避惡、改惡從善呢？絕大多數人可能都會有這樣的想法，這裡包含一個假定：為惡比較容易、比較愉快，因為為惡不用修行，可以放縱自己；行善則比較困難，比較辛苦。

但你認真思考之後就會發現：你為惡一定會傷害某些人，甚至傷害自己。也許開始會覺得自己終於報仇了，終於出了一口惡氣。但隔一段時間之後，或者在你生命快結束的時候，你回首往事就會覺得：有必要嗎？非這麼做不可嗎？因此，為善為惡的真正報應就在行動的當下。就算你當時沒有這種感受，之後也一定會出現。看到別人因你而受苦，你忍心嗎？心裡的「不忍」不是對別人的，而是對自己的。我心裡覺得不忍，覺得難過，覺得不安，那我怎麼可能愉快呢？這就是另外一種思考角度。

3. 人如何判斷善惡？

判斷一個人為善或為惡不能脫離特定的時代和社會。當然，我們最後還是會把焦點拉回到自己身上，我自己可以清楚感覺到別人欺負我，這當然是對我為惡。但此時我能以同樣的方式對付他人嗎？善惡的觀念不但會隨著時代和社會而改變，更重要的是，它會隨著一個人的年齡、經驗、閱歷的增加而改變。當初以為是那樣，後來發現未必如此。

這樣一來，如果最後萬物不能復原，善惡報應這筆帳很難算清楚。如果用輪迴來解釋，因為沒有人能把帳算清楚，所以只好繼續輪迴下去，總是有人來還債，有人來要債。佛教《地藏經》中說：「地獄不空，誓不成佛。」真正有大悲願的菩薩都希望地獄變成空的，這其實也是一種萬物復原的想法。

可見，萬物復原在宗教裡是比較常見的觀念，用理性也可以理解。不過，萬物復原論並沒有成為天主教的主流思想。十三世紀天主教作家但丁的《神曲》裡有地獄、煉獄和天堂三個層次，代表天主教沒有接受萬物復原論做為正統教義；因為這種理論對於教導世人分辨善惡或行善避惡沒有太大幫助，甚至可能有副作用。

4. 萬物復原的觀念與《三字經》所說的「人之初，性本善」可以對照來看嗎？

《三字經》由南宋末期的王應麟（1223-1296）所編，他採用的是朱熹的思想。朱熹依據的是北宋程頤等學者的說法，主張人性本善。宋朝到明朝的學者，包括王陽明在內，都主張人性本善。他們本是一番好意，但「性本善」需要做很多預先的解釋。譬如，先要把人性分成兩半，一半是天理，另一半是人欲；然後說人欲和動物的欲望差不多，動物都有欲望，所以這不能做為人性的特色；人與動物的差別在於人有「天理」，所以天理才能做為人性最真實的內容。

性本善是由思考推衍出的結論，不是從現實經驗出發的。朱熹最後提出「去人欲、存天理」這六個字，請問：你見過有誰真正做到這六個字？孔子終生努力學習、改善自我，他到七十歲才說「從心所欲不逾矩」，孔子沒有去人欲，而是要把「欲」調整到配合理性的思維，配合社會的、別人的需求，讓合理的「欲」實現出來。孔子的志向是「老者安之，朋友信之，少者懷之」，他希望天下人都快樂，這不也是一種「欲」嗎？《三字經》的說法帶來許多後遺症，我們有機會再談。

再回顧一下基督宗教對「人」的看法。他們認為人的生命是受造的，人受造時具有兩個條件：第一，人是按照上帝的形象受造的；第二，人在受造之後便有了原罪。這兩點一個代表善，一個代表惡。上帝的形象當然是善的，這代表人有良心或良知；原罪是伴隨人的自由而來的一種原始的緊張狀態，這代表人有犯錯的可能。基督宗教一方面講人有良知，一方面講人有欲望，它要設法讓人一生走得平穩，它建構的道路很符合大眾的實際生活狀況。

相對的，如果主張人性本善，那麼對於人間隨處可見的罪惡以及個人隨時為惡的可能性都無法解釋。我們學習西方哲學，並不是要接受他們的宗教信仰，也不是要對他們加以批評或排斥，而是要了解、了解、再了解。究竟要如何了解呢？

第一步，先知道他們在說什麼，盡量避免曲解或誤會。

第二步，再思考他們的說法能否成立，是否有道理？我們可以不贊成，但對於有道理的說法要予以認同。

第三步，學會之後對自己的生命有何啟發？我們要從中汲取正確的觀念，用來建構屬於自己的人生觀，這才是愛智慧的表現。

最後，對於智慧要有個人的體驗和實踐的心得。

12-5 從三位一體說起

本節的主題是：從三位一體說起。

如果去歐洲旅遊，參觀英國的牛津大學、劍橋大學，或愛爾蘭的都柏林大學等名校，就會發現這些學校都有「三一學院」。「三一」是基督宗教最核心的教義，他們相信上帝是「三位一體」的。這是怎麼回事呢？

「三一」對應的英文是 Trinity，這個詞看似簡單，卻有十分豐富的內涵。前面的 Tri- 來自於拉丁文 Tres，代表「三」；後面的 nity 就是 unity，代表「統一體」。兩部分合起來，表示三個在一個之中，代表三位一體的神明。

基督徒出現之後，在將近兩百六十年的時間裡飽受迫害。西元 313 年，君士坦丁大帝發表米蘭敕令，解除對各種宗教的限制，每個人都可以選擇自己的信仰並加以實踐，其中特別提到對於基督徒的寬容與肯定。

西元 380 年，基督宗教正式成為羅馬帝國的國教。

歷史上的耶穌說了什麼、做了什麼，現在都無法得到確證。傳下來的《聖經・新約》是在西元一世紀後期、距離耶穌將近一百年左右才全部完成的。重要的是，耶穌的門徒建立了教會，成為神在人間的代表。

本節有以下三個重點：

第一，基督宗教發展初期所展現的核心信仰。

第二，「三位一體」在說什麼？

第三，基督宗教為什麼可以廣為傳揚？

（一）基督宗教發展初期所展現的核心信仰

基督宗教早期的內容可從以下三個方面來看：

1. 耶穌是猶太人

猶太人相信自己是上帝的選民，他們的歷史會對整個人類世界產生重要的影響。上帝是創造者，也是拯救者，猶太人受到召喚，一直在等待救世主的出現。

2. 耶穌出現

耶穌出來傳教，強調天國已經來臨，人必須悔改，為自己贖罪。最關鍵的一點是：耶穌受難而死，並且信徒相信他死而復活。這等於是一個新的創造，從此出現了新的人類，基督宗教由此展現為普世宗教，對於神和人性都有新的理解。

3. 耶穌門徒的表現

耶穌門徒中最特別的一位是保羅。保羅沒有見過耶穌，他本來要去迫害耶穌的門徒，結果在路上受到震撼，成為最傑出的傳教士和奠定基督宗教基礎的神學家。另外，他主張的普世主義也勝過猶太教的排他主義，這是保羅的貢獻。

另一位是約翰，他是耶穌最年輕的一位門徒，耶穌去世前把他的母親託給約翰照顧。《聖經．新約》裡有一卷福音就叫做《約翰福音》，一開頭就強調：太初有邏各斯，邏各斯成為人，也就是耶穌。他使用了「邏各斯」一詞，把古希臘哲學的重要觀念接引到基督宗教，甚至成為耶穌基督的一個象徵。這讓希臘哲學與基督宗教之間有了一個重要的關聯點。

（二）「三位一體」在說什麼？

在教父哲學的初期階段，有一位來自北非的教父叫做德爾都良

（Tertullian, 160-222），他在哲學史上以嚴格區分希臘哲學和基督宗教而聞名。德爾都良認為：你們是雅典，我們是耶路撒冷；你們希臘哲學用理性追求真理，永遠也吵不完，我們基督宗教有《聖經》，上帝明白宣示了真理；兩者要嚴格區分，沒有任何溝通的可能。

幸好中世紀哲學的發展沒有遵循德爾都良的路線，否則就變成純粹的宗教了。

德爾都良在哲學上還有一個重要表現，他首先提出「位格」的觀念。「位格」的拉丁文是 persona，本來是「面具」的意思。演員上臺演戲，戴什麼面具就表明他是什麼樣的人。類似的，每個人在面對不同對象時，就好像戴上不同的面具，表現出不同的角色和身分。「面具」這個詞後來就變成了「位格」，英文就是 person。將 person 譯為「位格」比譯為「人格」更適合，因為若說「上帝具有人格」就框限住了上帝。我們今天說「這位先生」、「那位女士」，就是用「位」來稱呼與我平等的，具有知、情、意三種功能的主體。

基督宗教用「三位一體」來說明神的最大奧祕。「一體」代表只有一個神，「三位」代表這個神有三種角色或功能，第一位是父，第二位是子，第三位是靈。這背後的信念是：神就是愛。從人的角度來看，父母與子女的關係是人類所能想像的最親密的關係。愛一定需要能愛與所愛，父子之間的愛產生某種力量，就稱為靈。上帝創造世界和人類，後來又拯救人類，最主要的原因就是愛。

三位一體是基督宗教最核心的信仰，靠人的理性是無法理解三位一體的，一定要靠信仰才能得到啟發。人若從「三位一體」的角度來看，更容易了解宇宙萬物；在與神溝通時，也更容易產生互動的效果。

要記得一點：神本身是什麼永遠是一個奧祕，人不可能充分了解。不僅是基督宗教，其他宗教也有類似的情況。做為萬物的來源與歸宿的那個最高力量，永遠留在奧祕之中，對於理性來說，它永遠處於隱晦黑暗之中。人所理解的神，絕對不等於神的本身。

譬如，孔子說自己「五十而知天命」，但他亦無法掌握天命的全部內容；後來他在周遊列國時，有兩次差點被殺，他只能說自己是在順從天命。孟子也說，上天還不想讓天下太平，否則的話，「當今之世，舍我其誰」。

孔子、孟子都有非常精準的觀點，人可以了解天命，但那只是人所能了解的某個側面；天命本身是什麼永遠在奧祕之中。老子談到「道」也一樣，他說：「我勉強給它取個名字叫做『道』。」但是「道」本身完全不可說，完全不可思議。

西方的基督宗教談到超越的力量，居然認為它是「三位一體」的。這種說法與眾不同，很可能來自於某種啟示，值得我們參考。

（三）基督宗教為什麼可以廣為傳揚？

不管是否信仰基督宗教，當聽到「神就是愛」時，都會受到很大啟發。基督宗教對於「愛」的特別強調，在它推廣過程中扮演了關鍵的角色。

耶穌談到的「愛」不是常人所能想像的。一方面，他談到所謂的「金律」──己之所欲，施之於人，你希望別人怎樣對你，你就要對別人做同樣的事。更進一步，他談到要「愛人如己」，這四個字實在難以做到。更讓人震撼的是，他還談到要「愛你的仇人」。這些對愛的理解足以使很多人受到啟發。

另外，保羅在他的書信中對愛的描述已經成為文學上的經典名言。保羅說：「愛是恆久忍耐，又有恩慈；愛是不嫉妒，不自誇，不張狂，不做害羞的事，不求自己的益處，不輕易發怒，不計算人的惡；不喜歡不義，只喜歡真理。凡事包容，凡事相信，凡事盼望，凡事忍耐。愛是永不止息。」（《哥林多前書》13:4-8）基督徒最喜歡引用這段話來描述人間行為的準則。

「三位一體」的觀念凸顯了基督宗教的特色，要信仰這樣的宗教，不能只靠理性去了解。從理性上來看，會發現它有荒謬性；但正因為荒謬，我們才考慮是否要信。重要的是，信了之後，能否有與之配合的行為表現，能否超出一般人的思維模式，表現出一種更加超越的精神力量。

收穫與啟發

1. 基督宗教是有傳承的，從猶太教到耶穌，再到保羅、約翰等信徒，逐步發展，構成信仰的初步內容，對於宗教的教義與儀式都有一定的說明。
2. 德爾都良首先使用拉丁文「面具」一詞，以之代表具有知、情、意能力的主體，稱為「位格」。譬如，「你」、「我」、「他」都是有位格的，而一般的動物只能稱「牠」、植物稱為「它」，代表沒有位格，與人不是平等的。

   「三位一體」代表只有一個神，這樣說的目的是要表達出「神是愛」這樣的觀念。愛不可能是孤單的，愛是一種關係，一定要有「能愛」與「所愛」才能構成關係。人類所知的最親密的關係莫過於父子，由此展現出的力量就稱為靈，靈一直在世間運作。這就是基督宗教對「三位一體」的基本理解。
3. 區分不同位格，是為了凸顯「愛」，這可以用保羅的話來加以說明。

基督宗教對西方世界的影響非常深遠。以西元紀年法來說，它出現於 731 年，英國學者彼得在編輯《英格蘭的教會史》中首次採用西元紀年。「西元前」用英文字母 B.C. 來代表，意為「基督之前」（Before Christ）；「西元後」用 A.D. 來代表，這是拉丁文 Anno Domini 的縮寫，意思是「上帝的年代」，亦即耶穌誕生，上帝的年代由此開始。基督宗教對西方文化的深刻影響由此可見一斑。

課後思考

保羅所說的愛已經成為人類文化的經典名言，你讀了之後，有何感想？

第十三章

教父哲學代表

奧古斯丁

13-1 有了求真決心，可以改變人生嗎？

本章的主題是：教父哲學的代表奧古斯丁（Augustine, 354-430）。本節的主題是：有了求真決心，可以改變人生嗎？

中世紀有一個宗教和兩個學派：一個宗教就是基督宗教，而後發展為「一教三系」；兩個學派就是在前的教父哲學與在後的經院哲學。教父哲學最重要的代表就是奧古斯丁。

本節要介紹以下三點：

第一，教父哲學的代表奧古斯丁的主要工作。

第二，奧古斯丁傳奇的一生。

第三，他的求真決心帶來怎樣的結果？

（一）教父哲學的主要工作

教父哲學在奧古斯丁這裡得到最完整的發揮。在進入主題之前，我們先要說明一個簡單的觀念。天主教掌握中世紀整個社會的發展，他們對於德行完美的人物，包括為宗教信仰殉教的人物，會在他們的名字前面加上「聖」（St. 即是 Saint）字，譬如聖奧古斯丁、聖多瑪斯．阿奎那。從哲學的角度來看，「聖」這個字是多餘的。如果「聖」代表完美的話，這些哲學家的見解不盡相同，這不是有些矛盾嗎？所以，在用理性探討人生問題時，我們統一把「聖」字去掉。

奧古斯丁做為教父哲學的代表，他的主要工作是把當時流行的新柏拉圖主義與基督宗教進行有機的融合。新柏拉圖主義將最高的層次稱為「太一」，由「太一」流衍出知性、世界魂、個人生命以及萬物；基督宗教認為有一個至上神，其地位相當於「太一」，但他們主張創造論而非流衍論。談到人生的歸向，新柏拉圖主義認為要回歸太一，基督徒認為要回歸上帝，兩者的想法類似。奧古斯丁要設法協調希臘哲學與基督宗教，使兩者能融為一體，這就是教父哲學最主要的工作。

（二）奧古斯丁傳奇的一生

奧古斯丁出生於北非的塔加斯特（Tagaste），母親是虔誠的基督徒，父親直到臨終前才受洗。奧古斯丁從小既聰明又調皮，經常讓父母操心，母親天天為他禱告。在他十六歲時，父母把他送到當時北非最大的城市迦太基（Carthage）學習修辭學，這在當時是熱門的學問。

奧古斯丁有一本代表作名為《懺悔錄》，直到今天仍有很多人閱讀。書中描寫他的成長過程，記錄了他年輕時的許多荒唐故事。他曾和幾個夥伴路過別人的花園，只因為門口掛著「不可偷摘水果」的牌子，他就偏要去偷；偷了之後自己隨便吃兩三顆，剩下的或者丟掉或者拿去餵豬。這很明顯是青春期的叛逆表現。

他在求學階段不喜歡希臘文，後來才後悔，覺得自己無法進一步了解希臘哲學家的作品。他在迦太基學習期間結交了一群壞朋友，組成了一個名叫「顛覆者」的團體，專門擾亂社會治安，搶劫無辜的路人；所幸奧古斯丁參與不多。他耽溺於情感之中，很快便有了情婦和私生子。

儘管有這麼多複雜的問題，奧古斯丁的學習成績還是相當優秀。他的修辭學、辯論術都非常好，年僅二十歲就在迦太基創辦了一所修辭學學校，自任校長。後來這個學校辦不下去了，他就到米蘭去教書。

他是典型的羅馬帝國末期的人。當時的人對於男人行為不檢點不以為意，反而認為那是瀟灑的表現。他在米蘭接觸到天主教，三十三歲受洗成為基督徒，然後回到北非的希波城（Hippo），幾年後被選為主教，成為一位重要的哲學家與神學家。

奧古斯丁有何特別之處？他年輕時放浪形骸、任性自負，但他也在不斷的尋找真理。他早年對感情不負責任，喜愛炫耀自己的演說能力，後來他為此深深的懺悔，批判自己年輕時的各種作為，這些經歷使他探觸到人性最深刻的一面。他對於罪惡非常敏感，甚至把許多無害之事也當做罪過。譬如，他說自己求學時喜歡嬉戲勝過喜歡學習；熱心於研究古希臘特洛伊城的大火，卻不喜歡背誦數學公式；一有空就到歌劇院去觀賞演出。他甚至說：「嬰兒哭鬧著要吃東西是否也算是一種罪惡呢？」可見，他有極其敏銳的良心，比一般人更接近人性的本來樣貌。

他以前所未見的活力使自身成為思考的對象，他說：「我自己就是我探究的對象。」他是哲學史上第一個撰寫真實自傳的人，他的作品《懺悔錄》非常真實，對自己的問題一點都不美化或隱藏。他誠實面對自己，學習了解自己。也唯有探究自身、關注自身，才可能獲得真理。他說：「不要從你自身離去，因為真理棲息於人的內心世界。」他把焦點轉向人的內心世界，由此開啟西方哲學史的新紀元。

（三）奧古斯丁的主要發現

奧古斯丁發現，人類總是不對勁，內心總是不平靜，生活在混沌中又渴望脫離混沌（混沌就是沒有秩序的狀態）。他寫道：「神啊，你要讓我們走向你，直到棲息於你之中，我的心總是不能平靜的。」這當然是他後期的覺悟。

奧古斯丁在哲學探討的主題上開創了新紀元，他要探討人的內心世界，在內心世界中尋求真理。另一方面，他也是古代社會最具現代精神的哲學家。

所謂的「現代精神」是指以下三個方面：

1. 自我的覺醒與批判

他注意到自我的重要，要向內反省及批判自己，他的《懺悔錄》中有很多這方面的資料。由「懺悔」一詞就能看出，他對自己的生命有一種深刻的反思。

2. 他的作品顯示了心理的衝突與掙扎

這屬於現代人比較熟悉的「深度心理學」的範疇。對於別人提出的問題，他有時也覺得難以回答。有一段與「時間」有關的名言在哲學史上流傳了下來，他說：「時間究竟是什麼？沒有人問我，我倒是清楚；有人問我，我想說明，便茫然不解了。」事實上，對於「時間是什麼」這一問題，大家至今都難以達成共識。

奧古斯丁究竟是如何說明時間的呢？他說：「時間在我的靈魂裡面，我以靈魂來衡量我的時間」。如何衡量？透過記憶，理解過去；透過觀察，理解現在；透過想像，理解未來。所以，時間是我們心中最深刻的一種體會。後來的哲學家還會一再討論這個問題。

他對人性有非常深刻的了解，他說：「壞習慣不加以抑制，不久它就會變成你生活上的必需品。」他又說：「我們最危險的敵人其實是我們對敵人的仇恨，這種仇恨在我們內心造成的傷害，遠遠超過我們打擊敵人給敵人造成的傷害。」如果內心缺乏深刻的反省，不可能寫出這樣的語句。

3. 生命的隔絕與希望

奧古斯丁有強烈的求真之心，但他又感覺到生命是隔絕的，與世界不能溝通，對自己亦無法認識。那麼希望何在？我們後文會繼續介紹他在求真之路上究竟覺悟到什麼，以及他關於原罪與罪惡、靈魂與真理等方面的看法。

收穫與啟發

1. 奧古斯丁是教父哲學的代表，他的主要工作就是把古希臘時代最後一派哲學——新柏拉圖主義與他本人所信仰的基督宗教做有機的結合。
2. 奧古斯丁有非常傳奇的一生，他年少時放蕩不羈，三十歲以後成為循規蹈矩的宗教家。
3. 在求真決心的引導下，奧古斯丁將人的內心世界做為主要的探討對象。他不但開啟了哲學研究的新紀元，也顯示出現代的精神。很多人甚至把他與存在主義的思想聯繫起來。

課後思考

很多人都有青春期叛逆的經驗，你是否記得自己過去的經驗？是什麼樣的機緣讓你走上人生的康莊大道？

13-2 若我受騙，則我存在

許多人都知道近代西方哲學家笛卡兒說過「我思故我在」，但比他早一千兩百多年的奧古斯丁說過一句類似的話──若我受騙，則我存在（Si fallor, sum.）。

本節要介紹以下三點：

第一，努力學習，尋找真理。

第二，回到自己，深刻反省。

第三，我的存在，不可懷疑。

（一）努力學習，尋找真理

不管奧古斯丁在生活上有什麼問題，他還是非常愛好學習的，學習的目的就是要尋找真理。他接觸到四種思潮，對他的思想產生重大影響：

1. 他閱讀了羅馬初期哲學家西塞羅的著作。從此以後，他便開始嚮往更高級的哲學生活，認真思考此生該何去何從。
2. 接觸到當時很流行的摩尼教。波斯人摩尼（Manes）在西元三世紀創立了摩尼教，他認為：這個世界從古以來就有善惡兩種勢力的鬥爭；人的靈魂和身體一善一惡，也是一種二元的組合，一直處於鬥爭之中。奧古斯丁最初認同摩尼教的說法，認為它可以解釋惡的來源問題。他當時還不能理解基督宗教的說法，因為基督宗教認為神是善的，那世間為何會有惡存在呢？可是他後來發現，如果善惡總是二元衝突的話，該怎樣勸一個人行善避惡？如此一來，人永遠也找不到確定可靠的知識。到底什麼才是可靠的知識？到底從哪裡可以找到真理的基礎？他仍要努力繼續尋找。

3. 接觸到新柏拉圖主義。新柏拉圖主義是一種一元論的系統，以一種唯心論的方式來整合整個宇宙，奧古斯丁覺得這種說法比較合理。
4. 接觸到基督宗教。奧古斯丁在米蘭遇到一位主教安博洛斯（Ambrose, 333-397）。一般認為安博洛斯就是奧古斯丁的「蘇格拉底」。他受到這位主教的深刻啟發，後來皈依基督宗教，自己也成為宗教裡的一位教父。

（二）回到自己，深刻反省

奧古斯丁年輕時就成為受人尊敬的修辭學教授，在社會上有一定的成就；但他心裡始終覺得不安，總是充滿疑慮。後來，他聽說埃及有幾千人過著樸素而聖潔的修行生活，這些人大多沒受過什麼教育；而他卻一直沒有打定主意該如何生活，於是心裡更加不安。

一天午後，他躺在自家花園的長凳上，隨手翻開《聖經》放在一邊，他起身後又倒在無花果樹旁，這時聽到隔壁傳來一個孩子的聲音：「拿起來讀！拿起來讀！」他忽然間好像受到啟發，產生了靈感，於是立刻跳起來拿起《聖經》，正好翻到《聖經・新約》中保羅所說的一段話：「行事為人要端正，好像行在白晝；不可荒宴醉酒，不可好色邪蕩，不可爭競嫉妒；總要披戴主耶穌基督，不要為肉體安排去放縱私欲。」（《羅馬書》13:13-14）他覺得這句話就是專門對他說的，所以當下覺悟要改邪歸正，走上人生的正途。他要回到自身去探討，到底什麼才是真實可靠的知識，人到底能夠認識什麼。

（三）我的存在，不可懷疑

人活在時間的過程之中，過去有如南柯一夢，未來好似鏡花水月，而現在的一剎那又恆處於變化之中。奧古斯丁要問：我真的存在嗎？或者我只是在做夢？於是他開始認真思考。這個問題只可能有兩種答案：第一是我存在；第二是我不存在。若我存在，就不需要再探討。若我不存在，卻以為自己存在，那我可能受騙了；然而我必須存在才能受騙，否則是誰受騙了呢？這個論證十分有趣。這一說法深深影響一千兩百多年後笛卡兒的思想，當笛卡兒說「我思故我在」時，也經過類似的思考過程。

我處在變化的世界中，一切都在變化，一切都不可靠，這一切都是真的嗎？我從哪一點可以肯定存在呢？答案就是從我自己開始。我肯定自己存在，因為我即使受騙，我也必須存在才能受騙，所以我的存在是不可質疑的。這是真理的第一步基礎（我們可以把「真理」理解為「真實存在者」）。你如果向外求知，所有的知識都是相對的，人間的富貴榮華都是短暫的；如果向內求覺悟，人心又是善變而不安的。靈魂才是真正的自我，人還要設法向上尋找自我的根源，這樣就會找到信仰。

「若我受騙，則我存在」這句話中隱含三個意思：第一，我存在；第二，我知道我存在；第三，我渴望我存在。

1.「我存在」就是我能肯定自己的存在。
2.「我知道我存在」是說，當我確信自己存在時，我獲得一種超越感官認識、超越一切知識的理解，我覺悟到有一個內在的自我，這是理智的作用。
3.「我渴望我存在」是說，當我確信自己存在時，我產生一種繼續存在下去的渴望，我從中體驗到一種喜悅，要對自己的存在不斷加以肯定，這是意志的作用。

因此，人如果肯定自己的存在，立刻會出現理智的「知道」和意志的「渴望」。

人對自己的存在有了真知，才知道該如何去尋找幸福。什麼才是「真知」？除了「我存在，我知道我存在，我渴望我存在」這三點以外，我們還要知道：人間大部分東西都沒有太大價值，只有和自己靈魂有關的才是真實的；且還要由此上溯到根源，也就是神。奥古斯丁是宗教家，這樣的推理對他來說是很自然的。人活在世界上要找到根源，那才是真實的基礎。對奥古斯丁來說，這個根源就是基督宗教的上帝。

他進一步肯定以下三點：

1. 一切存在的東西都是上帝創造的。
2. 上帝創造的一切都是美好的。
3. 人間雖有罪惡，但這種罪惡也可能讓人類產生善的結果，否則這種罪惡不會出現。

他認為惡是善的缺乏，而不是實實在在的東西。就像動物會生病，生病代表缺乏健康，它並非真實的東西。為惡代表我們對善有所缺乏，只要行善，惡就會完全消失。這是當時對惡的一般理解。

收穫與啟發

1. 奥古斯丁懷有求真的決心，他學習當時所能找到的各種知識。他先是受到西塞羅著作的啟發，開始研究哲學；後來覺得摩尼教的善惡二元論似乎可以說明惡的問題；然後又接觸到新柏拉圖主義的唯心論，發覺還是一元論比較合理；最後接受基督宗教的一整套思想。
2. 他不滿足於先前所知，一直在繼續追問，一定要找到可靠的

「知」。他在追問的過程中推出「若我受騙，則我存在」：若我以為自己存在，而事實上不存在，代表我受騙了；但我必須存在，我才能受騙。這是一種很巧妙的推論方式。他回到自身，由此肯定「我存在，我知道我存在，我渴望我存在」。我有這樣的生命就會追求幸福，而幸福一定要建立在最真實的基礎上，然後再把人與神的關係做一個建構，進入宗教的世界。

課後思考

請你回憶一下在學習過程中是否有過被騙的經驗？比如被某個觀點或知識騙了很多年，後來突然覺悟。

13-3 「原罪」與「惡」

本節要探討的是「原罪」與「惡」這兩個刺耳的問題。中國人聽到「原罪」這兩個字就會覺得有壓力，因為數百年來，我們所學的儒家思想都採用朱熹的解釋，從《三字經》開始就強調「人之初，性本善」，所以「性本善」的觀念已經深入人心了。至於這個說法對不對，朱熹的解釋是否符合孔子、孟子的思想，我們姑且不論；但是我們聽到基督宗教說「人有原罪」，總覺得很難理解，更不容易接受。

本節內容包括以下三點：

第一，原罪所指的究竟是什麼？

第二，惡又是什麼？

第三，由此造成的人間狀況如何？

（一）原罪是什麼？

我們最好將「原罪」理解為「罪的來源」。人類世界自古以來都是善惡並存，惡顯然來自於有缺陷的狀態。但是不能把人間的罪惡歸因於上帝，因為基督徒相信上帝是全善的、全知的、全能的，不可能與罪惡有任何關係。所以我們在探討原罪的時候，等於是在追問：罪的來源到底是什麼？

根據基督宗教的理解，罪必須由人自己來負責，這就是亞當和夏娃在伊甸園偷吃禁果的故事。最初上帝與人類約定，有一種果子不能吃，結果人類違背了神的旨意，得罪了神，這就是原罪。原罪的來源是人有自由可以做出選擇，然而它的後果居然是會遺傳給人類的後代。

如果人類的原罪是靠生理上的遺傳得來的，只要生而為人就有罪，那怎樣理解這樣的罪呢？罪與人的行為有關，必須以自由做為前提，但是人剛一出生，哪裡有自由行動的可能呢？所以，與其說原罪如何遺傳給後代，不如回到人的自由這個問題上。

每個人都有自由，可以自由做選擇，但任何選擇都有一半的機率選錯，由此產生一種原始的緊張狀態，這就叫做原罪。換句話說，人在自由選擇時，可能由於理智不清、意志不堅或情緒干擾而做出錯誤的選擇，有時甚至故意做出一些不該做的事，害人害己。這樣就造成了人間的各種罪惡。

可以進一步問：人類不是上帝造的嗎？上帝為什麼不能造一個可以自由選擇但永遠不會選錯的人呢？這當然可能，但如此一來，人的自由就變成虛幻的東西。就像造一個機器人，給它設定好程式，讓它不會做任何壞事；但是機器人本身沒有自由，也就沒有所謂的「道德的責任」，更談不上價值與尊嚴。人類可以自由選擇，就要為他選擇的後果承擔責任。

（二）惡是一種缺乏

惡到底是怎麼回事？簡單來說，惡不可能是上帝所造的真實之物。除了道德上的惡，另外還有兩種惡。一種是生理上的惡。自然界的生物都有生老病死的問題，譬如一個人受傷或生病就是生理上的惡，這屬於自然現象。另一種是形上學的惡。人是受造的，不是自己生出自己的，因而人的存在不是完美的狀態。因此，形上學的善就等於存在，形上學的惡就等於虛無。

初期的基督徒將惡視為一種缺乏，你本來應該有正確的作為，結果你的意志選錯了方向。所以惡與意志有關，一般所謂的「自由」都是針對「自由意志」來說的。人的意志轉離了上帝，而上帝是永恆不變的善。離開了永恆不變的善，轉向有限的、相對的萬物，以為萬物更重要。因此，所謂「惡」就是人的意志缺乏正當的秩序。惡不是上帝造成的，也不是從虛無中創造的，而是人從本質墮落，趨向於不存在的東西，追求那些會消滅的東西。

事實上，新柏拉圖主義的普羅提諾已經提出過這樣的觀點。從羅馬時代開始，整個中世紀基督宗教都接受「惡是一種缺乏」的觀念。所以，不必把惡的原因歸之於全能的上帝，或像摩尼教那樣，認為有一個惡神存在。

把惡當做一種缺乏，在宗教裡也許說得通，但在現實中我們不免要問：惡真的是一種缺乏嗎？人間有許多罪惡令人髮指。譬如，二戰時納粹屠殺六百多萬猶太人，如果說這樣的罪惡只是善的缺乏，對那些犧牲的人來說不是太輕描淡寫了嗎？直到今天，世界各地的罪惡依然層出不窮，少數人為了自己的欲望而不惜傷害他人。如果只是把惡當做一種缺乏，恐怕不容易說服一般人。

（三）原罪與惡造成的人間狀況

人間一向都是善惡並存的。奧古斯丁的年代是西元 354 年至 430 年，西羅馬帝國在 476 年滅亡。在他生命的最後階段，當蠻族快要攻陷希波城時，奧古斯丁只能默默禱告。他的生命即將結束，而天下大亂、罪惡橫行的情況卻絲毫沒有減少。

奧古斯丁除了宗教、神學方面的著作，另有兩本哲學著作最有名，一本是《懺悔錄》，另一本就是《上帝之城》（*The City of God*）。他把人間的國家分成兩個，一個叫做巴比倫，一個叫做耶路撒冷。巴比倫代表世間的帝國，即世俗之城、地上之城；而耶路撒冷代表天上之城、上帝之城。這象徵著人間善惡兩種勢力一直並存，且一直在對抗。他把天主教教會當做耶路撒冷的代表；但不要忘記，因為人性的軟弱，教會中同樣存在著各種罪惡。

我們必須承認，宗教對於原罪與惡的問題已經做出比較完整而深刻的探討。在社會學、心理學等學問尚未充分發展的情況下，也很難再做進一步的評論。

收穫與啟發

1. 基督宗教所謂的原罪，不是說每個人生下來就有原始的罪。由於人的社會一直存在著罪惡，所以要追問罪惡的來源是什麼。上帝是完美的，所以罪惡的來源不能推到上帝，而只能推到人類的祖先。原罪是如何從祖先往後代代相傳的呢？與其說是生理上的遺傳，還不如說由於每個人都可以自由選擇，而任何選擇都有一半的機率會選錯，由此造成原始的緊張狀態。這樣解釋原罪比較合理。
2. 對於世間出現的各種罪惡，惡的來源何在？惡不是積極的、具體的、真實的東西；惡是一種缺乏，即缺少合理而正當的秩序，這種缺乏與人的意志直接有關。意志本該以上帝為目標，現在卻以人間的名利權位為目標。由於意志選錯了方向，於是後面出現各種複雜的情況。
3. 這樣解釋「原罪」與「惡」能夠充分說明人間的狀況嗎？在宗教界之外能否被認同呢？直到今天，這仍然是一個問題。

課後思考

奧古斯丁說：「要痛恨罪惡，但不要痛恨犯罪的人，因為他們與我們一樣都是軟弱的。」請問你對這句話有什麼樣的感想？

補充說明

奧古斯丁為何說不要痛恨犯罪的人？因為犯罪的人跟我們一樣是軟弱的，我們無法完全了解別人的遭遇；更重要的是，人可以改過遷善。如果痛恨犯罪的人，會使他改過遷善的意願降低，甚至自暴自棄。

我們可以把奧古斯丁說的「罪惡」延伸到更廣的領域，譬如社會的不公平、經濟的不平衡，及各種特殊的個人遭遇。

我曾看過一篇報導，美國高中生有百分之三十無法完成高中學業，主要原因有三個：吸毒、酗酒和性氾濫。我們要從更宏觀的角度去思考，設法消除造成罪惡的因素，減少犯罪的可能。譬如打擊毒品交易，限制將酒精出售給未成年人，不能對性氾濫聽之任之。等到青少年犯罪之後再來責怪他，對他也不公平。

有人犯了罪，對社會造成傷害和威脅，我們當然要痛恨。但是與其責怪這個人，不如思考他犯罪的誘因是什麼。如果這些因素一直存在，還會讓更多的人走上犯罪之路。我們痛恨這種罪惡，就要設法阻止或減少造成罪惡的相關條件。當然，要完全消除罪惡恐怕也只是個幻想。

奧古斯丁是宗教家，也是哲學家，我們要練習由他說的話反推到他的心靈狀態和信仰，進而理解他對人生的各種看法。如果你能經常練習反推，當你自己遇到問題時，思維的角度、寬度和高度都會不同，這才是學習哲學的目的所在。

13-4 論靈魂與真理

本節要介紹奧古斯丁如何談論靈魂與真理。有關人的問題始終令我們好奇，古希臘時代就出現「靈魂」的概念，但一直沒有明確的說法。奧古斯丁認為：「人有身體與靈魂，靈魂是不死的。靈魂擁有身體，但這並不代表有兩個位格，他還是一個完整的人。」奧古斯丁這樣定義「人」：人就是靈魂，他使用會腐朽的、在塵世的身體。這和柏拉圖的「身體是靈魂的監獄」的說法已經有所不同。中世紀哲學家都有宗教信仰，他們不再把身體當做完全負面的東西。身體也是上帝造的，上帝所造的一切，沒有理由是不好的。

本節要介紹以下三點：

第一，人是什麼？

第二，如何證明上帝的存在？

第三，真理是什麼？

（一）人是什麼？

奧古斯丁認為，人有靈魂，靈魂是非物質的、知性的、會思考的。靈魂除了具有非物質性，還具有實體性，就像亞里斯多德所謂的「自立體」。非物質性加上實體性保障了靈魂的不死。奧古斯丁參考柏拉圖的論證，從以下三方面證明靈魂不死：

1. 靈魂是生命的原理，生命和死亡不相容，所以靈魂是不死的。
2. 靈魂可以理解不朽的真理，因此靈魂本身必須是不死的，否則它不可能理解性質完全不同的、不朽的真理。動物魂有感覺能力，但是人的靈魂還有知性推理的能力，人與動物在這一方面完全不同，人可以進一步理解不朽的真理。

3. 靈魂渴望完美的幸福。奧古斯丁發現人類總是不對勁，內心總是不平靜。他有一句話值得再次引述：「上帝啊，你讓我們走向你，直到棲息於你之中，否則我們的心總是不能平靜。」如何才能讓自己安心？只有進入宗教的領域。

其實這種觀念我們並不陌生，可以拿禪宗思想來做對照。達摩祖師是禪宗的初祖，他來到中國創建禪宗。禪宗二祖是慧可禪師。慧可禪師第一次拜訪達摩祖師時，便請他開示：「求大師為我安心。」可見，這是人類共同的境遇，總是覺得心裡不安，總感覺哪裡不對勁，不知道走哪條路才是正確的。

達摩祖師的回答巧妙而精采，他說：「你把心拿來，我替你安。」他把那種模糊、抽象的狀態具體化，好像心要放在什麼地方才能夠安。慧可說：「我找不到我的心。」達摩祖師說：「我已經替你安好心了。」這代表其實連自我都不存在，所有問題都是自尋煩惱。這是佛教思想對人的啟發。

做為基督徒，奧古斯丁相信：存在一個至善而完美的上帝，他是一切真理的基礎。人只有追求上帝，才算走在正確的路上。如最後能與上帝會合，就能得到真正的安頓。人是善變的，每天都有不同的想法和作為，永遠不能滿足於自身。只有投身於更偉大的、永恆不變的力量，才能讓自己安頓並發現幸福。

奧古斯丁說：「使你幸福的，不是你自己靈魂的德行，而是那賜你德行的上帝。」換句話說，是上帝感動了你的意志，又使你有能力行動，就連德行也是來自於神的恩賜。所以，尋找上帝就是追尋至高的幸福，而至高的幸福就是得到永恆不變者，就是在愛中與上帝結合。

（二）如何證明上帝的存在？

奧古斯丁深知，從靈魂繼續談下去，一定會談到真理。他所謂的「真理」主要是證明上帝的存在，因為上帝是一切真理的基礎。奧古斯丁從以下三方面來證明上帝的存在。

1. 從人可以了解永恆的真理來證明

人的心智不可能去創造或修正真理，並且人的心智常在變化之中，而真理是不變的，因此人的心智比真理要低。但是心智居然可以了解什麼是真理，代表有一個更高的力量，亦即上帝，讓人心受到光照，從而了解了永恆的真理。這就是奧古斯丁著名的「光照理論」（theory of illumination）。

2. 從受造物來證明

奧古斯丁說：「這個世界以及一切可見之物，它的安排、秩序、美妙、變化和運動都在默默宣告：它們只能是被上帝創造的。上帝在照管一切，否則一切都會消失。」這一論證也被稱為「設計論證」。世人看到宇宙萬物充滿秩序與和諧的美感，保持一種適當的運動與平衡，由此便能肯定上帝的存在。後來，經院哲學的代表多瑪斯·阿奎那也採用這一方式來證明上帝的存在。

3. 從眾人具有的共識來證明

他說：「人有理性，除非一個人冥頑不靈，否則很容易就有共識，都承認上帝是世界的創造者。」我不是自己創造自己的，我們的父母也來自於他們的父母，我們所見的一切都有來源。請問：這一切的根本來源是什麼？奧古斯丁稱之為上帝。

奧古斯丁進一步描述：「上帝不在空間中的某處，也不在時間中的某一個片刻。他沒有空間上的廣延性，但他不變而超越，又可以內在於萬物之中。」簡單來說，上帝既內在於萬物，又超越於萬物之上。在時間方面，他說：「上帝不在時間中的某一個片刻，他沒有時間的延展性。但他是不變的與永恆的，比萬物更古老，所以在萬物之前；又比萬物更新穎，所以在萬物之後。」

這些說法與《莊子・大宗師》中對「道」的描述有異曲同工之妙。換句話說，上帝不在空間中，也不在時間中。他超越空間，但又無所不在；他超越時間，但是比萬物更古老，也比萬物更新穎，他永遠沒有過去和未來的問題。這樣的上帝是人間所有真理的基礎。如果用「上帝」一詞代表萬物的來源與歸宿的話，奧古斯丁的說法應該能得到不少共鳴。

（三）真理是什麼？

真理到底是什麼？事實上，以上帝做為基礎的一切就是真理。奧古斯丁做為基督宗教的教父哲學家，最主要的特色就是把推論出的靈魂、真理與上帝都歸結於基督宗教的《聖經》和教義系統。

關於人的本性，奧古斯丁認為：人的本性就是指向上帝，奉行道德律，這樣才可以完成本性的動力。如果上帝不想使人成為他所要的，他就不會創造人。人的意志是自由的，要遵守道德責任，同時也要把愛上帝當做一種義務，由此才可以得到救贖與恩典。

收穫與啟發

1. 人是什麼？人的本質就是靈魂，他使用會腐朽的、在世俗生活的身體。人是身體與靈魂的結合，但靈魂是主要的。靈魂是不死的、非物質的，同時具有實體性。奧古斯丁參考柏拉圖的論證來說明靈魂不死。他認為靈魂渴望完美的幸福，而完美的幸福與上帝直接相關。
2. 奧古斯丁用三種方式證明上帝的存在。首先，從人可以理解永恆的真理來看，真理比善變的人心要高，不可能是人心想出來的；所以人心一定是受到上帝的光照，才能理解這樣的真理。第二，從受造物的秩序、和諧與平衡也可以證明上帝的存在。第三，從人間的共識來看，一般人憑正常的理性都會接受存在著一個萬物的來源與歸宿，他就是上帝。由這三方面能否證明上帝的存在？對於已經信仰宗教的人，上帝的存在無須證明；對於沒有宗教信仰的無神論者，可能會覺得這些證明很難理解，甚至完全不能接受。

3. 人受到光照的啟發才能認識真理，最高的真理就是基督宗教的教義：神創造世界與人類，人類得罪了神，神派他的兒子耶穌來拯救人類，耶穌受苦受難，被釘死在十字架上，最後復活了，相信這樣的宗教就可以獲得拯救。這就是整個教父哲學核心的觀念。

課後思考

請你思考一下，真理是什麼？我們可以把真理界定為最真實而不可懷疑之物。如果你要追尋真理，要如何肯定有一個最真實而不可懷疑之物存在呢？那是一種什麼樣的東西？可以被描述嗎？

補充說明

我們把真理定義為最真實而不可懷疑之物，以此為前提，真理只有兩種可能：第一種，真理與人的認識有關；第二種，真理與人的認識無關，即真理不以人的理解為基礎。

如果認為最真實而不可懷疑之物需要人的認識才能確定，那麼外在世界的一切（如各種物理現象、物質、空間……）都與真理無關。我們不能說外在的一切是假的或不是真理，只能說它們與真理無關。因為對於有形可見、充滿變化的世界，人的認識只能不斷接近它的實際狀況，卻不可能完全了解。

奧古斯丁思考這個問題，最後只能說：「若我受騙，即我不存在而以為自己存在，那麼我必須存在才能受騙。」他由此肯定自我的存在。近代哲學家笛卡兒說的「我思故我在」受到很多人的肯定，但笛卡兒的「我思故我在」所強調的是：「我思」等於「我在」，「我」等於「思」。換言之，我只能肯定那個正在思考的我，我的本質就是思考或思想。可見，如果認為真理與人的認識有關，那麼你只能肯定自我，而不能肯定萬物。這時要繼續追問：「我」真的存在嗎？如果沒有一個更大的基礎，「我」怎麼能算是真的存在呢？這就是近代哲學家不斷探討的問題。

也有人認為：「真理就在於追求真理的過程裡面。因此，人要不斷修正自己對真理的看法。人不可能完全理解真理，只能不斷追求。」但追求的目標是什麼？如果目標是要肯定自我的存在，這算是比較正確的方向。既然真理與人的認識有關，因此所有認識都要從對自我的肯定開始，否則是誰在認識呢？

如果追求的目標是外在的一切，這就回到真理的第二種可能，亦即真理不以人的理解為基礎，真理與人的認識無關，不管人是否存在，真理都存在。如果從這個角度出發，最後很可能會推出亞里斯多德所說的「第一個本身不動的推動者」這樣一種矛盾的概念。這一概念可以說明宇宙萬物的變化現象，它本身沒有矛盾的問題。所謂「矛盾」是站在人的角度來看。亞里斯多德希望你知道：就算人不存在，照樣存在著一個客觀的、真實的、不可懷疑的、宇宙最後的力量。你可以用各種名字來稱呼它，例如上帝或「道」。

也有人把真理歸結為四點：第一，真理不受時空限制；第二，真理沒有對立面，沒有任何變化；第三，真理不可分而應該是一個整體；第四，真理沒有邏輯上的原因，在邏輯上無法找到比它更早的東西來解釋它的存在。這四點都採用否定的方式，都使用「不」或「無」。代表不能用肯定的、正面的方式來描述真理是什麼，這就是哲學上使用的「否定法」，在中世紀這是一種很重要的方法。

綜上所述，如果界定真理為最真實而不可懷疑之物，那麼就有兩個選擇：第一，真理與人的認識有關，它要建立在人的理解的基礎上；第二，真理與人的認識無關，它不必以人的理解為基礎。由此出發，你或是走向笛卡兒所說的「我就是純粹的思想」，可以肯定自我的存在，以此做為真理的出發點和基礎；或是走上另一條路，認為真理與人的存在無關，就算人不存在，真理照樣存在，這樣的真理只能用否定的方式來描述，或者用亞里斯多德那種矛盾的方式來表述。

另外，對於笛卡兒的「我思故我在」，我們簡單用兩句話來說明一下。

1. 這句話中的「我」只是純粹的思想或靈魂，與「我」是否有身體（身體屬於自然界，有長寬高三維，有廣延性）完全無關。
2. 笛卡兒把這句話進一步發揮，認為「我在故上帝在」。我的生命有時間、空間上的限制，因此我的存在需要有一個更大的基礎，那才是最真實而不可懷疑之物，可以稱之為上帝。這樣就進一步肯定不以人的理解為基礎的真理。

這樣一來就大致釐清了真理這個觀念。當代德國哲學家加達默爾有一本著作叫做《真理與方法》，他在書中對真理做了進一步的分析，後文再做詳細的介紹。

13-5 有多少力量，就有多少愛

本節的主題是：有多少力量，就有多少愛。這句話是奧古斯丁的名言，按照原文直譯就是「我的力量如何，我的愛也如何」。他還說了另外一句話：「我的愛如何，我的價值也如何。」

第一句「我的力量如何，我的愛也如何」，重點在於後面的「愛」。你在世界上有多少愛的表現，要看你有多少力量；如果力量不夠，不可能有許多愛的行為。第二句「我的愛如何，我的價值也如何」，一個人在世界上有多少價值，要看他展現多少愛；如果沒有愛，人的生命毫無價值可言。從這兩句話出發，本節要介紹奧古斯丁的愛的倫理學，包括以下五點內容：

第一，愛是普遍的。

第二，愛的真實性。

第三，愛決定一個人的性質。

第四，愛的方式。

第五，愛的次序。

（一）愛是普遍的

人有欲望，欲望的表現就是愛。因此，人的所有活動都是愛，愛就是生命力量的運作。愛就是渴望自己所沒有的，擁有它就感到喜悅，受到威脅時就產生恐懼，喪失它就覺得悲傷。所以，一個人的所作所為，甚至包括罪惡在內，都是由愛引起的。

既然人的所有活動都是愛，那麼愛就是生命力量的本質。只要活著、有生命力，就有各種欲望，欲望的對象就是你愛的東西。雖然很多愛會帶來災難甚至罪惡，但不能因此就消滅了愛，而要設法把愛加以淨化，使它變得更為純潔、更為乾淨。因此，愛是普遍的，可以用來解釋人間各種複雜的現象。

（二）愛的真實性

真實的愛是愛萬物最後的、最高的原因，或是愛永恆的理想。有些人愛大自然，但大自然也是由上帝所造。有些人愛人間的名利權位、富貴榮華，這些愛還需要提升才能抵達最高的層次。所以，愛的真實性只有一個標準，就是你所愛的是不是至高的理想。孔子曾經說過：「若聖與仁，則吾豈敢？」代表他一生都在追求成聖、成仁這樣的目標，他認為自己始終沒有達到，因為最高的目標需要用一生的時間做為驗證。這樣的愛才是真實的。

（三）愛決定一個人的性質

奧古斯丁說：「判斷一個人是不是善人，不要問他相信什麼，也不要問他希望什麼，而要問他愛什麼。」一個真正的善人不知道什麼叫做善，他只是愛善，愛上帝超過愛自己。所以奧古斯丁才會說「我的愛如何，我的價值也如何」，一個人的價值由他的愛所決定。愛得愈多，價值也就愈高。

有這樣一個例子。一個農夫是東正教信徒，平常忙於工作。他向神父請教：「我到底怎樣才能走上成聖之途呢？」神父說：「你每天唸耶穌基督一萬遍。」可以想見，每天從早到晚唸耶穌基督一萬遍，最後根本數不清唸了多少遍。就像有些佛教徒口中一直在唸「阿彌陀佛」一樣，你不斷的唸，心思就不可能跑到別處去。如果你一直念茲在茲，一心追求一個對象，就有可能與它結合。

（四）愛的方式

愛的方式有兩種：一種是對上帝的愛，另一種是對世俗的愛。人可以愛世俗之物，但要把世俗的一切當做手段與條件，而不能把它們當做目的。要記住一項原則：要把人生當做一次旅行，到了目的地才算完成旅行的任務。在旅行途中可以休息，可以且看且走，但你的心始終要放在最高的、最後的目的上。

再舉一個例子。有兩個人都喜歡抽菸，第一個人問神父：「祈禱的時候可以抽菸嗎？」結果被罵了一頓：「祈禱的時候不專心，居然想抽菸。」第二個人問神父：「抽菸的時候可以祈禱嗎？」他得到了神父的稱讚：「抽菸的時候還不忘記祈禱。」這兩個問題表面看起來沒什麼差別，但關鍵在於：你沒有忘記的是什麼？祈禱的時候不忘抽菸，你想的是抽菸；抽菸的時候不忘祈禱，你想的是祈禱。所以第二個人理應受到肯定。

人生有如一次旅行，我們都是過客，而不是歸人。你可能取得令人羨慕的成就，贏得歡呼和掌聲，但無論旅途中的風景有多美，一切都會隨著時間而消逝，你很容易像奧古斯丁一樣覺得厭倦和空虛。如果把人生當做過客，代表你知道自己的目標是什麼、歸宿在哪裡，這樣就找到了正確的方向。

（五）愛的次序

這與前幾點類似，你可以把愛世界當做過程和手段，這並不妨礙你去愛上帝。譬如，你愛可見的形體，那就是對上帝的疏離。但是你讚美上帝，然後再去愛有形可見的物體，就代表你沒有疏離上帝。萬物為什麼值得被愛？因為萬物由上帝所造，這就是最根本的理由。

做為中世紀的教父哲學家，奧古斯丁十分稱職，他把當時宗教碰到的各種問題都做了深入的探討。他有十分特別的人生體驗：年輕時放蕩不羈、縱情聲色，由此探觸到人性非常複雜的一面；後來改邪歸正、努力修行，從而對人生有了較為完整而深刻的理解。他的作品超越時空的界限，受到許多讀者的喜愛。

他是古代西方哲學界第一位對人性做出真誠而深刻反省的哲學家，他以自己的生命做為見證，要看一看生命可以墮落到何等程度，又可以經過悔改而提升到何等高度，讓人的生命在尋尋覓覓中找到最後的歸宿。

奧古斯丁說：「我的力量如何，我的愛也如何；我的愛如何，我的價值也如何。」人的一生是否有價值，要看他能否把愛充分發揮出來，價值要靠人的實踐才能創造。一個人生下來只有潛在的價值（潛能），他必須不斷的實踐（實現）才能創造價值。一個人透過積極的作為，對別人、對社會做出正面的貢獻，由此可以確定他的價值，而價值的基礎在於他的愛。從力量到愛，從愛到價值，這就是奧古斯丁愛的倫理學的基本框架。

收穫與啟發

1. 奧古斯丁做為基督徒和教父哲學的代表，他提出一套愛的倫理學，這既符合天主教的教義，又符合當時社會的需求。他的核心思想是要建立一種適當的秩序，你可以去愛世間的一切成就，但不能把它們當做最高的、最後的目的。最高的、最後的目的永遠是上帝。
2. 一個人的人生價值要由他的愛來體現。

無論是中世紀的教父哲學還是稍後上場的經院哲學，經常會談到「上帝」一詞。但是從古希臘哲學一路下來，哲學家所說的「上帝」與宗教中所信仰的「上帝」是不同的。哲學家的「上帝」是用來指涉萬物的來源與歸宿的一個名稱。至於這個名稱有何具體的內容，每個哲學家都會從自己的角度有不同的發揮。

課後思考

奧古斯丁說：「你想知道一個人是否是善人，不要問他相信什麼或希望什麼，而要問他愛什麼。」你贊成這句話嗎？你能為這句話找到什麼例證嗎？

在此補充說明一點，信、望、愛是基督徒相信的最重要的三種德行，其中又以「愛」最為重要。

第十四章

多瑪斯・阿奎那

溫和實在論

14-1　哲學的慰藉

本章的主題是：中世紀哲學家多瑪斯．阿奎那的溫和實在論。整個中世紀就是一個宗教、兩個學派。其中一個學派是上一章介紹的教父哲學，另一個學派就是經院哲學，它採用類似於大學授課的方式，講授與宗教相關的基本道理，並進行討論和辯論。

多瑪斯．阿奎那（Thomas Aquinas, 1225-1274）是經院哲學的集大成者。在西方哲學史上，既可稱他為多瑪斯，也可稱他為阿奎那，指的是同一個人。我們先要介紹多瑪斯．阿奎那之前的幾個重點。

本節的主題是：哲學的慰藉，要介紹中世紀初期的哲學家波伊提烏（Boethius, 480-525），他是在奧古斯丁去世五十年之後誕生的。在雅典完成學業後，他擔任東哥德王國的高級官員。他有貴族世家的背景，享受富貴榮華，他本身也是很優秀的學者，但後來被冤枉，以叛國罪被處以死刑。這是他一生簡單的介紹。

他在學術上最大的貢獻就是把亞里斯多德的邏輯學傳遞給早期中世紀，把亞氏的《工具論》翻譯成拉丁文並加以注釋。直到十二紀，他是亞里斯多德著作傳入西方哲學界的主要管道。他曾計劃把亞氏著作全部翻譯成拉丁文，但只完成了邏輯學這一部分。

波伊提烏在各方面取得令人敬佩的成就，卻被冤枉而下獄，他該如何面對自己的處境？波伊提烏入獄後倍感委屈，就把他一生的哲學思維重新整理，寫下一本重要的代表作——《哲學的慰藉》（*The Consolation of Philosophy*）。這本書的寫法相當特別，內容分為五章，每章都是以一首感嘆詩開頭；然後請哲學女神上場，與他進行對話與開示，提醒他在患難中不要怨天尤人，而要把哲學的智慧運用在自己的處境上。從中可以發現，他學習的主要內容是我們所熟悉的蘇格拉底、柏拉圖、亞里斯多德以及後續一些學派的思想，當然也包括基督宗教的信仰。

本節要介紹《哲學的慰藉》一書的四個重點問題，這四個問題對於了解中世紀的思想很有幫助：

第一，對自己命運的評價。

第二，幸福在內不在外。

第三，善惡應該有報應。

第四，上帝預知與人的自由。

（一）波伊提烏對自己命運的評價

人在評價自己的命運或遭遇時，總是選擇比較好的一面來說，而哲學女神則提醒波伊提烏反思以下幾點：

1. 你以為自己多行善事，但縱覽你一生的所作所為，行善的比例其實很低。
2. 你以為自己是正人君子，但知道這一點的人並不多，別人只是把你當做一個名人。
3. 你控訴加諸在你身上的罪惡，但這種冤屈在歷史上屢見不鮮。
4. 你說你愛智慧，但顯然愛得不夠，所以你會不斷批評你所遭遇的命運。
5. 你希望統治者（上帝）把天上的和平降臨到世間，但他不見得用你期望的方式去達成。

這五點提醒我們，人在看待自己的處境時很容易流於主觀，自以為是，自以為受苦、受委屈。重要的是不要忘記自己學過的哲學，要了解萬物的終極目標所在，這個世界終究會有善惡的報應。

（二）幸福在內不在外

什麼是真正的幸福？很多人都追求外在的幸福。舉例來說，財富可以讓人免於匱乏，但也製造新的匱乏，因為一個人再有錢也不能滿足所有的需求。一個人有很高的職位有時反而更凸顯出他沒有特別的價值，甚至會使他的邪惡置於光天化日之下，讓大家都看見。有權力的人需要一大堆隨從侍衛，他比他要威嚇的人更為畏懼。再大的名聲在世界的另一邊也沒人聽說過，且別人的讚美不會讓你更高貴。肉體的歡樂如果也算幸福的話，那就必須承認動物都是快樂的。就算你有健美的身體，也會因為三天的熱病而化為烏有。可見，外在的幸福不是不好，而是不可過度依賴。

所謂「幸福在內不在外」，就是要做到心靈知足、德行高尚、常保歡樂，並且必須找到幸福的根源，也就是至善。只有上帝是至善的、唯一的，他是萬物存在的目的。

但問題是：如果上帝是善的，他用善來統治萬物，那麼惡從何而來？既然上帝是全能的，那麼上帝能否製造惡呢？答案是不能。因為惡是虛無，虛無即不存在，上帝不可能製造虛無。這就是中世紀慣用的思考及辯論的方式。

（三）善惡有報應

一個人為惡可能出於以下幾種情況：

1. 無知，根本不知道什麼是善，因此也無法分辨什麼是惡；
2. 缺乏自制，明知是邪惡卻避免不了它的誘惑，說明他是軟弱無能的；
3. 如果他知道並且願意為惡的話，由於惡是虛無，代表他陷入虛無之中，根本不能繼續存在。

所以，我們不否認壞人的邪惡，但要否認壞人是充實的存在，他們已經變得不再是人了。

波伊提烏如此描寫壞人：一個人如果貪婪、搶掠，那不是和狼一樣嗎？一個人如果狂妄、喜歡訴訟，就像愛叫的狗一樣；一個人如果埋伏起來、四處行竊，那就和狐狸差不多了；一個人如果又笨又懶，大概就像驢子一樣；一個人如果耽溺於欲望，那就和豬差不多了。可見，一個人如果放棄了善，就不再是人，只能沉淪到禽獸的水準。這就是中世紀對於人可以向上提升，也可以向下墮落的一種說明。

為什麼我們常看到許多壞人沒有受罰，而好人沒有受賞甚至還受苦呢？談到惡人受罰的問題，波伊提烏說：「一個人為惡，這本身就是對他最大的懲罰，這使他陷於虛無之中，他讓自己的存在消失了。他如果沒有受到懲罰的話，對他而言更為悲慘，因為他甚至不知道自己在為惡。」

另一方面，沒有哪一種善會傷害它的所有者，但是財富、權力、地位、名聲等卻常常傷害它的所有者，譬如，有財富的人不可能無憂無慮。他有一句常常被引用的名言：「手中拿著空袋子，可以吹著口哨經過任何強盜的面前，因為你一無所有，所以根本不用擔心。」

（四）上帝預知與人的自由

如果真的有上帝，請問這個至善的上帝在主宰一切的時候，人還有真正的自由嗎？這個問題在基督宗教中經常被討論，它的關鍵在於，如果上帝從永恆就預先知道一個人的行為，那麼這個人就不可能有自由意志。應該如何回答呢？標準答案就是，並不是因為上帝預先知道，所以這些事將來會發生；而是因為這些事將來會發生，所以上帝知道它們。

上帝是永恆的，沒有時間的先後問題，所以他不會「預先」知道任何東西；他是完美而完全的保有無限的生命，總是「當下」全面掌握一切；他也不存在「未來」的問題，而是同時掌握過去、現在、未來。這樣一來，「上帝知道一切」與人的自由意志並不矛盾。也只有這種方式可以加以解釋。

波伊提烏還分辨兩種必然性：

1. 單純的必然性，譬如人最後必然會死，事實上所有的生物都一樣；
2. 有條件的必然性，譬如我知道某人正在走路，他就必然在走路。這種必然性並非強迫他走路，他自己決定要走路，他是以他的自由意志去走路，這稱之為有條件的必然。當然，這一點還有討論的空間。

因此，上帝預知未來是一種永無終止呈現出來的知，是向前展望，而不是事先預知。就像站在山峰上展望萬物一樣，上帝在永恆的現在展望萬物，人只能在當下的現在看見某些事物。這樣就可以將上帝預知與人的自由意志加以協調。

收穫與啟發

1. 中世紀依然使用古希臘時代幾位大哲學家的觀念來說明人生問題，但在關鍵時刻，他們就會把結論引導到宗教信仰的上帝，因為一切都來自於上帝，上帝必須為一切問題找到合理解釋。
2. 談到命運或遭遇，我們就會發現命運女神是善變的，她不會放手不管，命運的輪子不停的在轉動。人對於自己的判斷很容易流於主觀，總覺得自己做了許多好事而沒有好報，沒做什麼壞事卻遭遇不幸。

3. 人間所謂的福與禍、幸運與不幸都是雙面的，它們可能交替輪換。你以為外在的成就是幸運的，其實未必如此。人還是要經營內在的生命。不管上帝如何預知未來，人還是應該擔起自己的責任，進行自我的修練。

在《哲學的慰藉》這本書的結論中，波伊提烏說：「要避免邪惡，實踐德行，把心靈提升到正確的希望上，並發出謙卑的祈禱，一個偉大的必然性陳列在你之上。如果你對自己誠懇，一個偉大的必然性對你是好的，因為你生活在一個縱覽萬物的法官的視線之下。」

課後思考

你是否認為人生的一切遭遇是由命運任意決定的？或者應該有一個比命運更大的力量在安排、主導這一切，讓所有的善惡都有適當的報應？

14-2 共相之爭

本節的主題是：共相之爭。中世紀哲學界有將近一半的時間都在討論「共相」（the universal）的問題，對此有豐富而深入的思辨。共相也是從希臘時代一路發展下來的重要觀念。譬如柏拉圖的「理型」就是共相的一種說法，而亞里斯多德在邏輯中談到的「種」和「類」則是共相的另一種表述。

本節要介紹以下三點：

第一，共相是什麼？

第二，共相存在於什麼地方？

第三，共相與個體的關係。

（一）共相是什麼？

在中世紀討論時間最長、最熱烈，但收效不大的就是共相問題。共相的英文是 the universal，意為「普遍的」，原意是指「普遍之物」。凡是一個名詞可用於指稱許多個體，這個名詞就稱為共相。譬如「馬」可以用來指稱許多個別的馬，因此「馬」這個詞就是共相。一般使用的名詞，像車子、椅子、人、飛機等，都是共相。

中世紀為何會談到共相的問題？因為當時包括波伊提烏在內的許多學者，在翻譯亞里斯多德有關邏輯方面的著作時，都會涉及到分類的問題。亞里斯多德的標準定義是「類」加上「種差」。所謂「種差」，就是種（species）與種之間的差別。

譬如，該如何定義人？首先把人歸於更大的類 —— 動物類，在動物類下有不同「種」的動物，人是其一。然後探討人這一「種」與其他動物「種」的差別，就是理性。所以，由類（動物）加上種差（理性）就可以得到人的標準定義——人是有理性的動物。

「類」和「種」可以繼續往下分，「種」底下就是個體。譬如，「人」這個詞包括所有個別的人，它是一個「種」，往上就歸為動物「類」。如果把動物當做一個「種」的話，再往上就是生物「類」。可見，「種」和「類」這兩個詞可以層層往上或往下加以使用。這些都屬於共相。

（二）共相到底存在於什麼地方？

接著就要問：共相在哪裡？這是當時爭論的焦點所在。中世紀在對共相問題進行長期探討之後，基本上形成三種說法：

1. 唯實論

即實在論。唯實論主張共相是實在的，它本身可以獨立存在，是一切個別事物的客觀基礎。這種說法顯然來自於柏拉圖的「理型論」。換句話說，人所見到的個別東西都分享或模仿一個完美的模型，那個模型真實的存在於理型的世界。人所見到的個體充滿變化，反而是不可靠的。

2. 唯名論

唯名論則認為共相不是客觀存在的，而是人的理智想出來的。世人約定俗成的想出一些名稱來描寫許多個別的東西，並把它分類、分種。共相只是人想出的名稱而已，只存在於人的理性中；離開人的理性就沒有共相的問題。

3. 折衷論

即把前兩種說法加以折衷。折衷論主張：個別的東西是存在的，而人有認識能力，可以從個別東西中抽象出共同的特性，從而得到共相。所以，共相存在於個別事物之中，也存在於人的思想之中，只是存在的方式不同。折衷論似乎更符合一般人的想法。

主張折衷論的是中世紀經院哲學的一位重要人物——阿貝拉德（Peter Abelard, 1079-1142），他認為共相存在於三個地方：

1. 共相在事物存在之前就已經是理性的概念，它存在於上帝心中，即上帝心中先有了某種概念，這樣東西才能被創造出來；
2. 共相存在於個別事物之中，它使個別事物具有相同的特性；
3. 人類透過觀察事物，經過理智的抽象作用而得到共相的概念。這代表了典型的基督宗教哲學家的解釋。

換言之，共相不像柏拉圖的理型那樣可以獨立存在。共相是一個名稱，它代表普遍的概念，人的心智藉著它可以認識許多個別事物。共相有其客觀的指涉，不是單憑人類的主觀想像就會出現的。經由共相的概念，我們認識了「在」對象中的是什麼，譬如我認識「馬」這個詞，然後看到每匹馬的時候都知道是馬，不會跟牛混淆；但這並不代表我能真正知道這匹馬實在的情況。上述就是有關共相之爭的三種立場。

（三）共相與個體的關係

共相與個體有什麼關係？在這裡你會清楚的發現亞里斯多德的影響。如果說一樣東西的存在是質料加形式，那麼共相顯然比較接近形式，它能幫助我們辨認個體所屬的種類，譬如這是馬還是牛。辨認個體的差異則要看質料。

中世紀有一個有趣的問題：一根針尖上可以站立幾位天使？由於天使只有形式而沒有質料，所以他不占空間，因此一根針尖上可以站立無數天使。問題是質料是個體化原理，由質料才能分辨個體，天使如果沒有質料，我們如何分辨不同的天使呢？答案是：天使只有形式而沒有質料，因此只能說某一「種」天使，如智慧天使、仁慈天使、勇氣天使、正義天使等，而不能說某一位個別的天使。

這樣的說法難免有鑿空蹈虛之嫌，但中世紀的宗教信仰使眾人普遍相信天使的存在。譬如在亞當神話中，正是蛇引誘夏娃偷吃禁果，蛇本來是天使，墮落之後成為魔鬼。就像古希臘時代每個人都相信有精靈一樣，中世紀的人也相信每個人都有他的守護天使，可以為人生指明方向。

收穫與啟發

1. 中世紀討論最熱烈的是上帝存在問題，討論時間最長但收效並不明顯的則是共相問題。
2. 對於共相到底在什麼地方，答案有三種可能：第一，共相在上帝的觀念中，否則上帝不會造出這樣東西；第二，共相獨立存在於像柏拉圖所謂的理型界之中，有獨立的地位；第三，共相在個體身上，但人有抽象能力可以把個體的共性抽出來，形成某個「種」或某個「類」，這接近於亞里斯多德的立場。
3. 中世紀的共相問題與後代的認識論有關。人是如何認識這個世界的？這種認識完全出自於你的主觀想像，還是真有一個外在的、實在的東西讓你認識？人的認識能到什麼程度？「認識」就是適當的掌握外在事物的真實內容，再在某種程度上結合自己思想的作用，從而醞釀出某一種觀念。這樣或許可以說明認識的完整過程。

課後思考

你在人群中可以一眼認出自己的朋友，你是怎麼認出來的？你有認錯人的經驗嗎？

14-3 從定義可以證明上帝存在嗎？

本節的主題是：從定義可以證明上帝存在嗎？「上帝是否存在」，是中世紀哲學的核心問題。許多人並不信仰基督宗教，也根本否認上帝的存在，但我們還是有必要去了解西方的宗教背景。否則，我們無法理解為什麼有些西方人談到上帝的時候很自然，有些人則好像和上帝有什麼恩怨似的，譬如尼采為何非要憤慨的說「上帝死了」？

中世紀哲學家都信仰天主教，對他們來說，上帝存在是一種信仰，沒有什麼懷疑的餘地。但是做為哲學家，他們還是想用理性的方式來證明上帝存在。有關上帝存在的證明有兩套基本方法：第一套稱為「先天論證」，第二套稱為「後天論證」。先天論證只有一個，後天論證則有很多。本節要介紹的是先天論證，下一節再詳細介紹後天論證。

先天論證又稱為「本體論證」，這在西方哲學界無人不知。對上帝存在提出本體論證的是安瑟姆（Anselm, 1033-1109），他的年代與中國北宋哲學家程頤幾乎重合。在中國，當時處於北宋時期，是宋明理學的開始階段；而在西方，當時仍處於中世紀後期。

安瑟姆是中世紀重要的哲學家，也是英國坎特伯里（Canterbury）的大主教。對於上帝存在的問題，他認為不能只以《聖經》來宣傳，而應透過理性的方式來證明，因此他提出本體論證。為什麼稱為本體論證或先天論證呢？因為這個論證與後天經驗完全無關，只從上帝的定義出發，就可以直接證明上帝的存在。

本節要介紹以下三點：

第一，什麼是本體論證？
第二，本體論證在中世紀受到哪些質疑？
第三，後代對本體論證有何質疑？

（一）本體論證的內容

安瑟姆從「上帝」的定義出發，他說：「所謂上帝，就是不能設想有比他更偉大的存在者。」即如果真有上帝的話，他應該是最完美的存在。不管你是否信仰基督宗教，大概都不會反對這句話。你一旦同意這個定義，就代表上帝非存在不可。因為如果上帝只存在於你的思想中而沒有實際存在的話，那上帝就不是最偉大、最完美的，這就與上帝的定義相矛盾了。安瑟姆就是以這種方式證明上帝的存在：只要你接受他對上帝的定義，馬上就會跳到「上帝存在」這個結論。這就是所謂的本體論證。

（二）中世紀的質疑

本體論證在中世紀受到兩方面的質疑。在安瑟姆提出本體論證之後，很快就有一位名叫高尼洛（Gaunilo）的法國神父反駁這一說法。高尼洛認為：「我就算理解了不是真實的東西，並不代表這樣東西早就存在於我的心中。即使在我心中存在，也不見得在客觀上存在。」高尼洛接著舉了一個例子：想像一座最完美的島嶼，那麼這個島嶼就一定存在嗎？如果不存在，它不是就不夠完美了嗎？他採用安瑟姆的定義方法，安瑟姆設想上帝，他設想一座島嶼。但是由定義就斷言「這種完美的島嶼一定存在」，顯然是一種幻想。

高尼洛的質疑聽起來很有力量，但他犯了一個明顯的錯誤。安瑟姆指出：「所謂完美的島嶼，它只有在脆弱而有限的感官觀察裡面是完美的。就島嶼做為島嶼的本性來說，再怎麼完美也是有限的東西。在相對的時空條件之下，你用不精確的方式可以說這是完美的島嶼。但是，上帝與假設中的島嶼完全是兩回事。」安瑟姆這個回應居然使高尼洛神父受到懲罰，被關了好幾個月。由於討論哲學問題而受到懲罰，這實在相當冤枉。可見，中世紀不是那麼自由和開放的。

大約兩百年之後，出現經院哲學最重要的代表多瑪斯，他也反對安瑟姆的說法。多瑪斯說：「我們在心中真的有一個完美的存在者的觀念嗎？我們有限的人類對於上帝只能有不恰當而間接的知識。我們的理解能力有缺陷，不可能認識上帝一如上帝在他本身，只能藉著上帝所創造的萬物去認識什麼是上帝。」

多瑪斯後來提出的論證都是「後天論證」，又稱做「宇宙論的論證」（Cosmological Argument），因為它牽涉到有形可見的世界萬物，都與實際生活經驗有關。多瑪斯認為，我們不能從對上帝不完整的觀念，直接就得到「上帝存在」這樣的結論。他的質疑有一定道理。

（三）後代的質疑

後代贊成本體論證的人不少，但反對的人更多，最有力的反對者就是近代哲學家康德。康德批評的切入點非常精準，他說：「我反對的是『存在』這個詞的用法。」他分辨兩種說法，第一種說「上帝存在」，第二種說「上帝是全能的」，這兩句話的意思是不同的。如果只說「上帝存在」，而沒有說上帝的任何特徵，意思是「不論上帝是什麼，他都存在」，此時要否定這句話，只能說上帝不存在。但如果說「上帝是全能的」，那麼就有兩種方式來否定這句話：第一是否定上帝的存在，第二是否定上帝的全能。換句話說，一樣東西的存在問題與它的特性問題是兩回事，兩者屬於不同性質的觀念。我們不必知道一樣東西是否存在，也可以去認識它的特性。亦即不管上帝是否存在，我們都可以透過定義去認識上帝的特性。但「上帝是否存在」完全是另一回事。

譬如我說「張三存在」，又說「張三是勇敢的」，顯然「張三存在」是廢話，因為如果張三不存在，又何必談論他呢？而「張三是勇敢的」這句話才有意義，這代表張三不是不勇敢的，不是非勇敢的。「勇敢」是述詞（或稱謂詞或賓詞），是用來描述主詞的。

康德就此得出結論：「存在」不能做為述詞。不能說「上帝是存在的」，這等於說「如果有上帝的話，上帝一定存在」。這就如同數學說「如果有三角形，三角形三內角的和一定等於一百八十度」一樣，說了等於沒說。「上帝」這一觀念蘊含著「上帝存在」的觀念，「三角形」這一觀念蘊含著「三內角的和等於一百八十度」這樣的觀念。因此，上帝的存在不可能從觀念上得到保障。

康德的「存在不能做為述詞」的說法很有影響力。我們不能因為說「張三是存在的」而對張三有更進一步的了解，因為如果張三不存在，你根本不能談論他。我們只能說張三是勇敢的、聰明的，這時張三當然是存在的，否則何必談論他的特性呢？類似的，你可以說神是完美的，卻不能說神是存在的。一般認為康德這個論證的力量夠強了，但還是有很多哲學家喜歡本體論證。

笛卡兒和史賓諾莎（B. Spinoza, 1632-1677）都認為，宇宙萬物的存在預設一個絕對的存在做為基礎。也就是說，上帝是萬物的理由，而未必是萬物的原因。如果上帝是萬物的原因的話，原因與結果位於同一個層次，那麼有上帝就非有萬物不可，兩者不能分開，從而對上帝構成了限制。如果說上帝是萬物的理由，就不會對上帝構成限制，上帝不一定非要創造萬物。萬物事實上是存在的，但一直處於變化生滅之中，萬物本身並沒有存在的保障，因此需要上帝做為充分理由來保障其存在。因此，萬物都需要有原因，只有上帝是「自因」（自己是自己的原因）。如果萬物沒有一個「自因」的上帝做為基礎，就很難解釋萬物是怎麼來的，而只能認為萬物的出現完全是偶然的。

無論如何，人有理性可以思考，自然會探求萬物最後的解釋是什麼。要理解萬物的存在，必須找到一個最後的根源，它叫什麼名字反而不是最重要的。

收穫與啟發

1. 中世紀哲學有一個重要問題就是上帝存在的問題。許多哲學家都設法提出論證，奧古斯丁也曾提出他的論證，只是不像後代表述得那麼明確。中世紀後期的經院哲學非常認真的看待這一問題。安瑟姆提出本體論證：上帝是「那不能設想有比他更偉大的存在者」，既然如此，上帝必須真實存在，否則就可以設想一個更偉大的、真實存在的上帝，才能符合對上帝的定義。他從上帝的定義直接肯定了上帝的存在。本體論證也稱為「先天論證」，因為它不牽涉任何後天的經驗。
2. 本體論證在當時受到高尼洛的質疑，後來受到多瑪斯的質疑。
3. 近代哲學家康德特別強調：「存在」不能做為述詞。所以可以說上帝是「全能的」、「全善的」，卻不能說上帝是「存在的」。完美的觀念隱含著存在的觀念，真正的完美當然隱含了真正的存在，但是從「觀念」直接跳到「存在」顯然有問題。並且，就算以這種方式證明上帝的存在，並說明上帝是自因的，是宇宙萬物的基礎；但這樣的上帝與《聖經》裡的上帝也是兩回事，他更像是哲學家的上帝。

課後思考

請問：有哪些理想的狀況是你一理解就可以實現的，或者你只花費很少的力氣就能讓它實現的？

補充說明

我們在問題中提到「費點力氣」，就是不能直接從理解到實現，即不屬於本體論證的範疇。有什麼理想境界是你稍微費點力氣就能實現的？我認為有兩個。

第一個是去實踐老子所說的話。老子特別提到：「吾言甚易知，甚易行。天下莫能知，莫能行。」即我的言論很容易了解，很容易實踐，但天下沒有人能夠了解，沒有人能夠實踐。老子所謂的「很容易」是指稍微費點力氣就可以了解和實踐。老子認為，追求道，要「為道日損」，損就是減少、用減法。如果想了解「道」就是萬物的來源和歸宿，想領悟這個最根本的智慧，就要用減法，把個人的成見、欲望、偏差的念頭盡量去掉。你真的學會老子，就能體會為什麼他會說「很容易」。

第二個是孔子的核心思想──「仁」。孔子經常會提到「仁」這個字，學生都聽不太懂，所以常常會問老師：「我應該怎樣行仁呢？」後來孔子說：行仁的機會離我很遠嗎？「我欲仁，斯仁至矣。」只要我要行仁，行仁的機會就立刻來到。你「要」就會有的東西不可能從外而來，一定是由內而發，那就是內心的真誠。要把「仁」這個字理解為「行仁」，因為「仁」是行動，不是名詞而已。孔子認為，與別人來往時，內心的真誠會引導我走上一條行善之路，無論何時何地，我都可以行仁，這是稍微費點力氣就能做到的。

西方的本體論證確實較難理解，但如果你把它轉換為實際的生活情境，就會發現儒家、道家的思想都可以拿來參考和對照，所以學習西方哲學是有它的價值和意義的。

中世紀哲學確實比較難懂，不過，學哲學本來就不是一件容易的事。阿拉伯哲學家阿維塞納說過，他讀亞里斯多德的《形上學》，讀了整整四十遍還沒有讀懂。既然這麼難，何必要學呢？一方面這是個人選擇的問題；另一方面，你難道不想探測一下自己的思維極限嗎？你不斷挑戰自己知識的地平線，努力拓展它的範圍，再進一步去整合建構，久而久之，自己的思想便會形成一個完整的系統，所以這種痛苦是值得的。史賓諾莎在《倫理學》一書的結尾說道：「因為困難，所以值得嘗試。」我以這句話與大家共勉。

如果沒有經過中世紀哲學的磨練，你對於西方人一千三百多年的精神世界與心理世界會感到一片空白，又怎麼能了解近代西方人的想法呢？所以，這是必須經過的一個檢驗。我也曾走過這樣的艱苦歷程，希望我們一起繼續努力。

14-4 從經驗可以證明上帝存在嗎？

上一節介紹了安瑟姆的本體論證，本節討論是否可以從經驗證明上帝的存在，重點介紹多瑪斯提出的上帝存在的五路證明，即如何從五條路線證明上帝的存在。在西方哲學史上，只要提到多瑪斯，大家就會立刻想到上帝存在的五路證明。他的論證被稱做「後天論證」，因為他參考人類實際生活的經驗和觀察；又被稱做「宇宙論的論證」，因為宇宙萬物都是他參考的材料。

本節的內容包括以下三點：

第一，五路論證到底在說什麼？

第二，後人如何批評五路論證？

第三，進一步的省思。

（一）五路論證的內容

五路論證是中世紀哲學重要的成果，我們不見得要接受，但至少要知道他們為何會有這樣的思考。五路論證的內容可以概括為：第一，由萬物在變動中來證明；第二，由萬物的因果關係來證明；第三，由萬物的偶存性來證明；第四，由萬物的美善等級來證明；第五，由萬物的目的與秩序來證明。

1. 由萬物在變動中來證明

觀察宇宙萬物，會發現所有的一切都在變動，變動就是從潛能到實現。這顯然採用了亞里斯多德的說法。談到西方的中世紀，前面有奧古斯丁，他主要參考柏拉圖和新柏拉圖主義的立場；後面有多瑪斯，他主要參考亞里斯多德的立場。古希臘哲學的影響力在此充分展現出來。

如果變化是由潛能到實現的話，一定需要有別的力量來推動。換句話說，凡動者皆為他物所動。譬如人要吃飽喝足才能行動，如果沒有這些資源，人哪有力氣行動？宇宙萬物不斷互相推動，形成一個推動與受動的系列。它不可能無限制的向後回溯，總要有一個出發點，由此推到亞里斯多德所說的「第一個本身不動的推動者」，那就是上帝。亞里斯多德如此特別的一個術語在這裡顯示了它的作用。上帝是第一個推動者，他使萬物開始運動和發展；但上帝本身不能動，因為運動代表尚有潛能需要實現，還需要另外的力量來推動，這就違背了上帝的定義。

2. 由萬物必有形成因來證明

宇宙萬物的存在都有形成因（或動力因），我們所見的一切都是某種原因所造成的結果。譬如我們是由父母所生，而父母是由他們的父母所生。任何一棵樹都是由其他樹的種子所生。一物不能是自己的原因，而向後追溯形成因也不能無窮後退，由此推到一個最初的原因，它本身不能是別的原因的結果，它是無因之因，那就是上帝。很多西方哲學家接受本體論證，就是因為他們認為宇宙的存在需要有上帝做為「自因」（自己是自己的原因）。

我們也許對這些概念感到陌生，但不能就此認為他們說的沒有道理。在《莊子・大宗師》中，莊子繼承了老子的「道」並加以發揮，他用「自本自根」四個字來形容「道」，描述得非常精準。意即「道」的概念是自己為本、自己為根，這不是和「自因」的意思一樣嗎？

3. 由萬物的偶存性來證明

「偶存」和「偶然」意思相近，不過在哲學上最好用「偶存」

一詞。「偶然」好像沒有原因忽然冒出來似的，「偶存」則代表它不是必然的。如果萬物都是偶存的，那麼一定有一個必然的存在物做為萬物的根據或者基礎，就是上帝。前面三路的思考模式其實都很相似。

4. 由萬物的美善等級來證明

我們評價萬物有的真、有的善、有的尊貴，有的更真、更善、更尊貴，這就暗示著有一個最真、最善、最尊貴的標準，否則我們無法做出衡量和比較。而那個最真、最善、最尊貴的就稱為上帝。

5. 由萬物的目的與秩序來證明

多瑪斯說：「萬物顯然充滿各種秩序，而這種秩序顯示了目的。」譬如，一隻手錶一定是經人設計的，它的目的是計算時間。人活在世界上很快就會發現：春夏秋冬、日月星辰都是按照規律在變化，好像有一個高明的設計者在安排這一切。這個設計者非上帝莫屬。從萬物的秩序和目的提出的論證又被稱為「設計論證」或「目的論的論證」。

（二）五路論證受到的批判

可以想見的是，這五路論證受到許多後代哲學家的批判。

第一路，對於萬物的變動，很難證明一定存在一個本身不動的推動者，因為萬物也可能是在同一個層次上不斷的循環。譬如，從古希臘時代的赫拉克利特，中間經過斯多亞學派，一直到近代的尼采，都認為會定期出現宇宙大火。他們都是要避免提出一個「超越的上帝」這樣的解釋。他們認為萬物處於同一個層次，構成一個封閉的系統，必須定期消滅再重生。可見，第一路論證可以受到很大的質疑。

第二路，如果說宇宙萬物都是結果，需要一個無因之因；但

「無因之因」是大家想像出的一個名詞而已，人的經驗都是有限的，怎麼可能跳到超越經驗的層次上呢？

第三路，如果說宇宙萬物都是偶存的，需要有一個必然的存在物做為基礎；但很多專家指出，「必然性」一詞只能用於數學和邏輯中，在人類生活的世界裡，必然性是很難想像的概念。

第四路，美善等級的論證較弱，人可以設定各種標準來判斷更真、更善、更尊貴，不一定非要牽涉到一個超越的上帝。

第五路，目的論的論證受到較大重視，在柏拉圖的〈法律篇〉中已經出現了對這一論證的大致構想，許多科學家也認可這個論證。譬如牛頓發現萬有引力定律，他也認為這一切是經過完美的設計，目的論的論證很有說服力。但年代稍晚的英國哲學家休謨對這一論證提出有力的批判。休謨認為，在宇宙長期的演化或演化過程中，一切物質和生命都會自動調整以配合外在的條件；如果不能適應外在的條件，就會被淘汰而徹底消失。這就是自然淘汰或自然選擇。我們今天看到春夏秋冬、日月星辰按規律運行，一切都充滿秩序，好像經過某種設計；但那只是長期演化的結果，不需要有任何設計者來思考或安排這一切。

（三）進一步的省思

儘管上述批判都很有力，我們還是可以做進一步的省思。

五路論證的前三路都強調不能做無窮的回溯，人再怎麼回溯也是在經驗的世界裡打轉。簡單來說，經驗世界的一切都有開始、有結束，本質上等於「零」，再多的零加起來都不會等於一。我們對於「零」有很深的體會，人生短暫，過去沒有我，將來沒有我，我在本質上不是零嗎？而「一」屬於超越的層次，是像上帝一樣的存在者。再多的「零」加起來也無法肯定有個「一」存在。

第四路美善等級的證明較弱，最後大家會把注意力聚焦在「設計論證」上。如果只靠演化或演化過程，只以自然淘汰或自然選擇的方式來說明宇宙萬物充滿秩序，最後出現了像人類這樣有理性的生物，實在很難令人信服。如果說「一切都是偶然，碰巧形成了這樣的秩序，連人類也是碰巧出現的」，這種機率太低了。所以許多人不一定接受上帝的存在，但他們認為設計論證還是值得參考的。

收穫與啟發

1. 後天論證是透過人類的經驗和觀察所提出的論證，多瑪斯提出的五路後天論證都無法確證上帝的存在。然而信者恆信，照樣有許多人信仰宗教裡的上帝；不信者也不會因為這些論證是哲學家提出的，就對宗教另眼相看。對於宗教界提出的觀點，宗教界之外的人可以拿來參考，但走理性這條路不可能充分證明上帝的存在。
2. 近代哲學家康德從「人類的道德」這一全新角度對上帝存在提出論證，後文再做進一步的討論。

課後思考

你認為僅靠自然演化與演化，可以說明萬物的和諧與人類的出現嗎？或者，你認為萬物根本沒有處於和諧狀態，人類亦有很多複雜的問題。

補充說明

其實是一個非常大的問題。關於萬物的和諧，許多人會指出：萬物的和諧是表面的，這裡面包含了食物鏈、生態平衡等各種複雜的現象；只是以我們人類的視角來看，會覺得它井然有序，好像經過某種設計。關於人類的出現，也有許多人會認為：人類的出現太複雜了，很多問題恐怕不是靠演化就能說明的；人類在自然界中雖然只是極小的一部分，但人被稱為萬物之靈，對自然界的影響不可小覷。

人為什麼要證明上帝的存在？這是一種追溯根源的願望。對於上帝是否存在這一問題，最好把它分成兩個問題來看：第一，萬物有沒有來源與歸宿？第二，那個來源與歸宿究竟是什麼？

中世紀最大的特色就是：採用一整套從猶太教接過來再加以修正的信仰系統，以此徹底解決萬物的來源與歸宿的問題。這體現出宗教的特色，它直接宣布真理，人用理性是無法充分證明的。因此，世界上的宗教一定是多元化的，用一種宗教統一全世界絕無可能。

所以，我們應該要分開來看：第一，萬物充滿變化，它一定有來源也有歸宿；第二，至於這個來源與歸宿的具體內容是什麼，這是另外一個問題，在經驗世界裡恐怕無法證明第二種情況的上帝存在。

14-5 溫和實在論的立場

本節介紹多瑪斯的溫和實在論。他是中世紀最具代表性的經院哲學家，他到底有怎樣的思想呢？

本節要介紹以下三點：

第一，溫和實在論在說什麼？

第二，認識上帝或表述上帝有什麼方法？

第三，人生的幸福何在？

（一）溫和實在論在說什麼？

西方許多哲學家都有自己的立場，平常較常聽到的是唯心論、唯物論，其實更多哲學家主張的是實在論或唯實論，英文叫做 realism。溫和實在論（Moderate Realism）不像唯實論那麼極端，也不像唯名論那麼簡單，它對於共相問題採取比較折衷的立場，認為共相還是有具體的指涉。

溫和實在論首先肯定世界有獨立存在的價值，就算人類不存在，世界依然存在，而且是客觀實在的東西。因此它顯然不是唯心論，因為唯心論認為如果沒有人類的認識能力的話，這個世界存在與否根本無關緊要；它也不是唯物論。多瑪斯接著肯定人也是客觀的存在，更進一步，人可以認識這個世界。人在認識世界時到底發生了什麼狀況？這是溫和實在論的重點所在。

人是如何認識世界的呢？溫和實在論將重點放在認識的過程與方法上。首先，人的認識從經驗出發，透過感官的方式，先在經驗上掌握到一個對象，對它構成初步的認識。接著，要認識一個對象，需要知性的兩種能力。我們在這裡又看到亞里斯多德的影響，亞里斯多德已經將人的知性分為兩種：第一種是被動知性，第二種是主動知性。

什麼是被動知性？譬如我前面有一匹馬，我不可能故意把牠想像成牛，這代表我是被動的。我用眼睛、耳朵等感官去接觸外在的經驗世界，這是獲得知識的第一步。所有知識都是從經驗得來的，不能憑自己的想像，我的知性要被動的接受經驗給我的材料。

此外，人還有主動知性，主動知性最重要的作用就是抽象能力。由被動知性接收到經驗的材料後，主動知性把它的共性（共相）抽象為基本的概念，由概念就可以建構知識的系統。知識是否有效要看它能否與外在世界相符合，能否客觀的說明外在的、個別經驗的對象。

多瑪斯完全接受亞里斯多德的說法，但是人掌握的概念與外在世界的實際狀況不可能完全一樣，這個問題在描述上帝時表現得最為明顯。

（二）描述上帝的三種方法

多瑪斯提到三種描述上帝的方法，這對西方人來說是耳熟能詳的，在描寫宗教裡的上帝或個人信仰的對象時都可以使用。第一種是否定法，第二種是肯定法，第三種是模擬法。

1. 否定法

所謂「否定法」是說，你只能描寫上帝不是什麼。這種描述可以被人直接理解。譬如說上帝不是高山大海，不是日月星辰，不是父親母親。這些話都沒錯，因為上帝確實不是這些。但這樣一來，人的認識會受到很大的限制。

2. 肯定法

西方很多哲學家使用否定法之後，還是設法用肯定的方式來描寫上帝，這樣才能幫助別人了解上帝到底是什麼情況。譬如說「上帝有智慧」、「上帝是善的」，這些都是用肯定的方式描寫上帝。但是一說「上帝是什麼」，則很容易產生誤會和混淆，因為我們也會用「有智慧」、「善的」這類詞來形容一個人，好像上帝和人只有程度上的差別，而沒有本質上的差別。

有一種方法可以凸顯本質上的差別。譬如說張三是勇敢的，李四是更勇敢的，不能說上帝是最勇敢的，而是要說「上帝是勇敢本身」。說張三有智慧，李四更有智慧，不能說上帝最有智慧，而要說「上帝是智慧本身」。這樣就能減少誤解，凸顯上帝與人的本質差別。

另外，對上帝做肯定的描述時，可以加上一些附屬的詞，這叫做「加以限制」。但是，加上限制反而是為了取消限制。譬如，說人類是有智慧的，而上帝是全知的；有人是善的，而上帝是全善的；人有各式各樣能力，而上帝是全能的。這樣的描寫就能去除人類經驗的限制。

多瑪斯還特別對上帝的位格性進行分辨。人類有位格，因此上帝也必須有位格，否則人類與上帝將無法溝通。但是只說「上帝有位格」很容易造成誤解，因為上帝還有「非位格」和「超位格」的層次。上帝除了造人之外，也造了高山、大海等宇宙萬物，它們沒有顯示出智慧的特色，屬於比人低的「非位格」的層次。此外，上帝還有「超位格」的層次，人永遠也無法理解上帝本身到底是怎麼回事。

總之，在使用肯定法描述上帝時，要加上修飾的語詞才能避免讓人產生誤會。

3. 模擬法

模擬法也稱為類比法，譬如可以說「上帝愛護人類，就像父母愛護子女」。但模擬法也有它的困難，父母生了子女，自然會愛子女，我們可以了解父母對子女的愛；但是上帝造人和父母生子女屬於完全不同的情況。我們永遠不能確知上帝的本性，所以無法說清楚上帝對人類的愛到底是什麼情況。

宗教裡有一門學問叫做「神義論」（theodicy），就是要設法證明神是正義的。人間存在著各種罪惡，有許多無辜的人受苦，有許多好人受了委屈，如果上帝真像父母一樣愛護子女，絕不會讓子女受苦受委屈。神義論對此要做出合理的解釋，說明這種苦或委屈另有目的，從而證明上帝仍是正義的。他們可以講出一套道理，但不一定能說服別人。

道家可以引申說，人的生命就像一滴水，很容易乾涸；若要這滴水不再乾涸，方法就是把它丟到大海裡，大海就是「道」。道無所不在，只要悟道，就永遠沒有乾涸的問題，人生的成敗得失對你就不會構成任何干擾。這也是用比喻的方式來描寫最高位階的道。

（三）人生的幸福何在？

談到人生的幸福問題，多瑪斯肯定自然的法則。他認為，有生命之物首先要保存自身，接著要延伸自身，即繁殖自身；對人來說還要追求真理，只有追求真理才能實現真正的人生幸福。什麼是真正的幸福？既然一切都來自於上帝，那麼最高的目標當然是認識上帝，也就是認識善的本身。

更進一步，人在追求善的時候要注意以下四點：

1. 任何一種真正的善均不能做為手段。譬如，如果把財富當做人生的善，遲早會發現財富只是手段。擁有財富之後，我們都希望過品質更好的生活，那麼品質更好的生活才是目的。更好的生活一定要靠財富來維持嗎？不一定。

2. 我們追求善的時候，必需要注意到人的全部，不能只關注身體和心理的需求，還要注意到精神層次的要求。
3. 善不能只是一種能力，譬如我學會某種專門技術，成為專家；能力和技術有可能被誤用而變成行惡的工具。
4. 真正的善只有上帝，因為上帝是一切事物的原因，也是萬物存在的理由。你不能說上帝是善的，而應該說上帝是善的本身。人生最後的目的就是認識上帝這個善的本身，人要靠信仰的啟示才知道該如何去做。多瑪斯認為，人生最高的幸福是死後靈魂可以直接看見上帝。

多瑪斯在很多地方充分運用了亞里斯多德的思想，但是兩人有一點很明顯的差別。多瑪斯是宗教家，宗教奠基於人與上帝的關係；但亞里斯多德並不認為上帝是創造萬物的主宰，他只把上帝看做目的因，上帝本身自滿自足，不自覺的推動世界，吸引萬物走向他這個完美的形式或完美的實現。

亞里斯多德雖然也希望世人能認識並尊敬第一個本身不動的推動者，但他不認為人與上帝之間有位格上的關係，所以亞氏把哲學中的觀想做為最高層次。多瑪斯則不然，他是宗教家，對上帝有清楚的觀念，他相信上帝既是造物者也是統攝者，所以他能正面看待人的主要責任，注意到人與上帝的關係。

在亞里斯多德看來，一個德行高超的人在某種意義下是最獨立的人；而在多瑪斯看來，一個德行高超的人是最能夠依賴上帝的人，他能夠了解上帝是最後的力量。這就是多瑪斯與亞里斯多德最明顯的差異。

由此可見，多瑪斯哲學是一個完整的系統，他盡量合乎理性的要求，但遇到理性的瓶頸時，他會依靠宗教的啟示來幫助自己追求真理。這並非迷信或不科學，而是人的理性確實有其限度。多瑪斯將啟示與理性交互運用，建立了一套完整的世界觀，他不斷提醒我們上帝是什麼，世界是什麼，人應該如何在世界中立足，並逐漸接近上帝。他的時代背景與今天相去甚遠，但不能否認的是，我們可以從他的思想中得到許多有參考價值的材料，可以藉此反省我們這個時代所面臨的問題，這正是學習古人思想的意義所在。

收穫與啟發

1. 多瑪斯是中世紀經院哲學的集大成者，他提出的溫和實在論能夠與一般人的實際生活經驗配合。
2. 他提出三種描述上帝的辦法：否定法——說上帝不是什麼；肯定法——從人的角度說上帝是什麼，但要加上一些限制或修飾的詞語；模擬法——把上帝類比為大家能夠想像的完美境界。
3. 關於人生的幸福，多瑪斯也非常務實。他強調：人所追求的幸福應該涵蓋最終的目的，即你追求的善必須是目的而不是手段；這種善要涵蓋人類生命的全部需要；真正的善只能是做為超越者的上帝。他做為一位宗教哲學家，自然會提出上述觀點。

課後思考

透過學習和生活中的經驗，你能否用自己的語言描述出西方哲學家所謂的「上帝」是什麼樣的情況？

第十五章

哲學不再是神學的女僕

15-1 誰能給「善」下個定義？

本章的主題是：哲學不再是神學的女僕。從標題就知道中世紀哲學走向結束階段，哲學要逐漸找回自己獨立的地位。本節的主題是：誰能給「善」下個定義？重點介紹多瑪斯之後的司各特（John Duns Scotus, 1265-1308）的思想。

本節包括以下三個重點：

第一，以前的哲學家對「善」的討論。

第二，司各特的意志優先主義。

第三，司各特對「善」的定義。

（一）以前的哲學家對「善」的討論

從小到大，父母老師都在教導我們要行善避惡，但究竟什麼是善、什麼是惡，恐怕很少有人能說清楚。

在古希臘初期，「善」這一概念與「有用的」、「有利的」可以通用，後來就以風俗和法律做為善惡的判斷標準。但這些善惡觀念都是相對的，所針對的都是人的外在行為，顯然較為膚淺。

到了蘇格拉底，他臨終時對朋友說：「今後你們要按照你們所知最善的方式去生活。」「你們所知」代表一個人內心的覺悟。外在的判斷可以暫且放在一邊，自己內心的體會才更重要。

接著，柏拉圖提出「理型論」，認為存在著一個完美模型的世界。「善的理型」在其中居於最高的位置，像太陽一樣讓光明普照大地。一個人若要追隨「善的理型」，必須用理智駕馭意志與情感。這就是柏拉圖著名的「御者與雙馬」的比喻，說明人需要修練才能走上正確的行善之路。

亞里斯多德則強調「德行論」，要在具體行為上修養自己，養成依規則行事的習慣，最高的德行是觀想。但他不能回答一個問題：如果人為了行善而有所犧牲，甚至犧牲生命，又該如何理解？

中世紀接續古希臘時代的思想，最大特色是直接告訴眾人至善就是上帝，在信仰中為「善」找到最後的基礎。當時普遍認為人的天性有自然法則，它來自於上帝所定的永恆法則。如此一來，具體的人生問題可以得到相當程度的化解，這也是基督宗教的重要作用。

多瑪斯集中世紀哲學之大成，他綜合百家，但以亞里斯多德的思想為主，將宇宙、人生、價值方面的問題與基督宗教的信仰進行了協調。譬如，上帝創造人類，也要拯救人類，人生的幸福就在於歸向上帝。人有理性，理性讓人知道上帝的存在；但想要知道上帝到底是怎麼回事，則要靠宗教的啟示。這一套啟示的說法由教會保存，一般人無法領悟「三位一體」等深奧的教義。

多瑪斯學問廣博，但只要是集大成的思想，就有兩種可能的發展：一種是全面式微，逐漸衰退；第二種是出現反對聲浪。多瑪斯的情況屬於第二種。他的思想是「主知主義」，強調「理智優先」。比多瑪斯晚出生四十年的司各特，則強調「意志優先」。

（二）司各特的意志優先主義

司各特認為多瑪斯的「主知主義」有問題，他強調意志優先。他說：「如果把知性或理智當做優先，那只是一種自然的能力；但人的意志是自由的能力。」他在這裡區分「自然的」與「自由的」，這個區分非常重要。人透過意志，才能做出自由的選擇。

理智與意志到底哪一個優先呢？主張「理智優先」的會說：

「你要先知道一樣東西，才會去欲求它；如果根本不知道，又怎麼會去追求？」主張「意志優先」的則認為：「是我的意志命令理智去注意某一樣東西；如果沒有意志的命令，我不會想去了解任何東西。」換句話說，意志比認識更善。你知道很多，但未必會採取行動；行動一定來自於意志。

司各特怎樣證明上帝的存在？他說：「人的意志可以欲求並且喜愛比任何有限之物更大的東西，這是自然的傾向。去愛一個無限的善，在愛的活動中，我們才能體驗無限的善。而這個無限的善因為被我們體驗到了，所以它必然存在，那就是上帝。」

換言之，司各特認為意志是人與上帝聯合更直接的方法，他反對多瑪斯理智優於意志的觀念。他有一句名言：「高尚的人無論走到何處，身邊總有一個堅強的護衛者，那就是良心。每個人的良心就是為他引航的最佳嚮導。」從意志優先出發，自然會進入到對「善」的探討。

（三）司各特對「善」的定義

從古希臘一路發展到十三世紀，司各特對「善」的定義值得我們學習和參考。他認為判斷一個行為是善的，必須具備四個條件：

1. 該行為必須是自由的。是自願去做而不是被迫的。被迫的行為沒有道德價值，它只是被人利用的工具而已。
2. 該行為在客觀上必須是善的。這一行為要合乎禮儀和法律，得到眾人的認可。
3. 該行為必須本於正當的意圖。必須真誠，有良好的動機和意圖，不能只計較利害。
4. 該行為必須以正當的方法來做。目的不能使手段合理。不管意圖有多好，也不能不擇手段。

當然，司各特是宗教家，他最後還是要加上一句：「善的首要條件就是要以上帝做為愛的對象。」但沒有信仰的人該怎麼辦呢？可以換個角度來說：善的首要條件就是要實現我天生具有的人性。譬如《中庸》的第一句話就說：「天命之謂性，率性之謂道，修道之謂教。」「修道之謂教」就是學習具體行善的做法，而「天命之謂性」把天命與人性結合起來，代表這兩者並不矛盾。

西方哲學經過漫長的中世紀，終於得到對於「善」的明確定義，可以對人生有正面的啟發。不管是否信仰宗教，我們都要知道該如何判斷善惡，並對自己的行為有所要求。

收穫與啟發

1. 古希臘初期的哲學家談到善，往往都看外在的行為表現，以風俗習慣、法律規章為判斷標準。蘇格拉底之後，開始注意到個人內心的覺悟。柏拉圖更進一步，把善當做最高的理型和萬物歸向的目標，並強調要進行修練。對蘇格拉底和柏拉圖而言，理智始終占據著重要地位：一個人先有了「知」，「德」自然就會配合。這就是蘇格拉底「知德合一」的觀念。
2. 整個中世紀都以上帝做為至善。但後來司各特認為「理智優先」的說法有問題，因為意志才是行動的主導力量。你可能知道很多，但你未必願意去做，意志與善有直接的關係。這一點可以說得通。
3. 司各特對「善」的定義，強調要具備四方面的條件，值得參考。

課後思考

根據你自己的行善經驗，你覺得司各特對善的定義還需要加以修訂嗎？該如何修訂才更適合呢？

15-2 心靈火花不會消失

本節的主題是：心靈火花不會消失，要介紹中世紀後期的一位重要的密契主義者──艾克哈特師長（Meister Eckhart, 1260-1327）。艾克哈特當過修道院院長、巴黎大學教授，他上課時語彙豐富，思想深刻，廣受好評。由於他一直從事教學工作，所以被稱為「艾克哈特師長」。

他最具代表性的觀念是提出一種密契主義（Mysticism）。密契主義在中世紀的教父哲學時代就已經開始流傳，更早可以追溯到柏拉圖主義的啟發。在方法上，他用否定的方式來說明至高的境界；在修養上，他要透過不斷的修練而達到忘我入神的境界。密契主義在各大宗教裡一直存在，但因為密契經驗是一種與信仰對象密契合一的個人體驗，無法用言語清楚的表述，所以不可能成為宗教生活的主流。

本節要介紹以下三點：

第一，密契經驗是怎麼回事？

第二，上帝是什麼？

第三，人的靈魂有火花嗎？

（一）密契經驗是怎麼回事？

密契主義強調密契經驗。許多人在修養過程中會抵達與神明密契合一的境界。密契主義的英文是 mysticism，代表密接契合。有不少地方將之譯為「神祕主義」，這並不恰當，因為中文裡「神祕」一詞含有貶義。譬如說一個人「神祕兮兮的」，往往帶有批評的意味。翻譯為「密契主義」則沒有任何批評的意思，只是純粹描述個人在修行過程中達到忘我入神的境界。這種個人靈修的經驗在很多宗教裡都出現過。

密契主義有何特色？密契主義者的內心好像覺悟了平常不容易懂的道理，但卻無法用言語來表達，亦即不可說。如果一定要說，只能用否定的方式，說它不是這個、不是那個。這種經驗會讓一個人顯得更有活力，對他的人生產生深刻的啟發。

密契經驗主要有三種類型：

1. 愛的密契主義。這不需要有什麼知識背景，只要全心全意的犧牲奉獻、幫助別人，就很容易在愛的氛圍裡達到忘我入神的境界。
2. 知的密契主義。這需要靠理性去認知，慎思明辨，在表達時通常採用否定的方式。這是比較困難的途徑，艾克哈特就屬於這種類型。
3. 一元論的密契主義。你原本以為自己與別人、與萬物是不同的，但是這純屬誤會。在密契的境界裡，誤會得以消除，你知道這一切原本就是一個整體。在印度宗教裡很容易發現這種類型的密契主義。

艾克哈特屬於知的密契主義，又稱為思辨的密契主義。「思」就是慎思，「辨」就是明辨。他的密契主義有兩點特色：

1. 用哲學思辨陳述特定的主張，不能只強調「不可說」，只讓大家自己去體會；
2. 他強調上帝就是「理解本身」，人由於分享了上帝的恩惠而具有理性，人可以透過理性的途徑，抵達最高的層次。

（二）上帝是什麼？

艾克哈特是一位虔誠的基督徒，他認為上帝創造萬物，是萬物存在的原因和理由；所以不應該稱上帝為存在本身或存在物，最好稱他為「理解活動本身」。理解是存在的純淨化，比存在更高級、更基本。

艾克哈特明確的說：「只有對上帝可以合宜的說，他是存在、一、真與善。」西方到了中世紀經院哲學的階段，就把「存在、一、真、善」四個詞列為上帝完美的超級表現。譬如，上帝是「存在」，萬物的存在可有可無，上帝則是存在本身。上帝是「一」，萬物是「多」，上帝是「多」的來源和基礎，只有上帝是統合的「一」。上帝是「真」，凡存在之物皆可被我們認識，存在是真的基礎，沒有存在則沒有真假的問題。上帝也是「善」，善是我們欲求的對象，沒有存在則無法欲求任何東西。

他認為，一般所謂的「神」可能有其他含義，不夠純粹。所以，他特別發明了一個詞叫做「神首」（God-head），即「上帝的頭」，以之代表最根源的地方。

他擅長使用否定法來描述上帝，也擅長以辯證的方式來說明。譬如他說：「在神之外，無物存在。神不在本身之外創造萬物。」彷彿萬物都在神裡面。但他又說：「萬物在神裡面『找到』『接受』及『擁有』存在。但神是單一的，萬物是多樣的，單一性和多樣性之間又有無限的差異。」就因為強調「差異」，才讓他免於受到「泛神論」的批評。事實上，很多密契主義的說法都有泛神論的色彩。泛神論肯定萬物是神，神是萬物；密契主義強調密接契合，統合為一。兩者很容易產生混淆。

艾克哈特非常善於使用正反論旨（Antinomy）。「正反論旨」

是一個哲學術語，即先說正面，再說反面，讓人自己覺悟什麼是中道。譬如他說：「沒有東西像上帝一樣，與萬物是如此相異。也沒有東西像上帝一樣，與萬物是如此相同。」他甚至還說：「萬物是神，萬物也是虛無。」第一句「萬物是神」，聽上去像是泛神論的立場，但是第二句「萬物是虛無」，就將艾克哈特與泛神論的立場區別開來。

他真正想要表達的是：上帝既超越萬物，又內存於萬物。上帝做為萬物的來源與歸宿，當然超越萬物，無論萬物怎樣變化，上帝完全不受影響和干擾。但另一方面，上帝又內存於萬物，即上帝遍在萬物之中。如果對道家思想有所認識，就很容易欣賞艾克哈特的話。正如莊子所說，道一方面是「自本自根」的，它超越萬物，永不變化；同時道又是「無所不在」的。

（三）人的靈魂有火花嗎？

「靈魂火花」的說法是艾克哈特的經典格言。他認為，人的靈魂裡有一種非受造的智力──理解能力。「非受造」代表它永遠存在而不會消失。神就是「理解本身」，人分享了神的形式，因而具有理解能力。

基督宗教相信，上帝按照自己的形象來造人，拉丁文稱為 imago Dei，英文是 image of God。如果說人的靈魂是上帝的形象，未免太籠統了。艾克哈特強調，人靈魂裡的理解能力是上帝的形象。他說：「人的理智有如靈魂的火花，上面印著上帝的形象，使人可以透過這一路徑達到與上帝的密接契合。」這就是艾克哈特「靈魂火花」的說法。人的靈魂生來就有一點點火花，何時將它點燃使其發出光彩，就要看個人修行的成果或機緣了。

艾克哈特有些話值得反覆思考。他說：「上帝的眼睛正是人用以觀看上帝的眼睛。若沒有上帝，就沒有人；同樣的，若沒有人，就沒有上帝。」「沒有上帝就沒有人」還比較容易理解，但為什麼「沒有人就沒有上帝」呢？因為如果沒有人的話，就不會有「上帝」這樣的概念，而且是否有上帝也沒有特別的意義了。

他還說：「神與我，為一體。我藉由理解，把神帶進我的生命，我藉由愛，進入神的境界。正如火把木塊燃燒成火，同樣的，我們也將變化成神」。這當然是比喻的說法，但是很容易被誤認為有泛神論的傾向。艾克哈特在天主教裡屢次受到警告，也屢屢為自己辯護。

由此可見，哲學要慢慢獨立，不能被宗教完全籠罩。在十三世紀後期，像艾克哈特這樣的密契主義者相當多，他們大部分聚集在萊茵河畔進行修行。

收穫與啟發

1. 密契主義是宗教中普遍存在的現象，它強調的是密契經驗。
2. 艾克哈特屬於「思辨的密契主義」，即靠哲學思辨來敘述自己的主張。他把神當做「理解本身」，人的理性分享了神的理解能力，人可以由學習、理解而覺悟，從而進入密契的境界。艾克哈特把一般所謂的「神」再往上推，認為真正要掌握的是「上帝的頭」，即「神首」。
3. 人的靈魂有火花，那就是人的理智能力。它是非受造的，具備神的形式，可以讓人達到與神密契的境界。

課後思考

你有沒有偶爾出現過忘我經驗，在一剎那間只覺得平安、寧靜、滿足？

補充說明

密契經驗大致可以分為兩種：一種是自然的密契經驗，一種是宗教的密契經驗。

自然的密契經驗可用三個比喻來說明：第一種是如醉，好像喝醉；第二種是如夢，好像做夢；第三種是如醒，好像覺醒。

1. 如醉

一個人喝醉時，自我意識會慢慢消退，他與外界的人、地、事物很容易融合為一體，那是一種非常愉悅、放鬆的感覺。達到這種狀態有幾個可能的途徑：

(1) 在激烈的運動中或運動後，產生一種放鬆的心情，感覺到自己的生命融化了；

(2) 陶醉於自然的風景中，有一種天人合一的感覺；

(3) 透過藝術的審美感受，譬如透過音樂，忽然覺得有一種寧靜和諧的體會。

2. 如夢

如夢的特色就是過去與現在合而為一，成為一種永恆的體會。我記得自己第一次到瑞士日內瓦，一下飛機就愣了一下，我看到一片青綠的山坡，上面有一些彩色的房子，我覺得我來過這裡，但事實上我是第一次到瑞士。為什麼會有這種體會？因為我小時候看過一本掛曆，它的圖案與眼前的景色完全一樣。這說明我們的潛意識會把小時候見過的東西做有機的整合，甚至編一個故事出來。在如夢的狀態中，你會覺得不知今夕何夕，感覺非常舒適，內心有深刻的喜悅。

3. 如醒

好像忽然從夢中醒來，產生了一種覺悟。當你偶爾唸到一句格言，或是《聖經》、佛經、中國經典中的一段話，忽然會覺得自己找到了一把鑰匙，可以解開一切祕密，當下就等於永恆。你會覺悟到：所有的一切原來都有它的意義，對我都有深刻的啟發，我不能再忽略它們了。

自然的密契經驗有什麼特色？

(1) 它跟心理學的高峰經驗類似；

(2) 你可以透過外在條件的配合使之重現，但不會完全一樣；

(3) 它缺乏內在的脈絡。一剎那的高峰經驗過後，你對真理是否有更深的覺悟？你今後的生命能否有重大改變呢？由於缺乏固定的脈絡，自然的密契經驗對自己影響有限，不會整個改變生命的狀態。

宗教的密契經驗則不同，它以宗教信仰為脈絡。你不會突然出現密契經驗，必須經過長期的修行過程。當密契經驗出現時，你好像接通了能源，感覺到自己的能量源源不絕。你會覺得生命更加清澈透明，好像覺悟了最後的真理，但是說不出來。忘我經驗是人類生命到達身心靈最高層次的表現，此時人與人完全相通，這種境界令人嚮往。

在學習哲學的過程中，思辨是很大的挑戰，我們可能會對某些哲學家的說法感到難以理解，好像他們很執著，總是糾纏不清。但這些哲學家之所以這樣說，一定是有某種特定的生命處境和體驗，他們能在西方哲學史上留下名聲和著作，絕非偶然。有朝一日，我們也可能碰到類似的經驗，到那時我們就會發覺，這些哲學訓練可以幫助我們簡明的表達觀念，能讓我們說的每一句話都言之有物，「發而皆中節」。透過學習哲學，我們的思想和生活會逐漸找到方向，步入正軌。

15-3 奧卡姆的剃刀

奧卡姆原名奧卡姆的威廉（William of Ockham, 1290-1349），後來世人習慣稱他為奧卡姆。他是一位虔誠的基督徒，發現天主教內部的腐化愈來愈嚴重，整個時代趨於毀滅。他經過深刻思考後提出一系列觀念，成為中世紀後期維護基督宗教有關神的自由與全能的最有力的代表。

本節要介紹以下三點：

第一，奧卡姆駁斥所有古代偏差的形上學觀念。

第二，奧卡姆的剃刀是怎麼回事？

第三，從人到神又該如何理解？

（一）駁斥所有古代偏差的形上學觀念

奧卡姆駁斥一切屬於古希臘「必然性主義」的說法，尤其是「本質理論」。所謂「必然性主義」是指，當你看到某些既存的事物，就把它們當做必然如此。「本質理論」則是指本質的形上學，主張上帝按照他對人的普遍觀念（本質）創造了人類。換言之，你今天看到人有這樣的外貌和想法、有這樣的人性，就認為這是人的本質，上帝必須按照這種本質來創造人類。它採用回溯的方法，由當前我們對人性的理解，推到人性都有自然的道德法則，好像這是連神都不能改變的命令。這種說法在古代可以理解，既然世間萬物已經出現，大家就接受它本該如此。但以這樣的想法推到上帝，上帝就被他所創造的萬物限制住了。

奧卡姆說：「我們沒有任何理由說上帝心中有一種固定的人性觀念。我們談到『人』這一概念時，並沒有『人性』的問題，你看到的是每一個個別的人，這樣才能保障上帝的自由與全能。另一方面，萬物的存在純粹是偶然的，它完全依賴於上帝的任何決定。」他的觀念非常犀利，等於把過去一、兩千年的觀念都擱置了。

（二）奧卡姆的剃刀是怎麼回事？

「奧卡姆的剃刀」（Ockham's razor）在哲學史上非常有名。剃刀是男人用來刮鬍子的工具，鬍子是多餘的東西。所謂「奧卡姆的剃刀」，就是要剔除不必要的東西。奧卡姆是英國人，英國經驗主義（Empiricism）的基本觀念就來自於奧卡姆。奧卡姆的經驗主義有以下三點特色：

1. 人對實在界的一切知識都植基於經驗。人透過經驗與理性所觀察到的一切，只要不矛盾，都屬於實在界的範疇。人對實在界的知識完全基於經驗。你如果沒看到、聽到或接觸到，就不要自己幻想，不要指望在腦袋裡可以得到任何蛛絲馬跡。
2. 在陳述任何事物時都要使用經濟原則，不增加不必要的因素。我們可以自行判斷哪些是不必要的因素。陳述愈簡明扼要愈好，不必加上個人的想像、情緒或延伸的判斷。
3. 如果有人設定了一些不必要與不可觀察的東西，那通常是受到語言的誤導。人在說話時往往過於疏忽自己所使用的語言。奧卡姆的要求很高，他認為下列名詞都應該去掉，如否定、缺乏、條件、本質、偶然、普遍性、行動、被動、運動等等。譬如，你說「一個人正在運動」，如果他正在操場上跑步，你直接說「他在跑步」就可以了。

真的按上述要求去做的話，一個人恐怕一天也說不了幾句話。

他強調人很容易誤用語言，這是很準確的觀察，後來有一種說法就認為「哲學就是語言治療學」。如果把你的語言治療好，就可以減少不必要的廢話，從而大幅提升思考或溝通的效率。

（三）從人到神是怎麼回事？

奧卡姆的思想與多瑪斯分道揚鑣，他比較接近司各特的立場，強調意志優先的觀念。他認為人的主要特色在於自由。自由顯然是以意志做為基礎。所謂「自由」是指一種能力，使人可以在不受干擾的情況下，偶發式的製造某種效果。譬如我看到一個人摔跤，我自由的去幫助他，這就是「偶發式」的，因為我並非每次都會去幫忙。所製造的效果是：他開心，我也開心。效果不見得每次都一樣，也許某一次我幫助別人反而被告。

奧卡姆說：「意志除非以神為最高目的，否則在指向任何事物時，都難免會有憂慮與哀愁。」這句話是奧卡姆的名言，含義非常的深刻。

一個人不管追求任何東西，就算達成目標，也難免會有憂慮與哀愁。為何會有「憂慮」？因為目標尚未達成之前，你會擔心它無法達成；而達成之後，你又害怕失去它。為何會有「哀愁」？因為你會發現：這種向外追求的欲望永無止境。「憂慮」與「哀愁」這兩個詞用得非常精準。人活在世界上，無論追求任何東西，如果不是以人性的真正需要或最高境界做為目的，那麼一切都是相對的。宗教強調以上帝做為目的；如果不談信仰，則要以人性的最高標準做為目的。

奧卡姆從根本上否認有所謂的「神性」存在。他認為無法由受造的萬物證明神的存在，因而多瑪斯提出的五路論證一概無效。因果性（從結果推到原因）和目的性（宇宙有一個設計的目的）都沒有確證，甚至神的單一性與人的靈魂也都無法確證。人也無法論證神的本性，如全能、無限、永恆、從無生有等等。上帝具體的存在方式與具體作為可能完全沒有關係，只有這樣才能保證神的全能。

去除一切不必要之物後，剩下的只有人依靠信仰才能得到的神的啟示。神是完全自由的，神絕不是「先」有目的，「再」選擇手段；對目的與手段的選擇，在神皆為完全偶然的。所謂「偶然」就是不可預測，這是從人的角度來看。我們由此會聯想到，一個人的遭遇也是完全偶然的，不能說一定會怎樣。

最後他說：「神沒有任何義務，他是全能的與自由的，神可以做任何事，能夠命令所有不合邏輯的、矛盾的事情。」西方人經過基督宗教一千多年的主導，形成很多固化的觀念與行為模式。奧卡姆要將其一一破除，從而讓一個人有完全的覺察，知道自己是一個個別的人，應該負責自己的人生。

收穫與啟發

1. 奧卡姆批判傳統以來的形上學，認為那些論證只有概然性。對於所有不必要的觀念或描述，他都要用他的剃刀一一去除。「奧卡姆的剃刀」成為哲學界的術語，但其內容並不複雜，亦即在沒有必要時，根本不要增加任何因素。
2. 他強調信仰的特殊性，要把信仰局限於個人的意願中。並不是所有人都要信仰某個宗教或某些教條，那樣只是群眾運動而已，沒有什麼特別的意義。

課後思考

「奧卡姆的剃刀」強調不增加不必要的因素。你可以用它來做減法，使你的生活與工作更單純一些嗎？

補充說明

奧卡姆本人是虔誠的天主教神父，他不希望自己的信仰受到太多世俗的汙染，因此最好把與信仰無關的東西統統去掉。他用「剃刀」的目的是找到真正的、純粹的、信仰的上帝。換句話說，你們所謂的上帝可能是你自己想出來的，跟我們信仰的上帝完全無關。

你如果把上帝的框架去掉，只就能夠看到的領域，並在其中進行自由的思考，那麼就無法回應那個最根本的問題：自然界和人類這一切有來源與歸宿嗎？哲學就是愛智慧，總希望知道什麼是根本的智慧。如果你把那個框架拿掉的話，根本什麼都不能談。你要嘛研究自然界，做一個自然科學家，永遠找不到問題的答案；要嘛研究人類或研究自己，永遠弄不清楚人的生命到底是怎麼回事，尤其不能解釋「痛苦、罪惡、死亡」這三大奧祕。

所以，奧卡姆的剃刀確實很有用，但是要一步步來，不要想把所有問題一次統統清除掉。

談到語言的作用，第一可以幫助個人思考，第二可以幫助與人溝通。語言來自於傳統，我們使用的語言隱含傳統中的基本觀念。在與人溝通時，你要思考一下跟誰溝通，溝通的內容以及層次是什麼，這裡談不上語言的特別作用。當你個人思考時，情況會有所不同，如果你要治療的話，就要自己多做思考和反省，從而讓自己的思考更為精準，更有效率。語言治療學只是西方哲學眾多學派的一種。哲學當然不只是語言治療學，因為語言背後還有觀念。哪些觀念是必要的？這需要做進一步的分辨。

15-4 博學的無知

本節的主題是：博學的無知。這是一本書的書名，作者是庫薩的尼古拉（Nicholas of Cusa, 1401-1464），他的年代處於中世紀後期，與近代哲學相連接。

尼古拉的生平有些波折。他原是漁夫子弟，有一次與父親起了爭執，被父親從小船上扔進水中，於是離家出走，到外面去學習。他取得博士學位之後，以律師為業，但第一場官司就打輸了，於是轉而從事神職工作。他最後升任為樞機主教，並且積極推動天主教與東正教之間的復合事宜。東正教是在 1054 年從天主教內部分裂形成的。此外，他對於日爾曼地區修會生活的整頓也做出具體貢獻。當時的天主教正在腐化之中，在 1378 年至 1417 年這四十年之間，有三位教宗並存，且各有支持者，這確實是讓人擔心的情況。

尼古拉有何特殊的見解？本節要介紹以下三點：

第一，什麼是博學的無知？

第二，什麼是上帝的本性，人對上帝可以認識到什麼程度？

第三，說明大宇宙和小宇宙的觀念。

（一）博學的無知

博學的無知又稱為有學識的無知。在尼古拉看來，人的無知就像貓頭鷹試圖看太陽卻永遠看不清楚一樣。一個人求知的直接對象就是自己的無知，能知道這一點就是有學識的無知。一個人愈明白自己的無知，學識就愈高。

古希臘時代的蘇格拉底承認，除了自己的無知，他什麼也不知道。後來，最有學問的亞里斯多德也說：「自然界中看來最明顯的事物，也未必可以確認。」在宗教領域裡，連猶太人最推崇的、以智慧聞名的所羅門王也說：「一切事物之中，總有些困難是無法以言詞解釋的。」因此，尼古拉認為，人應該把無知當做最大的學問來討論。

他認為，人類理智的處境就是一種無知狀態，一個人對自己的無知認識得愈多，他就愈博學。這聽起來似乎有些矛盾。不過，人所認知的對象是真理，但真理的基礎是上帝。人的心智是有限的，上帝的本性是無限的、超越的。所以，面對這個真理的基礎，人的心智必然處於一種無知狀態，這是人對於自己應該有的認識。

（二）上帝的本性

上帝是怎麼回事？人能夠認識他嗎？尼古拉認為，上帝是無法以任何言詞來界定的，上帝是他自己的定義。上帝不在萬物之外，因為他界定萬物，是萬物的來源與保存者。上帝等於「能夠存在」，他在能夠存在的樣態中活動不息。

換言之，上帝就是「能力本身」（posse ipsum）。這就好比人需要能量才能活動，上帝就是能源本身。他是永恆的活動，他永遠是「能有」，是超越的、無限的、不可理解的。密契主義者艾克哈特師長曾把上帝界定為「理解本身」，而尼古拉把上帝界定為「能力本身」，這些說法都有一定的根據。

尼古拉怎麼形容上帝？他說：「上帝就像一張臉，在不同鏡子中顯現，有無限的鏡子就有無限的顯現，上帝顯現在萬物裡面。上帝一方面有超越性，另一方面還有內存性。」這就是讓人難以理解的地方。對於上帝的超越性，你只能用否定的方式來說；對於上帝的內存性，你可以用肯定的方式來說。譬如，上帝就是「能夠存在本身」，萬物都來自於這個「能夠存在本身」，否則萬物無法存在。

尼古拉用三種方法描寫上帝：

1. 否定法，要認識上帝所不是的樣子。對於上帝的無限和超越，人無論怎樣聰明、怎樣有知識，也形同無知。人並非不認真求知或是漠不關心，而是只能停留在無知的狀態裡，只能說上帝不是這個、不是那個。
2. 尼古拉也不反對肯定法。上帝是多樣性（萬物）的根源，所以可以說上帝是「一」；但上帝不是任何一物，所以上帝又不是「一」。說他是「一」，或說他不是「一」，都有一定的道理。
3. 尼古拉認為否定的方式比肯定的方式要好，但更好的方法是把神當做「對立的統一」，這是尼古拉的專用術語，就是結合否定與肯定的方式。譬如說上帝是至大的也是至小的，這就是對立的統一。

從人的認知能力來看，認知的最低層次是感覺的認知，感覺只能肯定。譬如現在外面很冷，我就會覺得很冷而不可能覺得很熱，除非我生病了。感覺的認知一定是當外面有某物出現時，我可以直接肯定它是什麼情況。

第二層是理性的層次，理性可以肯定也可以否定。譬如我說這是桌子，就代表它不是非桌子，任何一個肯定都有否定的另一面。

除了感覺和理性之外，人還有一種能力叫做「悟性」，它以直觀的方式直接掌握，但不容易表達出來。尼古拉用一個生動的比喻，說明人永遠只能知道近似的東西，他說：「在一個圓內畫多邊形，不管增加到多少條邊，都不可能是一個真正的圓。」假設在一個圓內畫一個三角形，它的面積與圓相差很遠；如果是四方形，則稍微接近一點；邊數愈多愈接近圓，但不管畫多少邊形，都不是真正的圓。

尼古拉這樣說是要強調：對於萬物的認識，我們只能接近它的真相，科學的推理只是更接近真相，但完全的真相隱藏在神裡面。如果想要了解真相，要從感覺到理性，還要往上提升到悟性，使相反之物可以結合，形成對立之統一，但是它不能用言語來表述。這就是人類認知的特色，對於上帝的認知也可以對照來看。在尼古拉之後，西方便形成一個新的觀念，認為上帝隱藏在奧祕之中，永遠不可能讓人了解。

人在認識與上帝同樣位階的概念時，都可以參考這一點。譬如孔子說自己「五十而知天命」，但對於天命本身是什麼，他並沒有完全的把握。老子和莊子既然談到「道」，他們顯然是悟「道」了，但是他們也都承認「道」有不可理解的側面。這就像上帝有兩面，一面是人可以認識的，另一面是上帝的奧祕本身，那是沒有人能夠認識的。

（三）大宇宙和小宇宙的觀念

尼古拉認為上帝包含一切，因為萬物都在上帝裡面，若沒有上帝，萬物都是虛幻的，根本不可能存在。上帝又彰顯一切，因為上帝本身在萬物之中。這兩者都顯示了上帝的內存性。強調內存性容易流於泛神論，所以尼古拉還特別強調神與萬物的差異性。我們再三看到，西方許多學者在闡述上帝具有內存性時，一定會強調上帝與萬物仍有差異，只有這樣才能避免被認定為泛神論。

所謂「大宇宙」就是上帝創造的整個宇宙，世界是一個由萬物組成的和諧體系，萬物彼此相關，也與整體相關，每一個個別事物都反映了整個宇宙。人尤其如此，因為人的生命包括四個方面：

1. 質料；2. 有機生命；3. 動物的感覺性；4. 精神的純理性。同時具備這四個方面，使人這樣的「小宇宙」可以反映大宇宙的每一個層次。即使如此，人還是永遠不可能完全了解上帝。

收穫與啟發

1.「博學的無知」這一說法在西方哲學界非常有名，也經常被引用。我們不能僅從字面去理解，以為它的意思是說一個人很博學，所以他的博學是無知的。「博學的無知」是說人本身是無知的，你愈了解自己的無知就愈博學。
2. 尼古拉對於上帝有各種描述，最特別的就是把上帝當成「能力本身」。上帝不是世人可以理解的，他是永恆的活動，沒有停止的問題。你可以用否定的方式說上帝不是什麼，也可以用肯定的方式說他是萬物的來源；最好是用整合的方式造成「對立的統一」，說他是至大也是至小，是宇宙的來源與基礎。
3. 尼古拉提出大宇宙和小宇宙的觀念。人是最特別、最標準、最完美的小宇宙。

課後思考

學會大宇宙和小宇宙的觀念，你能否透過舉例來說明，在個人身上如何反映群體、人類、宇宙這三方面中的某一方面？

補充說明

個人反映出群體，這比較容易了解。就像蜘蛛需要一張網才能生存，人也需要生活在人際關係的網路之中。每個人都以自己為中心向外擴散，由親人到朋友、同事，由此構成一個群體，這在社會學中稱為「意義之網」。

談到「人類」則比較抽象，因為人類是一個整體的概念。今天有個觀念叫做「地球村」，是說人類生活在同一個地球上，彼此的關係非常密切。不過這種意識確實比較淡薄。譬如出國旅遊時，還是會尋找自己比較熟悉的人物或景點，我們關心的問題也大都是從自己的角度來看的。宗教往往能讓我們有清楚的人類意識，但宗教是多元化的，不同宗教之間的關係非常緊張。這些情況都導致我們對「人類」這個概念比較模糊。

「宇宙」反而比「人類」更容易吸引人注意，這是很特別的現象。譬如，中國南宋哲學家陸象山（1139-1193）說過：「宇宙即是吾心，吾心即是宇宙。」他對王陽明的心學很有啟發。

由此可見，從個人身上可以反映出三個層次：群體、人類、宇宙。但這三個層次不是連續的，中間「人類」這一環顯得比較弱，讓人覺得較為抽象和模糊。

我們可以總結出以下三點結論：

1. 要用理性去了解個人不是孤單的，由個人還可以推出後續的三個層次。
2. 要有敬畏之心。個人並不孤單，有更大的領域可以讓個人得到安頓。個人對這一切都要尊重、敬畏和珍惜。
3. 對於個人與群體、人類、宇宙要有一種「對立統一」的觀念。不可能把個人生命的特色全部放下，完全投入到其他地方；但可以慢慢擴充自己生命的範圍，增加自己生命的能量，讓自己不斷的成長。

15-5　驕傲是七宗罪之首

本節的主題是：驕傲是七宗罪之首。我們從宇宙觀、人生觀、價值觀這「三觀」來說明中世紀哲學確實到了該結束的時候，哲學已經為宗教服務到一個限度而無以為繼。其中提到「驕傲」是七宗罪之首，這一點特別值得注意。

本節要探討以下三點：

第一，中世紀的宇宙觀是怎麼回事？

第二，中世紀的人生觀有什麼重點？

第三，中世紀的價值觀造成何種影響？

（一）中世紀的宇宙觀

中世紀長達一千多年，在宇宙觀方面，主要是把西元二世紀出現的托勒密天文學與古希臘時代亞里斯多德的自然學相結合。亞里斯多德是一位大哲學家，這種結合使人對於宇宙的認識更有信心。這樣的觀念再進一步與基督宗教的神學相配合，認為人類生活的地球是宇宙的中心，人類處在天堂與地獄之間，往上提升可以抵達天國的領域，往下沉淪會降到地獄的世界，地獄深處是魔鬼與罪人；在往上提升時，中間經過煉獄山，最後可以到達天國。

如果一個人有完美的德行，死後就直接升入天堂，很多殉教的烈士就是如此。如果是生前犯了重大罪過的惡人，或者沒有受洗，死後就要下地獄，永世不得超生。大多數人的表現介於兩者之間，就到煉獄裡去，需要在世的親友替他們禱告、行善，這叫做「通功」（功勞互通），有點像佛教所說的「迴向」。

中世紀的宇宙觀顯然無法滿足當時科學發展的需要。但丁（Dante, 1265-1321）的代表作《神曲》（*Divina Commedia*）直接反映了中世紀的宇宙觀，談到地獄、煉獄以及天堂。包括伊比鳩魯學派在內的許多古代著名學者，由於主張人的靈魂和身體一起消失而被放入地獄中；許多重要的哲學家由於出生在耶穌之前，沒有機會受洗，於是也被放在地獄裡。所以但丁對地獄的部分描寫還算友善，並不是很可怕。其他人就按照各自的修練成果，分別進入煉獄或升入天堂。

可見，但丁是從天主教的立場來描寫人死之後可能的遭遇。其中有一句話令人印象深刻，他在〈地獄篇〉第三節「地獄之門」裡寫道：「入此門者，當放棄一切希望。」所以，地獄就是沒有希望的地方。這句話非常傳神，可以表達宗教界對於人死之後的看法。

（二）中世紀的人生觀

但丁的《神曲》中特別強調有七項死罪，這是由中世紀的宇宙觀所發展出來的人生觀。人因為有原罪，所以生下來就不完美。前文介紹過，原罪是指「罪的來源」，人有自由，所以具有一種原始的緊張狀態。另外，人也有好的一面，因為人是按照上帝的形象所造的。

如果把焦點放在人間，到底有哪些罪過呢？排第一位的就是驕傲。驕傲是最嚴重的罪，因為人明明是受造之物，本身是虛幻的，但由於具有自我意識和自由選擇的能力，居然以為自己可以像神一樣，具有某種獨特的價值。譬如在伊甸園神話中，夏娃受到魔鬼誘惑，魔鬼對她說：「你可以吃知善惡樹的果子，吃了之後就會像神一樣知道善惡。」這句話的關鍵在於「像神一樣」。人有了自我意識，就想超越自己的本分，由此演變出對於人間名利權位的追逐。

七大死罪大多數是以自我為中心，可以按以下方式分類。

第一類，是對自我的執著，表現為驕傲、嫉妒和憤怒三種罪。驕傲就是拿自己跟別人比，要勝過別人；嫉妒就是發現別人比我好而心生嫉妒；憤怒就是與別人相處過程中發現不公平的情況時，以自己做為裁判的標準，由此產生憤怒。

第二類，是自我的過度膨脹，表現為三個「貪」：貪財、貪食、貪色。

第三類，是「不及」，表現為懶惰，懶惰於為善。

但丁在《神曲．煉獄篇》第十七節對七大死罪分別進行說明，成為天主教思想的重要提煉。這樣的人生觀讓人整天活在緊張狀態中，面對這麼多犯錯的威脅，人應該怎麼辦？完全靠教會組織（像主教、神父、修女）的幫助顯然有問題，因為當時正處於天主教最腐化的階段，同時出現三位教宗，綿延的時間將近四十年，讓人感到不可思議。教會已然成為世俗的機構，它考慮的是各種現實的利益，造成複雜的局面。

此時，天主教內部也在慢慢尋求改革。有些信徒開始思考：難道信仰上帝、從事靈修活動，一定需要教會這樣的機構嗎？這時出現一種思想：個人的虔誠優於教會的職責，內在的體驗可以代替外在的教規。精神自主的情況慢慢出現，引發後續的宗教改革。

換言之，宗教為人而設，信仰本身是單純的，很難說宗教本身是好是壞；但信仰宗教的人如果缺乏修練，就會出現嚴重的問題。恰好在十四世紀中葉，歐洲發生大瘟疫，死亡人口超過總人數的三分之一。西方從中世紀後期開始，出現巨大的轉變，逐漸脫胎換骨，進入到近代的世界。當時的人生觀仍以信仰為基礎，肯定「人有原罪」，卻疏忽「人是按照上帝的形象所造的」這一點。

（三）中世紀的價值觀

由上述人生觀能夠啟發何種價值觀呢？中世紀一千三百多年，西方人以《聖經》做為真理的標準，以宗教做為生命的依歸，宗教成為一切的基礎，尤其是道德的基礎。西方人很自然的認為：一個人有道德是因為有宗教信仰；如果上帝不存在或者一個人不信仰上帝，就會為所欲為，做出許多令人難以想像的事。由此可見，中世紀的基督宗教讓西方人的道德生活維持了一定的水準。

然而，如果道德要靠外界的力量、宗教的權威以及對死後的恐懼來維持的話，其實是非常脆弱的。1582 年，即中國明神宗萬曆十年，天主教傳教士利瑪竇（Matteo Ricci, 1552-1610）奉命來到中國，他與中國的士大夫交往之後，寫了一封信給羅馬教宗，這封信直到今天還保存著。利瑪竇說：「中國許多讀書人並不信仰我們的上帝，但他們有很高的道德水準。」這句話提醒我們兩點：

1. 在西方世界如果一個人不信仰上帝，你很難想像他為什麼要有道德，他可能什麼事都幹得出來。到十八世紀啟蒙運動時，這種現象仍非常普遍。
2. 中國有很多人不信仰上帝但道德水準較高，這是因為受到儒家思想的影響。儒家思想強調修身，《大學》一書就指出：從天子到百姓都要以修身做為基礎。修身由內心的真誠開始，再付諸行動，遵守外在的法律規範和禮儀規定，經常自我反省，自然表現出較高的道德水準，不需要靠宗教的約束或上帝的賞罰。

利瑪竇這句話反映出中國儒家思想的特色。當然，很多儒家讀書人未必是由內而發的真誠，也許是因為身處上層社會，所以必須遵守某些禮儀和規範，從而使其在道德上顯得比較高尚。

收穫與啟發

1. 中世紀接近尾聲，在哲學上的創見有限。中世紀哲學主要是把古希臘時代柏拉圖與亞里斯多德的思想加以運用，使之與基督宗教的神學相配合，等於是哲學為神學服務，「哲學是神學的女僕」。這句話今天聽起來很刺耳，但中世紀認為，讓哲學有機會為神學服務，這是對哲學的抬舉。可見，很多話不能只從一個角度來看，我們也很難為這樣的哲學觀念去辯護。中世紀哲學討論最多的是共相問題、上帝存在問題，但最後也難以取得共識，更難說服那些不信仰宗教的人。
2. 對於中世紀的「三觀」，宇宙觀已經到了非改不可的地步，後面即將出現天翻地覆的轉變，要從地心說轉到日心說。在人生觀方面，當時過於重視宗教的教義，強調人生下來就有原罪，從而造成現實人生的各種問題與困難。我們不用把七大死罪看得太嚴重，可以將其理解為：人如果忽略修養，很容易出現自我膨脹，把自己當做一切的中心，由驕傲開始會出現各種問題。有一部電影就叫做「七宗罪」（*Seven*，臺灣譯為「火線追緝令」），由布萊德．彼特和摩根．費里曼等演員主演，使很多人深受啟發。在價值觀方面，西方人形成一種慣性思維，認為宗教信仰是道德的基礎，如果沒有上帝，一個人就可能為所欲為。這種觀念使一個人的人格很難有獨立的價值，造成後續的各種問題。

課後思考

請你按照自己的觀察，重新排列七宗罪的順序，從嚴重到輕微，你或許可以由此更了解自己的價值觀。

補充說明

為什麼七宗罪的第一條一定是驕傲呢？因為從宗教的角度來看，人是受造之物；人忽略了這一點，以為靠自己可以取得各種成就，以致於對其他人、其他生物顯示出一種傲慢的態度，由此造成各種罪過；所以就把驕傲放在七宗罪之首。這裡有特定的宗教背景。

如果不考慮宗教的背景，該如何思考呢？我簡單說一下我的想法。可以把七宗罪分成三組：第一組，把自己局限於人的世界；第二組，把自己局限於生物的層次；第三組，把自己局限於物體的領域。

1. 把自己局限於人的世界

這代表你沒有往上提升，沒有超越一般人的價值觀。這一組包括三個罪過：驕傲、嫉妒、憤怒。這些都屬於人的世界可能發生的情況。

所謂「驕傲」就是要勝過別人。你可能確實具備某些優點，可以讓自己在競爭中勝過他人，但你以為這是自己的才華、努力或運氣所造成的結果。與驕傲相關的是「嫉妒」。一個嫉妒別人的人，內心裡一定有驕傲的成分；當你不如別人時，你的情緒可能就會轉變為嫉妒。「憤怒」往往來自於你覺得委屈或不公平。

這三點用儒家的觀點來看就是「小人」。「小人」就是沒有立志成為君子、不想往上提升的普通人。孔子在《論語．泰伯》中說：「即使一個人才華卓越有如周公，如果他既驕傲又吝嗇，其他的部分也就不值得欣賞了。」

所以，人一定要設法化解驕傲、嫉妒、憤怒這三種直接的情緒反應。要了解：第一，人各有優點；第二，人有不同的發展歷程，有人少年得志，有人大器晚成；第三，你與別人生活在同一個世界。

2. 把自己局限於生物的層次

表現為三個「貪」：貪吃、貪色、貪財。需要特別說明的是：「食色，性也」不是孔子說的，而是告子說的。這句話出於《孟子．告子》。告子與孟子是同一個時代的人，多次和孟子辯論。告子說：「食色，性也。」孟子反對這種說法，認為食、色是生物的本能或本性，而人區別於動物的特色在於人心可以了解道義。所以，這三個「貪」屬於生物的層次，比人的層次更低。

3. 把自己局限於物體的領域

表現為懶惰。活著只是過日子而已，能混就混，隨著時間而老去，枉為一個人，甚至枉為生物，那就太可惜了。

在思考問題的時候，如果能找到一些分類的方法和原則，會幫助你把問題看得更清楚、更完整。在和別人討論時，你的說法也會比較容易被別人接受。

索引

一劃

二劃

三劃

四劃

五劃

六劃

七劃

八劃

九劃

十劃

十一劃

十二劃

十三劃

十四劃

十五劃

十六劃

十七劃

十八劃

十九劃

二十劃

二十一劃

二十三劃